DE TERUGKEERLING

Patrick Pouw

De terugkeerling

Lebowski Publishers, Amsterdam 2016

© Patrick Pouw, 2016
© Lebowski Publishers, Amsterdam 2016
Omslagontwerp: Dog and Pony, Amsterdam
Omslagbeeld: © Keith Morris | Alamy
Auteursfoto: © Geert Snoeijer
Typografie: Crius Group, Hulshout

ISBN 978 90 488 2962 0
ISBN 978 90 488 2963 7 (e-book)
NUR 301

www.lebowskipublishers.nl
www.overamstel.com

OVERAMSTEL
uitgevers

Lebowski Publishers is een imprint van Overamstel uitgevers bv

'Er is niks, niks mooiers, dan iets dat mislukt.'
— De Jeugd van Tegenwoordig

2014

Mo

Kijk ze daar hun levens leiden, verscholen achter vergeelde gordijnen. De hele *fucking* dag de tijd om het huishouden te doen, maar te beroerd om die lappen een keer door een sopje te halen. Die wijven zitten liever de hele dag op hun reet zoete thee te drinken en te kauwen op buurtroddels. Wát een genot als Fatima van drie deuren verder zich heeft laten bezwangeren voor het huwelijk – zeker als het van een Hollander is. Ze knijpen de vadsige handen in elkaar als Hafid, de derde zoon van de achterbuurvrouw, het met mannen blijkt te doen. Lekker, als Abdellah van een etage lager een dief of een junkie blijkt te zijn. *Hasjoema*, zeggen ze, schande spreken ze ervan, maar zoeter genot kennen ze niet: hoe heerlijk als de ander het slechter heeft dan zij, hoe zalig dat over anderen slechter wordt gesproken dan over henzelf, over hun eigen gezin. Het heet hier de Livingstonelaan maar denk niet dat in die betonblokken waar hij nu al uren naar zit te staren ook maar iemand naar buiten kijkt, dat er iemand nieuwsgierig is naar wat zich dáár afspeelt, iets wil ontdekken. De blik is naar binnen gekeerd. Duizenden kilometers gereisd, om in een portiekflat in Utrecht de schotel op Marokko of Turkije te richten.

De AIVD'er kijkt op de klok van zijn zwarte Golfje. Zestien minuten verstreken alweer, nog drie uur te gaan voor hij straks deze godvergeten wijk kan verlaten. Voor vandaag in elk geval.

Toen hij vanochtend Kanaleneiland in reed (hij kon het niet laten eerst even langs de Europalaan te gaan, noem het een *sentimental detour*) verwachtte hij dat het hem iets zou doen om na al die jaren weer terug te zijn. Maar hij zit al de hele dag vooral op het klokje in zijn dashboard te kijken – niet echt handig als je betaald wordt om een 'staatsgevaarlijk subject' te observeren, dat snapt hij zelf ook wel. Hij verliet zelfs even zijn post, tegen alle regels in, maar *fuck it*: beseffen ze daar in Zoetermeer wel hoe afstompend het is om een werkdag lang naar een met schotels volgehangen betonblok te kijken?

Dan, eindelijk, gebeurt er wat. Enkele tientallen meters verderop ziet hij Danny Ghosen van PowNews met zijn roze microfoon achter een politieman op een damesfiets aan rennen. De cameraman – een aantrekkelijke jongen met halflang haar – kan de verslaggever maar met moeite bijhouden.

Hij mag 'm wel, dat lefgozertje. Echt een tv-kijker is de AIVD'er niet, hij leest liever, maar als hij te dronken is om zijn aandacht bij z'n boek te houden – en dat is, eerlijk is eerlijk, tegenwoordig steeds vaker het geval – zet-ie soms de televisie aan. Hij moet vaak lachen om de items die dat gastje maakt, en glimlacht nu ook als hij ziet hoe de verslaggever achter op de fiets van de politieman springt, net voor hij een hoek omslaat. Het ziet er wankel uit, maar het lijkt erop dat ze net niet zullen omlazeren.

Toen PowNed een paar jaar geleden het omroepstelsel binnendrong, had De Dienst het nodig gevonden de belangrijkste medewerkers te screenen. Werd Johan in de maag gesplitst, dat klusje. Maar meer dan wat promiscue escapades met gewillige redactiemeisjes en wat latent alcoholisme vond zijn collega niet. 'Cliché, hoor. Behoorlijk burgerlijk clubje, in feite,' zei Johan later, tijdens een van hun kroegavondjes.

Hij kan zich die avond vooral herinneren omdat Johan – geheel tegen zijn gewoonte – de hele avond over zijn vrouw had zitten klagen. Zin om naar huis te gaan had hij niet, en hij smeekte zowat of hij mee mocht naar de Reguliersdwarsstraat. 'Kom op, laat mij eindelijk eens zien hoe dat gaat in jouw soort kringen,' zei hij met dubbele tong.

Johan kreeg verdomme meer aandacht dan hijzelf. Toen een

luidruchtige nicht een beetje té dichtbij kwam, probeerde zijn collega die op afstand te houden door opzichtig aan zijn trouwring te draaien – alsof 'zijn soort kringen' zich daardoor laat afschrikken.

Terug in Kanaleneiland, dankzij Van Gierst. Tijdens zijn onreglementaire uitje, een uur of drie geleden, reed hij opnieuw langs de Europalaan. Nog steeds niets te doen op dit uur van de dag, natuurlijk. Er werd daar pas echt gewerkt als de bouwmarkten, meubelwinkels en kantoren in de omringende wijk sloten, en overal in het land mannen met kinderzitjes in hun auto's naar huis belden om te melden dat ze iets later zouden zijn vanavond – *Ja, het is druk op de zaak, schat.*

Hij parkeerde zijn auto voor een bakstenen kolos die er in zijn jaren niet stond. Het gebouw werd omringd door een slagveld van fietsen; blijkbaar huisvestte het studenten. Een studentencomplex in Kanaleneiland: wie had dat ooit gedacht? De fucking wonderen zijn de wereld nog niet uit.

Hij rookte vier sigaretten voor hij terugreed naar de Livingstonelaan met nog uren wachten in het vooruitzicht.

Zijn werkdagen voelen soms als een pornofilm zonder *cumshot.* Hij kan net zo goed in zijn nest gaan liggen, net als die radicalo die hij van Zoetermeer in de gaten moet houden, want ongetwijfeld ligt die gast op dit moment gewoon met een martelaarsglimlachje op zijn bek te dromen over de dag dat hij tweeënzeventig *cherries* kan *poppen.*

De hele dag laat hij zijn smoel al niet zien. Wat de AIVD'er betreft blijft dat de komende uren zo, want in achtervolgingsgedoe heeft hij vandaag helemaal geen zin. Hij is al zo moe.

Zijn iPhone zoemt. 'Dennis van Gierst' staat op het schermpje. Hij laat zijn telefoon zo lang mogelijk overgaan voor hij opneemt.

'Dennis,' zegt hij. Zoals hij het uitspreekt, klinkt het als 'klootzak' – tenminste: dat hoopt hij.

'Mohammed,' antwoordt de man die hem deze kutklus in z'n maag splitste.

De AIVD'er haat het als hij 'Mohammed' wordt genoemd. Waarschijnlijk weet Dennis dat ook, eigenlijk weet hij het wel zeker. Die gast doet niets liever dan zout in rauwe wonden strooien en zijn ondergeschikten treiteren om ze te laten merken dat ze ondergeschikt zijn aan hem, Dennis van Gierst, de dwaas die het tot chef schopte. 'Best grappig eigenlijk,' zei hij onlangs nog, 'een afvallige Marokkaan die Mohammed heet.'

Hij had gezwegen. Het was zinloos om Dennis voor de zoveelste keer te zeggen dat niemand hem nog Mohammed noemde. Al zoveel fucking jaar niet meer.

'Nou, Mohammed, praat me bij. Is meneer nog gaan wandelen vandaag?'

Waarom kan die gast niet één keer een vraag stellen zonder te klinken als een zwakzinnige?

'Nee. Niets gezien. De hele dag niet.'

'Verbaast me niets. Het is een luie flikker. Maar wel een gevaarlijke luie flikker, dus blijf tot het afgesproken tijdstip op je post. Daarna neemt Johan het van je over. Zorg dat jullie elkaar even aftikken. Maar goed, dat hoef ik jou na al die jaren natuurlijk niet te vertellen. Spreek je morgen, Mo...'

Na de eerste lettergreep van zijn naam drukt hij de stem van zijn leidinggevende weg. Typisch Van Gierst, zo'n opmerking over dat aftikken. Hij weet dat jij het weet, probeert je nog een soort van *lousy* compliment te geven door te zeggen dat hij jou 'na al die jaren' natuurlijk niets hoeft te vertellen, maar ondertussen doet hij dat toch: om jou het gevoel te geven dat je niets bent, dat je in zijn ogen minderwaardig voetvolk bent in de (zíjn grote woorden) Strijd tegen Terrorisme. Wat misschien zo is, dát is niet het probleem – het is geen schande voetvolk te zijn –, het probleem is het toontje dat die lul aanslaat.

Hij kijkt weer op het klokje, ziet dat hij nog ruim twee uur te gaan heeft, en start zijn auto.

'Mohammed in een zwart Golfje: een betere vermomming is niet denkbaar,' verkondigt Van Gierst zo ongeveer elke vergadering. En elke keer voelt die gast wéér de noodzaak de niet-grappige grap uitgebreid uit te kauwen. 'Want elke Marokkaan van zijn leeftijd rijdt in een zwart Golfje. En elke Marokkaan zit de hele dag te niksen in zijn auto! Hij valt dus niet op!'

Humorloze klootzak.

Eenmaal op weg belt hij Johan, die hij niets hoeft uit te leggen.

'Begrijp het volkomen. Ik taai vannacht ook op tijd af als Abou "What's His Name" zich koest houdt. *Fuck* Zoetermeer.'

Vijfentwintig mensen zijn er nodig (dat wordt tenminste altijd beweerd) om één verdacht persoon 24/7 in de gaten te houden. Met die gouden regel neemt de AIVD dan al maanden een loopje. 'Capaciteitsgebrek', noemen ze het. Vooral intern, dan. Want de buitenwacht mag natuurlijk niet weten dat ze het allemaal al lang niet meer aankunnen, hoewel de hogere legerleiding af en toe wel wat onheilspellends naar de Commissie Stiekem lekt om de slinkende budgetten te spekken. Ze moeten toch wat.

Bij de Gall & Gall aan het Van Starkenborghhof (het verbaast hem dat hij zich die straatnaam nog herinnert) koopt hij twee flessen wit en een sixpack. Hij verheugt zich op de komende uren. Verdoving: het beste medicijn tegen leven.

Als hij bijna weer bij zijn auto is, komt een bleke, moddervette gast – vierkante, *ginger* baard; witte *dishdasha* boven zijn te korte broek; gebedsmutsje op zijn kaalgeschoren kop: *the full bloody works* – hem tegemoet waggelen.

'Bekeerlingen…' mompelt Mo, als hij het portier van zijn Golf dichttrekt. 'Waarom moeten ze godverdomme altijd roomser zijn dan de paus?'

Bilal

'*Tfoe*,' zegt hij hoofdschuddend, voor hij op de grond kwat. Moslims die tot het ongeloof zijn vervallen. Over straat met alcohol! Dat het zover is gekomen, met mensen die de gunst hebben gehad in een islamitisch gezin op te groeien: een grote schande is het.

Zelf is hij *alhamdoelillah* dertien jaar geleden tot het enige ware geloof teruggekeerd. Elk mens heeft een natuurlijke aanleg voor de islam, *al fitrah* heet dat, zo leerde hij aan het begin van zijn studie van de ware religie. Maar ondanks die natuurlijke aanleg – een gunst van Allah – is hij pas op zijn veertiende de islam gaan praktiseren. Dat is niet goed te praten, of misschien toch een beetje, vanwege de strikt atheïstische opvoeding (indoctrinatie, in feite) waaraan zijn door en door cynische vader hem had onderworpen. Tot hij zich verdiepte in de islam wist hij niet beter dan dat religie – álle religie – stompzinnig, achterlijk, en voor dociele geesten is. Na dertien jaar als moslim weet hij wel beter: het zijn de ongelovigen, die hoogmoedige *kuffar*, die achterlijk zijn.

Het doet hem sindsdien altijd pijn (een fysieke pijn is het, zijn hart over een kaasrasp) als hij broeders en zusters in het openbaar haramme dingen ziet doen. Die Marokkaanse man daarnet, twee flessen wijn plus nog een pak bier: kent hij geen schaamte? Beseft hij niet hoe hij zijn geloof te schande maakt?

Hij weet dat zo'n type zich op de dag des oordeels aan Allah moet verantwoorden. Zijn straf zal hij niet ontlopen, daar zal Allah voor zorgen. Toch heeft hij, als hij weer eens een broeder of zuster zichzelf en zijn of haar geloof belachelijk ziet maken, steeds vaker de neiging zélf alvast een voorschot te nemen op die bestraffing. Talloze keren heeft hij van imams gehoord dat het zo niet werkt, dat je als moslim je broeders en zusters dient te vermanen, dat je tot het uiterste moet gaan om ze weer op het juiste pad te krijgen, maar dat fysiek ingrijpen uit den boze is: je tong is tijdens de *dawah* je enige wapen. 'Vertrouw op Allah *subḥānahu wa taʿala*, broeder,' zeiden de imams telkens weer.

En natuurlijk doet hij dat: zijn geloof is op dat vertrouwen gebaseerd. Maar inmiddels is hij ervan overtuigd dat die imams het alleen maar zeggen uit lafheid. Zelfs hun *khutbahs* zijn slaapverwekkend in plaats van inspirerend, sussend in plaats van opzwepend; ze preken met meel in hun mond, bang als ze zijn voor gedoe. Ze vrezen niet eens zozeer de AIVD, het is veel erger dan dat: ze zijn vooral bang voor moskeebesturen, die steeds vaker worden bemand (vrouwen zitten er nog net niet in, maar dat zal vast niet lang meer duren) door gladjakkers en carrièretijgers, die er niet voor terugdeinzen om imams af te zetten als die zogenaamd te 'radicaal' zijn.

Het is dieptriest, maar het is de waarheid: imams laten zich anno 2014 muilkorven door mediageile bestuurders die voor een stoel aan tafel bij *Pauw & Witteman* hun gastheren naar de mond praten en hun geloof verloochenen. Niets vrezen ze méér dan niet uitgenodigd te worden door televisieredacties. Als gedresseerde circusaapjes doen ze hun kunstjes, vaak zelfs met alcohol op tafel, het maakt ze allemaal niets uit.

Hij weet niet voor wie hij het minst respect heeft: de imams die zich monddood laten maken en islam-*light* prediken, of de bestuurders, die opportunistische *munāfiqun*, de hypocrieten waarvoor Allah in soera 63 van de Koran al waarschuwde: 'Zij zeggen te getuigen, maar zij zijn slechts leugenaars.'

Toen hij nog in moskeeën kwam, kreeg hij altijd te horen dat hij Allah moest vrezen wanneer hij weer eens een kritische vraag stelde over Palestina, later over Syrië. Daar waren die imams niet van gediend, hè.

De lafheid regeert. En waarom? Om een paar rottige euro's. Om dat plekje op de *minbar*. Zoals heidense politici plakken op het pluche, zo plakken Nederlandse imams op hun preekstoel. Ze vrezen hun besturen zoals de uitkeringsgerechtigde het UWV – in feite ís de positie van veel imams ook niet anders dan die van de uitkeringstrekker.

Imams als uitkeringstrekkers: die vergelijking moet hij onthouden, en straks aan zijn broeders vertellen.

Niet dat hij – en de broeders met wie hij omgaat – iets tegen uitkeringen hebben. Integendeel, de meesten van hen maken er dankbaar gebruik van, hoewel 'dankbaar' niet het juiste woord is. Ze accepteren het geld, maar dat is juist een daad van verzet: door het geld van de ongelovigen aan te nemen, verzwakken ze de positie van die kuffar. En het mooie is dat die het niet eens doorhebben, de onwetenden.

Hoelang is het geleden dat hij sollicitatiebrieven verstuurde? Sinds hij besloot zijn nieuwe naam (de naam die wél bij hem past, en waar hij trots op is) onder zijn brieven te zetten, kreeg hij niet eens meer ontvangstbewijzen.

Niemand wil een 'Bilal' als werknemer, en zeker geen Bilal met een Nederlandse achternaam. Het had hem weinig verrast; de Nederlandse maatschappij is islamofoob tot op het bot, en als moslim ben je per definitie verdacht, maar als bekeerling word je nóg argwanender bekeken: je bent een overloper, een landverrader, je bent fóút.

Hij voelt het als hij op over straat loopt, zoals nu. Hij wordt openlijk nagestaard, de mensen doen niet eens moeite om hun haat te verbergen. Maar het doet hem niets. Sterker, hij ziet het als een beproeving, en daarmee als een gunst van Allah. De haat die hem ten deel valt, alleen al door eruit te zien als een moslim, zal hem – insjallah – alleen maar sterker maken.

Voor hij zijn sollicitatiebrieven ondertekende met 'Bilal van

Wijk' werd hij nog wel uitgenodigd om op gesprek te komen, want aan zijn cv mankeert niets: hij heeft gewoon gestudeerd. 'Pjotr' is ook geen gebruikelijke naam, maar die naam wekt eerder nieuwsgierigheid op dan argwaan. 'Pjotr van Wijk' is een onschuldige naam, iemand die zo heet, is een potentiële werknemer, niet een potentiële terrorist.

Hij kan zich stuk voor stuk de blikken herinneren van de werkgevers die geen moslim als werknemer lusten. De eerste keer was hij – buitengewoon naïef natuurlijk – nog enigszins verbaasd toen hij merkte dat zijn verschijning zijn potentiële baas ongemakkelijk maakte. Was dit de 'Pjotr van Wijk' die de afdeling P&O had uitgenodigd?

De man keek hem aan alsof sjeik Osama bin Laden (moge Allah hem geven wat hem toekomt) *himself* zijn kantoor was binnengestapt. De handen van die kerel trilden alsof hij zelf solliciteerde.

Het gesprek duurde niet lang. Hij hoorde nooit meer iets van het bedrijf, en hij neemt het zichzelf nog steeds kwalijk dat hij die islamofobe nitwit later niet heeft opgebeld om hem in het Arabisch de stuipen op het lijf te jagen.

Ook later zorgde zijn verschijning voor onrust bij de mensen die hem toch echt zélf voor een gesprek hadden uitgenodigd. 'Pjotr van Wijk', die licht-excentrieke, maar ontegenzeggelijk Hollandse dús koosjere naam, viel niet te verenigen met zijn uiterlijk.

De laatste paar keer dat hij werd uitgenodigd voor een sollicitatiegesprek, sterkte het hem dat zijn gesprekspartners geen enkele moeite deden om hun afkeer van zijn islamitische uiterlijk te onderdrukken. Wat kun je anders verwachten van ongelovigen? Hun harten zijn vergiftigd, en dat zie je terug in hun gezichten; de lelijkheid komt aan de oppervlakte.

Hij besloot in het vervolg zijn brieven te ondertekenen met Bilal van Wijk. Want dat is zijn naam, dat is wie hij is. 'Pjotr' bestaat niet meer.

Na dat besluit werd hij niet één keer meer uitgenodigd. Met terugwerkende kracht schaamt hij zich dat hij die eerste sollicitatiebrieven met 'Pjotr' ondertekende, want zo werd hij al jaren niet meer aangesproken. Het was opportunistisch geweest, niet islamitisch. Ja, het was de *shaytan* zelf geweest die hem influisterde dat hij meer kans zou maken met zijn oude naam, maar Allah hield hem een spiegel voor: zijn Heer liet zien dat hij als moslim nooit geaccepteerd zou worden door de kuffar. Hadden ze door dat je het pad van Allah bewandelde, dan wilden ze niets met je te maken hebben.

Bij het 24 Oktoberplein stopt hij voor rood. Rechts van hem staat een meisje met lang blond haar. Hij wendt zijn blik af; het kind heeft nauwelijks kleren aan. Als het stoplicht sneller begint te tikken, passeert hij vlug het meisje zodat hij niet naar haar in een klein, strak spijkerbroekje gestoken billen hoeft te kijken.

Wie accepteert nou dat zijn dochter er zó bij loopt? De islam onderdrukt vrouwen, zeggen de kuffar. Binnen de islam hebben vrouwen geen rechten, en de niqab is vrouwonvriendelijk, roepen ze. Maar zelf staan ze toe dat hun vrouwen en dochters halfnaakt over straat gaan. Als hoeren lopen ze erbij. Is dát vrijheid? Is dát vrouwvriendelijk?

Ja, als vrouwvriendelijk synoniem is aan het recht om er halfnaakt bij te lopen, dan hebben ze gelijk, die kuffar, dán is er binnen de islam geen plek voor zogenaamde 'rechten voor vrouwen'. De islam beschermt namelijk vrouwen, in plaats van ze uit te leveren aan de hongerige blikken van mannen zonder schaamte.

Hij versnelt zijn pas. Voor hij links afslaat, houdt hij even halt aan het begin van het Attleeplantsoen. Aan het eind van de straat ziet hij de moskee. Hoelang komt hij daar al niet meer?

Doet er niet toe. Het is goed dat hij afstand heeft genomen van wat daar van de islam werd gemaakt. Vlug loopt hij door. Bij een portiekflat aan de Spaaklaan drukt hij op een naambordloze deurbel. 'As Salaam Aleikoem,' zegt hij in de intercom. Zijn groet wordt beantwoord door gezoem, en de deur gaat open. Hij neemt de trap naar de derde verdieping, op nummer 31 staat de deur al op een kier.

Iedereen is er al. Abduljalil, Samir, Nourredine, Badr, Jamal, Mimoun: ja, ze zijn er alhamdoelillah allemaal.

'*Mashallah*, broeders, wat ben ik blij jullie te zien,' zegt hij voor hij hen een voor een omhelst.

Hij had zich voorgenomen om er zo lang mogelijk mee te wachten, maar een paar minuten later vertelt hij al waar hij onderweg aan dacht, en foetert hij op die vervloekte imams in Nederland, die moedig zouden moeten zijn, die de wáárheid zouden moeten vertellen. In plaats daarvan lopen die honden (zonder enige aarzeling noemt hij ze zo) als kwispelende puppy's aan de leiband van moskeebestuurders die hun voorhuid er eigenhandig aan zouden naaien als ze daarmee een wit voetje zouden halen bij de kuffar. Toch, benadrukt hij, zijn de imams nóg erger dan die bestuurders, daar is hij inmiddels van overtuigd. Want zij hebben wel kennis, maar zijn voor een jodenfooi de spreekbuis geworden van een zogenaamd gematigd geluid.

Tijdens zijn tirade raakt hij onder de indruk van zijn eigen betoog – wat een heerlijk gevoel is dat toch. Uren zou hij ermee door kunnen gaan. Maar het is tijd voor de punchline, die je moet uitdelen op het hoogtepunt: 'Uitkeringstrekkers zijn het, die imams! Met de moskeebesturen als uwv!'

Zijn vrienden moeten er hard om lachen. Hij had niet anders verwacht; ze kennen elkaar door en door en als er iets is wat ze delen – naast het geloof in de ware religie – dan is het wel hun gevoel voor humor. Wat vooral betekent dat ze lachen om zijn grappen, want zelf zijn ze ook op dat vlak minder begenadigd.

Als het gelach langzaam verstomt, roept hij: 'En die zogenaamde jongerenimam hier in Kanaleneiland is de grootste uitkeringstrekker van allemaal!'

Weer lachen zijn broeders, nog harder dan de eerste keer.

'Je hebt gelijk, broeder Bilal,' zegt Mimoun, ineens ernstig. 'Je hebt zó erg gelijk.'

Abduljalil, Nourredine, Jamal, Badr, Mimoun, Samir: ze knikken allemaal. Het doet Bilal goed. Voor hij zich bekeerde, hoefde hij niet in het middelpunt van de belangstelling te staan. Maar in het gezelschap van zijn broeders voelt het goed, alsof hij altijd voorbestemd is geweest om centraal te staan en een leidersrol te vervullen. Het voelt alsof Allah subḥānahu wa ta'ala grootse dingen van hem verwacht...

Bilals gedachten worden verstoord door het geluid van de deurbel.

Abduljalil pakt de hoorn van de intercom. 'Wa Aleikoem Salaam. Ik kom naar beneden, broeder,' zegt hij.

Niet veel later rijdt een knappe jongeman met een stoppelbaardje de huiskamer aan de Spaaklaan binnen. De jongen lijkt, ondanks die rolstoel, eerder een hipster dan een orthodoxe moslim.

Bilal is de eerste die hem kust. 'Soufiane! Mashallah, wat ben ik blij je te zien, broeder! Goed dat je er weer bent.'

Dan omhelzen ook de andere broeders een voor een de jongen in de rolstoel.

Mo

Mo trekt z'n zesde biertje open. Altijd een slecht moment. Je wéét dat je sixpack niet ineens een zevende blikje telt. Je hoopt erop, maar je weet beter: zo nuchter ben je dan nog wel.

Gelukkig heeft hij nog twee flessen wit.

Het was raar om terug te zijn op Kanaleneiland, de wijk waar hij geboren werd en waar hij gedoemd was om op te groeien. Het is veranderd, dat zag hij heus wel toen hij er vanmiddag voor het eerst sinds jaren rondreed. Een nieuwe betonnen kolos hier, een andere winkel daar, een fucking studentenflat aan de Europalaan, meer groen ook. Maar tegelijkertijd was het *the same old shabby same.*

Een miljoen herstructureringsplannen zouden er nodig zijn om de wijk tot een oord te maken waar een normaal, weldenkend mens zou willen wonen. Anno 2014 was het misschien maar het beste om er een brandbom op te droppen. Alles wegvagen, voor eens en voor altijd.

Hij neemt een flinke teug van zijn bier. Boert.

Kanaleneiland. Toen hij er woonde – meer dan een decennium geleden – had nota bene Geert Wilders er een optrekje. Zo'n galerijflatje, aan de Vasco da Gamalaan. Niet dat hij dat in die tijd wist. Hij was met heel andere dingen bezig.

Melissa.

Verdomme, ook zijn zesde blikje is alweer leeg. Hij loopt naar de koelkast in zijn bovenwoning in de Amsterdamse Pijp, steekt onderweg de zoveelste sigaret op en legt vervolgens zijn hand op de fles wit in het vriesvak. Koud, prima.

Hij pakt een wijnglas uit de vaatwasmachine en houdt het onder de kraan. Het duurt dagen voor hij, als vrijgezel, de vaatwasser aan moet zetten. Het ding is nog niet eens halfvol, omdat hij nauwelijks thuis eet. Hij eet sowieso weinig, hij drinkt liever, en in drank zitten ook calorieën, dus dood gaat hij voorlopig nog niet, daar hoeft niemand zich zorgen over te maken.

Zou überhaupt iemand zich zorgen over hem maken? Zijn moeder? Waarschijnlijk is die blij als hij er niet meer is.

Hij schenkt zijn glas vol, veel te vol: zo heeft hij zijn glazen graag.

Onderuitgezakt in zijn Eames schiet haar naam weer door zijn hoofd. Melissa. Souf had hen een keer zien lopen in de Zadelstraat. Ze waren op weg naar het busstation, liepen buitenom, de hel van Hoog Catharijne vermijdend. Melissa haatte de betonnen bak misschien nog wel meer dan hijzelf.

Ter hoogte van seksshop De Dom waren ze, letterlijk, tegen Souf aangelopen. De broers keken elkaar aan, maar lieten niet blijken dat ze elkaar kenden, laat staan dat ze broers waren.

Mo maakte voor de vorm zelfs nog excuses. 'Sorry, man, we waren in gesprek en zagen je niet aankomen.' Alsof hij tegen een vreemde sprak. Een psycholoog zou hem misschien zelfhaat verwijten, maar de gedachte dat Melissa zou ontdekken dat dat bontkraagje zijn broertje was...

Souf had, hoe cliché, op de grond gespuugd. Een kwaadaardige kwat, net voor de voeten van Melissa.

'Wie is die blonde hoer met wie je in de stad liep?' vroeg zijn broertje die avond. Zijn moeder keek weg van haar Marokkaanse soap. Was hij dan toch gezond? Had haar oudste zoon eindelijk een vriendinnetje? Alhamdoelillah, als het waar was.

Ze kreeg niet lang de tijd om die gelukzalige gedachte te koesteren, want het woord 'hoer' had de mond van haar jongste zoon nog niet verlaten, of ze zag uit diezelfde mond een straaltje bloed sijpelen.

Twee klappen gaf Mo. Die eerste was – ook tot zijn eigen verbazing – meteen goed raak. Souf tolde op zijn benen en keek verbijsterd: nooit gedacht dat zijn oudere broer tot zoiets in staat was... Hij knikte goedkeurend terwijl hij het bloed van zijn lippen veegde.

Toen kwam die tweede klap, halfraak en veel te zacht, waardoor die eerste met terugwerkende kracht ook een misser werd: wie niet twee keer raak kan meppen, was in de ogen van Souf uiteindelijk tóch een mietje. Hij nam niet eens de moeite terug te slaan, kwam ook later geen verhaal halen. Geen gebonk op zijn kamerdeur, geen 'doe die fokking deur open!'

Melissa. Hij zag haar voor het eerst in de bus naar Kanaleneiland. Die middag zwierf hij weer rond in het oude centrum. Hij kende jongens uit de wijk die nooit verder dan Hoog Catharijne kwamen, die bleven rondslenteren over de paar honderd meter tussen de Free Record Shop en de V&D. De 'catwalk' werd dat deel van het winkelcentrum genoemd: de meisjes flaneerden er, de jongens keken er naar kontjes en maakten er hun pathetische sisgeluiden. Mo haatte dat hele Hoog Catharijne, en alles waar het voor stond: lelijkheid, tuurlijk, maar vooral ook uniformiteit, inspiratieloosheid, conformisme. Als je wilde zijn zoals alle anderen, als je niet uit de toon wilde vallen, dan was Hoog Catharijne *the place to be*: daar kocht je wat iedereen kocht, waardoor je werd wat iedereen was. En daar streefden de meeste mensen naar, juist in Kanaleneiland. Viel je uit de toon, was je anders, dan had je het zwaar in het betonnen getto aan het Amsterdam-Rijnkanaal.

Hij verkende liever, zoals die middag, het Museumkwartier voor de zoveelste keer. Altijd ontdekte hij daar iets nieuws: een gevelsteen die hem nog niet eerder was opgevallen, een glas-in-loodraam, een ornament, of gewoon een grappige naam op een bordje naast een eeuwenoude deur.

Hij kwam er ook graag omdat er veel gekken rondliepen. Alcoholisten, *druggies*, patiënten van het Willem Arntsz Huis, vage types die hardop in zichzelf praatten: hij sloot zich graag aan bij dat carnavaleske gezelschap dat, zonder zich ook maar iets aan te trekken van wie of wat dan ook, hun luidruchtige rondjes over de kinderkopjes maakten.

Door zo'n beetje heel Kanaleneiland werd ook hij als een buitenbeentje beschouwd – een nerd, een wijsneus, een einzelgänger – al zouden ze dat laatste woord niet gebruiken. Homo, zeiden ze, want zo noemden ze je als je anders was in Kanaleneiland.

Hij probeerde er toch zo veel mogelijk bij te horen. Je moest wel. Anders had je helemaal geen leven. Dus zorgde hij ervoor dat hij nooit in het openbaar op lezen werd betrapt, kocht hij kleren en schoenen die hij eigenlijk verachtte, keek hij lafjes weg, die keer dat Aziz, Hussein en Moussa in de gymkleedkamer Omar te grazen namen omdat hij 'een vieze stinkhomo' zou zijn, en zorgde hij ervoor dat niemand wist dat hij zijn zaterdagmiddagen het liefst doorbracht in het Museumkwartier.

Was niet zo moeilijk: je zag daar geen Marokkaan.

Het besef dat hij aan het eind van zo'n zwerftocht de bus moest pakken naar het getto, voelde elke keer weer alsof hij met grof geweld in een dwangbuis werd gewrongen. Tegenspartelen had geen zin, je verloor altijd.

De walging die hij op weg naar Kanaleneiland iedere keer weer voelde, werd die late namiddag plots weggespoeld toen een blond meisje tegenover hem in de bus kwam zitten. Haar leeftijd was moeilijk te schatten; misschien een jaar jonger dan hij?

Ze was bleek op een mooie manier en had een spleetje tussen haar tanden, zoals Vanessa Paradis. Onder haar strakke, lichtblauwe spijkerbroek droeg ze afgetrapte zwarte All Stars. Het meisje had een grote leren tas op schoot die haar bovenlichaam grotendeels verborg. Ze ritste de tas open, graaide erin rond, en pakte er een nogal duur uitziende fotocamera uit, die ze weer opborg na er een paar seconden afwezig naar te hebben gestaard.

Ze had donkere wallen onder haar ogen, maar dat maakte

haar nog mooier. Het had iets mysterieus. Wat hield dat mooie meisje 's nachts wakker?

Hij móést naar haar kijken – en haatte zichzelf erom: in haar ogen was hij vast zo'n typische sis-Marokkaan.

Niet veel later stapte ze uit op de Europalaan. Dat kon: er grensden gewone straten met gewone huizen (nou ja, vooral flats) aan de troosteloze laan waar hoeren hun geld verdienden. Raar was het wel dat ze blijkbaar vlak bij hem woonde. Hoe kon hij zo'n bijzonder meisje al die tijd over het hoofd hebben gezien?

Hij keek haar na, en bleef ook toen ze al lang uit het zicht was verdwenen naar buiten staren. Een paar haltes verder drukte hij op de rode stopknop. Toen hij opstond, zag hij de portemonnee.

Mo schenkt zichzelf nog eens bij. De fles is al bijna leeg, gelukkig heeft hij er nog een koud liggen.

Ja, hij had die portemonnee netjes kunnen overhandigen aan de buschauffeur. Had hem veel ellende bespaard. Tienduizend uur gepieker. Minstens. Maar braaf die portemonnee aan de chauffeur geven, was nooit een optie geweest. Hij was in de ogen van zijn broertje dan wel een mietje, en zelfs zijn bloedeigen moeder vond hem een halfzacht ei, maar als hij een portemonnee zag, dan wilde hij net als ieder ander eerst weten wat erin zat – een lege portemonnee geeft makkelijker terug dan eentje vol doekoe.

Hij stak het ding in zijn binnenzak, liep de bus uit, en veranderde de koers van zijn leven. Op weg naar huis opende hij de portemonnee.

Achthonderd gulden.

Souf vond hem een braafneus en maakte hem bijna dagelijks uit voor mietje, homo, flikker, en alle denkbare varianten van dat trio, maar achthonderd gulden was ook voor Mo serieus geld. En het plaatste hem voor een ernstig dilemma: teruggeven of houden?

Teruggeven was niet heel moeilijk, want in de portemonnee zat niet alleen achthonderd gulden (achthonderd fucking gulden!), maar ook een ov-jaarkaart, en een pasje van de universiteitsbibliotheek.

Bloem van Buuren, heette ze.

Bloem. Passende naam, voor zo'n mooi meisje. Ze was, en dat verbaasde hem, ruim twee jaar ouder dan hijzelf.

Het duurde een paar dagen voor hij besloot op zoek te gaan naar het meisje. Achter de afgesloten deur van zijn kamer (hij had geleerd van die keer dat zijn moeder hem bijna betrapte met zijn broek op zijn knieën, kijkend naar *My Own Private Idaho*) telde hij talloze keren de bankbiljetten in haar portemonnee: zestien zonnebloemen, elke keer leken ze geler en vrolijker.

Maar het voelde niet goed. Zeker niet nadat hij tijdens de zoveelste telbeurt een verborgen vakje in de portemonnee ontdekte, waarin het meisje een papiertje had gestopt.

'LITERATUURVERLANGLIJSTJE' had ze boven aan het briefje geschreven, in statige kapitalen. Daaronder een stuk of twintig titels van schrijvers, van wie hij alleen Céline kende. Een rabiate antisemiet was dat, volgens Steenmeijer, zijn leraar Frans aan het Niels Stensen College; een klootzak die geen enkele moeite deed om te verbergen dat hij niets moest hebben van de groeiende groep Marokkanen die zijn ooit zo nette witte school bevolkte.

Toen Mo in de vierde zat, was de pleuris uitgebroken nadat de rector van de school, meneer Sjamaar, ergens had geschreven dat zijn steeds zwarter wordende school maar beter de deuren kon sluiten; de allochtone leerlingen zouden over witte scholen moeten worden verspreid. Dat was voor iedereen beter. Meneer Sjamaar werd meteen voor racist uitgemaakt, de pers viel over hem heen en de hele politiek correcte gemeenschap – al dat zelfingenomen goedvolk – nagelde hem aan de schandpaal.

Kon echt niet wat hij schreef!

Schande!

Uiteindelijk jaagde het schoolbestuur meneer Sjamaar met pek en veren de school uit.

Het was Mo altijd bijgebleven. Destijds had hij – hoe jong ook – sympathie voor het standpunt van zijn rector. Kón hij maar eens een uur of zeven per dag weg uit Kanaleneiland. Zat er naast hem maar eens iemand die Alexander of Willemijn heette. Dat was geen zelfhaat, dat was je fucking horizon verbreden.

Hij sprak dat allemaal niet uit, naïef was hij niet – je tekende je doodvonnis als je zou zeggen dat je eigenlijk best wat meer *tattas* in je klas zou willen hebben.

Later werd het standpunt van meneer Sjamaar natuurlijk salonfähig. Een profeet wordt nooit in zijn eigen tijd geëerd, luidt het spreekwoord, toch? Uitzonderingen daargelaten, natuurlijk. Heel soms staat er eentje op die nog tijdens zijn leven de handen op elkaar krijgt voor wat hij allemaal te zeggen heeft. Roepen dat je de boodschapper bent van God, vanuit de zandbak van Saoedi-Arabië verkondigen dat je openbaringen krijgt ingefluisterd: heel af en toe proppen ze je gek genoeg niet metéén in een dwangbuis.

Zijn sympathie voor zijn rector werd misschien ook ingegeven door hun gesprek vlak voordat meneer Sjamaar gedwongen vertrok. Hij stond ineens voor hem, bij de kluisjes in de gang.

'Mohammed el Amrani, kun je even meekomen?'

Het klonk dwingend. Wat had hij uitgevreten, zonder dat hij daar zelf van op de hoogte was? Probeerde iemand hem iets in de schoenen te schuiven? Hij keek snel om zich heen. Realiseerde zich dat dit kansen bood. Hij hoopte dat iemand zág dat de rector hem ter verantwoording riep. Meneer Sjamaar gebruikte zijn volledige naam. Dat voorspelde niet veel goeds, zo spraken leraren en schoolleiders altijd als ze *pissed* waren. Maar dat kwam hem wel goed uit: misschien zou hij nu eindelijk met rust worden gelaten door zijn klasgenootjes. Bij het verlaten van de kamer van meneer Sjamaar zou hij niet langer de Braafste Marokkaan van heel Kanaleneiland zijn.

'Heb je het eigenlijk een beetje naar je zin hier op school?' vroeg de rector in zijn spartaans ingerichte kantoortje.

Wát een vraag. Natuurlijk niet. Hij haalde zijn schouders op.

'Wat stoort je? Ik hoor heel goede dingen over je, Mohammed. Meneer Dewael zegt dat je Engels onberispelijk is, dat je zelfs een beetje een Engels accent hebt.'

Dat is het voordeel van zo'n schotel op het balkon. Je kunt ervoor kiezen om in Kanaleneiland op Al Maghribia of Al Jazeera af te stemmen, maar je kunt ook naar de bbc kijken. Op je eigen kamer natuurlijk en met het volume op 3, anders heeft je broertje nóg meer munitie om je het leven zuur te maken.

Hij hóórde Souf het zeggen, in dat aanstellerige, zangzoemerige Marokkanentaaltje: 'Wie denk je dat je bent, wijsneus? Beetje saaie Engelse tv kijken zonder ondertitels! Beter kijk je naar *The Godfather*, homo!'

'En van mevrouw Blik hoor ik dat je het hele literatuurprogramma van Nederlands al hebt doorgespit.'

'Ik hou van lezen.'

'Heb je ooit overwogen te gaan studeren? Je hebt blijkbaar een goed gevoel voor talen, want ik hoor van mevrouw Wagner ook nooit negatieve dingen over je. Meneer Steenmeijer heeft – en daarmee is hij gelukkig een uitzondering – je gedrag weleens ter discussie gesteld, maar over je Frans heb ik hem nooit horen klagen. Je beheerst je talen perfect. Moet je straks niet wat gaan doen met die talenknobbel van je?'

Nederlands. Je beheerst het perfect.

Wat een belediging, dacht Mo alleen maar. Ik ben hier verdomme geboren! Het brandde op zijn tong, maar toen hij naar zijn rector keek, besefte hij dat de man serieus met hem begaan was.

Meneer Sjamaar herhaalde het: 'Moet je niet proberen wat met die talenknobbel van je te doen? Op de universiteit, bedoel ik. Frans, lijkt dat je wat? Engels, zou ook kunnen, dat is misschien nog wel geschikter voor je als ik je rapportcijfers zo bekijk

– hoewel je vooral moet doen waar je eigen interesses liggen, dat spreekt voor zich.'

Hij voelde zich steeds ongemakkelijker. Meneer Sjamaar, toch allerminst naïef, begreep blijkbaar niet dat studeren geen optie was, dat het in Mo's wereld belachelijk was om te denken dat je kon kiezen wat je wilde kiezen. Zijn moeder had al meerdere keren laten weten dat ze niet kon wachten tot haar oudste zoon een diploma had. Dan kon hij geld verdienen, en kostgeld betalen, waardoor ze het wat beter zouden hebben, zij, Souf, en Mohammed. Vooral die eerste twee, natuurlijk.

Nadat haar man, zijn vader dus, een onaangekondigde dood stierf (een hartstilstand, tijdens het werk in de fabriek) had ze altijd zuinig aan moeten doen, altijd minder kunnen uitgeven dan de buurvrouwen, die het toch ook niet echt breed hadden. Dat zou veranderen als Mo zou gaan werken. Was haar slimme oudste zoon toch nog ergens goed voor, want verder schaamde ze zich voor die stille jongen zonder vrienden; ze deed weinig moeite om dat voor hem te verbergen.

Midden in een volgende vraag van meneer Sjamaar ging de bel, en Mo vluchtte het kantoortje van de rector uit, zonder dat het gesprek echt beëindigd was.

Aan klasgenootjes vertelde hij dat meneer Sjamaar hem had betrapt. Toen ze doorvroegen ('Wat heb je geflikt dan?') viel hij al snel door de mand.

Later, in Engeland, las hij op internet dat het Stensen werd gesloten omdat geen ouder nog zo gek was om de kids naar die inmiddels pikzwarte school te sturen. Hij overwoog om zijn voormalige rector te benaderen, maar deed het niet. Wat had hij moeten zeggen?

Meneer Sjamaar was geen racist. Integendeel, hij wilde gewoon het beste voor zijn leerlingen – in tegenstelling tot Steenmeijer, die allochtone leerlingen nooit liet vergeten waar ze vandaan kwamen. 'Beheersen jouw ouders eigenlijk Frans?' vroeg hij in een van de eerste lessen die Mo van hem kreeg, aan het eind van een lang verhaal over landen waar óók, ooit, door zo'n beetje iedereen met enige intelligentie Frans werd gesproken. Geen idee waarom juist hij eruit werd gepikt. Maar de hufter gaf hem geen tijd om te antwoorden. Kopte zijn eigen vraag in met een zogenaamd geschrokken uitgesproken: 'O, sorry, Mohammed, je ouders zijn waarschijnlijk analfabeet, dus Frans zullen ze niet spreken, laat staan schrijven.'

Hij had meteen een hekel aan Steenmeijer, en deed weinig moeite dat te verbergen. Veel van zijn klasgenootjes waren 24/7 bezig om uit te stralen dat ze leraren per definitie stom vonden. Ze zaten dan wel in een schakelklas havo/vwo, maar ook daar was *street credibility* belangrijk. Misschien wel meer dan op de mavo of op de lts. Niemand in Kanaleneiland wilde een nerd zijn, maar nóg erger was het om een lerarenvriendje te zijn: je kon net zo goed meteen bekennen dat je homo was.

Meedoen aan dat kinderachtige lerarenhaten deed hij niet, maar voor Steenmeijer maakte hij een uitzondering. Zijn leraar Frans leek dat, ondanks de betonnen plaat voor zijn kop, goed door te hebben. Hij liet geen mogelijkheid voorbijgaan om Mo te kleineren en te sarren, tot verbazing van zijn klasgenootjes: tijdens Frans was hij ineens een *outlaw*, het doelwit van de hoon van de leraar, terwijl hij in alle andere lessen het braafste jongetje van de klas was.

Hij raakte definitief overtuigd van Steenmeijers kwaadaardigheid tijdens een schooluitje, in de vijfde. In die tijd was het en vogue om met allochtone leerlingen vernietigingskampen te bezoeken, vooral voor moslims was dat nuttig, en voor Marokkanen helemaal, want die waren allemaal – allemaal! – inherent antisemitisch, dat kregen ze van huis uit mee. Westerbork was een optie, maar liever meteen het echte werk: Auschwitz. Dáár zouden die Marokkaantjes eindelijk beseffen dat het allemaal Heel Erg was geweest, dat antisemitisme vergif was; als het meezat, werden ze na dat bezoek gewoon nette burgers.

Tijdens het schoolreisje – het was een mooie, zonnige dag – voelde hij weinig. Er waren te veel mensen om hem heen, er waren vooral te veel klasgenootjes om hem heen. Hij kon het zich niet veroorloven hier echte emoties te tonen. Dus toonde hij géén emoties. Hij mocht niets voelen.

Moeilijk werd het hem niet gemaakt, want de gids die zijn groepje kreeg toegewezen had overduidelijk nooit gehoord van het adagium *less is more*: de man blafte het leed in het gezicht van de leerlingen.

JODEN. OMGEKOMEN. VERGAST. KINDEREN. UITGEMERGELD. HOMO'S. ZIGEUNERS. ALLEMAAL VERMOORD.

Hij kon de man niet aankijken.

'Let je wel op, Mohammed?' vroeg Steenmeijer. 'Of interesseert het je niet dat hier Joden en homo's vergast werden?'

Mo had op dat moment het liefst de gaskraan aangezet, en Steenmeijer eigenhandig de dood ingeduwd.

Pas bij het verlaten van het vernietigingskamp voelde hij wat. Op de parkeerplaats van Auschwitz probeerde een hotdogverkoper zijn waar te slijten. Toen Mo dat zag – hij brak bijna.

Onderweg naar het treinstation (de leerlingen zouden ook nog een dagje cultuur in Krakau doen, misschien dat ze daar ook nog wat van zouden opsteken) kwamen de tranen. In een tuin, op slechts eens paar honderd meter van het vernietigingskamp met de omineuze naam lagen twee blonde meisjes in hun bikini's te zonnen. Hij keek ernaar, maar kon er niet naar kijken; hij trok zijn hoody over zijn ogen.

Eerst die hotdogverkoper, toen die halfnaakte meisjes, het was te veel voor hem, hoewel hij zelf niet helemaal begreep waarom juist die banaliteiten hem zo aangrepen.

Dat hij nu, zoveel jaar later, weer aan die klootzak van een Steenmeijer moet denken door dat 'LITERATUURVERLANGLIJSTJE' van Melissa. In de dagen nadat hij haar portemonnee had gevonden, haalde hij het papiertje telkens weer uit het verborgen vakje, alsof het een geheime boodschap bevatte die viel te ontcijferen zolang hij het maar aandachtig genoeg bestudeerde. Maar je hoefde echt geen privédetective te zijn om te concluderen dat de eigenaresse van de achthonderd gulden die nu in zijn bezit waren, Frans studeerde.

Op een dinsdag (het was de eerste keer van zijn leven dat hij spijbelde, z'n broertje zou trots op hem zijn als hij ervan hoorde) pakte hij de bus naar het centrum. Hij had van tevoren uitgezocht waar de faculteit Frans zat. Hij zou gewoon het pand aan de Kromme Nieuwegracht binnenlopen en net zo lang wachten tot hij haar zag. Hoe het dan verder zou gaan had hij nog niet bedacht, maar ze zou blij zijn haar geld terug te hebben: hij zou het mooie meisje gelukkig maken.

Eenmaal aangekomen op de Kromme Nieuwegracht aarzelde hij. Mo had er vaak genoeg gelopen. Maar tijdens die zwerftochten was hij een passant, op weg van A naar B, niemand besteedde echt aandacht aan hem, hoewel hij aanvankelijk elke keer weer het gevoel moest onderdrukken dat er achter zijn rug iemand was die vast uit voorzorg de politie belde: 'Een Marokkaan gesignaleerd buiten Hoog Catharijne, lijkt me zeer verdacht, meneer agent, ik zou even poolshoogte komen nemen, want een aanslag is zo gepleegd; het zijn luie flikkers die Mocro's, behalve als ze iets kapot kunnen maken, dan hebben ze ineens volop energie.'

Tientallen minuten hing hij tegen de reling voor het faculteitsgebouw. De deur van het pand bleef al die tijd dicht, het was alsof ze daarbinnen allang doorhadden dat er buiten gevaar dreigde. Misschien hadden ze de deur wel gebarricadeerd, en wachtten ze totdat de politie zou arriveren.

Toen de deur eindelijk openging – er stapte een mollig, roodharig meisje naar buiten – aarzelde hij niet langer. Hij nam grote passen, zag nog net dat het meisje hem verschrikt aankeek (zie je wel), en ging het faculteitsgebouw binnen.

Hij had verwacht dat hij Bloem zou moeten zoeken, dat hij rond zou moeten vragen, dat hij – nu hij eenmaal over deze drempel heen was – misschien op een andere dag nog eens terug zou moeten komen om haar de portemonnee te overhandigen. Maar toen hij het faculteitsgebouw binnenstapte, zag hij haar meteen staan.

Mo knijpt in zijn wijnglas. Even overweegt hij het tegen de witte muur van zijn appartement te smijten, maar uiteindelijk zet hij het zachtjes neer op het tafeltje naast hem. Die muur, en hoe die eruitziet, interesseert hem geen zak. Niet meer. Maar het zou zonde zijn als het door hem jaren geleden ingelijste portret van Morrissey besmeurd zou worden.

'*Oh, to die by your side is such a heavenly way to die,*' zingzegt hij.

Hij steekt een peuk op en blaast langzaam rook in zijn ogen, die toch al tranen.

Het is niet heel laat. Elf uur. Hij kan naar de Reguliersdwarsstraat gaan. Geen beter tegengif voor weemoed dan *casual* seks, heerlijke geestdodende, casual seks. Misschien is die ene jongen met die gebeitelde kop er wel, die hem de laatste keer zo naar Engeland deed terugverlangen.

Maar meteen beseft hij dat de Reguliers geen optie is. Niet vanavond. Hij moet gaan slapen. Proberen te pitten, om morgen fit te zijn. Want hij weet, nadat hij vandaag het landschap van zijn jeugd bezocht, dat hij eindelijk op zoek moet naar de vader van Melissa. Dat hij dokter Van Buuren niet langer met rust kan laten – ondanks de smeekbede in haar afscheidsbrief.

Bilal

Hij heeft dorst van al het praten. Voor het eerst deze avond is hij stil, en luistert hij naar zijn broeders. Maar al snel dwalen zijn gedachten af, praten gaat Bilal nu eenmaal beter af dan luisteren.

Het is een mooie avond, nu al. En het zal een nog veel mooiere avond worden. Hij kan niet wachten om aan zijn broeders te vertellen wat hij – dankzij Allah natuurlijk – heeft geregeld.

Eerst neemt hij een glas thee. Hij gaat op zijn knieën zitten, pakt de theepot, en schenkt al zijn broeders bij voor hij zijn eigen glas vult. Hij weet hoe het hoort: als goed moslim denk je eerst aan anderen en dan pas aan jezelf. Even peinst hij of hij een vers uit de heilige Koran paraat heeft om die gedachte te staven. Hij houdt ervan om met goed gedrag te laten zien hoe je een goed moslim bent, en hij houdt er nog meer van om zo'n goede daad met een vers uit de Koran of een overlevering van de profeet Mohammed te onderstrepen.

Maar zijn geheugen – hij kent grote delen van de Koran uit zijn hoofd, iedereen weet dat – laat hem even in de steek. Geeft niet. Straks kan hij zijn broeders op een andere manier laten zien waartoe hij allemaal in staat is. Met dank aan Allah. En aan Skype, natuurlijk.

Hij schrikt van zijn gedachte. Maar Allah wéét dat het niet zijn intentie is om zijn Heer te beledigen door hem gelijk te stellen aan Skype! Dat zou *shirk* zijn, afgoderij. Letterlijk een doodzonde. Natuurlijk plaatst hij Skype niet op hetzelfde niveau als Allah subḥānahu wa ta'ala, hij is geen idioot. Skype bestaat bij de gratie van Allah, Hij heeft de mensheid ermee begunstigd, zo ziet hij het. Te vaak denken moslims dat Allah de mens alleen maar beproeft.

En natuurlijk zíjn beproevingen een essentieel onderdeel van zijn geloof; in al Zijn barmhartigheid zorgt Allah voor tegenslagen, soms zelfs rampspoed, in het leven van de moslim. Dat is om de standvastigheid van de gelovige te testen; jazeker, het gehele aardse leven is een test. En ook dát is een gunst van Allah.

Bilal herinnert zich – gelukkig – een prachtige uitspraak van de verheven sjeik Ibn Taymiyyah. In zijn hoofd vertaalt hij het Arabisch zo goed mogelijk in Nederlands: 'Als men zegt dat iets een test en tegelijkertijd een gunst kan zijn, dan spreekt dit elkaar niet tegen. Wanneer men kijkt naar de manier waarop dit plaatsvindt, dan kan men zeggen dat het een rampspoed is. Maar als men naar het eindresultaat kijkt, dan zal men merken dat dit een barmhartigheid was. En dit is zoals een zieke een medicijn drinkt dat hij niet lekker vindt, terwijl het een gunst is aangezien het de zieke geneest.'

Bilal begon tien jaar geleden de geschriften van sjeik Ibn Taymiyyah te bestuderen nadat hij las dat de slachting van het Varken geïnspireerd was door de grote schriftgeleerde. O, wat kreeg die goddeloze wat hem toekwam! Moge Allah zijn moedige beul Mohammed Bouyeri belonen.

Tot dat moment wist hij nauwelijks van het bestaan van de sjeik. In zijn eerste jaren als teruggekeerd moslim was hij, nadat hij de beginselen van zijn geloof onder de knie had gekregen door met grote devotie *Islam voor Dummies* te bestuderen, vooral bezig zich door de Nederlandse vertaling van de Koran te worstelen. Dat bleek al lastig genoeg, misschien ook omdat hij in die tijd nog niet serieus met zijn geloof bezig was – hoewel hij dat toen ontkend zou hebben.

Op internet zocht hij naar 'Ibn Taymiyyah' en vond een document met de titel 'Verplichting van het doden van degene die de profeet (*sallallahu alaihie wa sallam*) uitscheldt'. Het geschrift bleek, mashallah, in het Nederlands vertaald te zijn door

35

Mohammed Bouyeri. Handig, want in die tijd – drie jaar na zijn bekering – beheerste Bilal het Arabisch nog nauwelijks.

Sindsdien heeft hij zich de prachtige taal aangeleerd, vooral door elke dag weer met grote devotie urenlang online te zijn. Met de koptelefoon op herhaalde hij letters, woorden en uiteindelijk zinnen op sites als learnarabiconline.com en madinaharabic.com – net zo lang tot hij overtuigd was dat het authentiek klonk. Hij beluisterde online lezingen, keek naar Arabische televisiezenders, en schakelde elke dag weer in op internetradiostations die vanuit het Midden-Oosten uitzonden, totdat zijn broeders hem complimenteerden met zijn woordenschat en uitspraak. 'Mashallah,' zeiden ze. 'Je spreekt beter Arabisch dan wij.'

En dat is de waarheid, want hoewel de meeste broeders een Marokkaanse achtergrond hebben – nóóit noemt hij ze 'Marokkaans' of 'Marokkanen', want binnen de islam is geen plek voor nationalisme – spreken ze op een enkele uitzondering na tamelijk gebrekkig Arabisch. Hij is – misschien niet alleen wat dat betreft – hun meerdere, daar is iedereen het over eens.

Hij is tenslotte degene die, het lijkt alweer best lang geleden, die zogenaamde jongerenimam trotseerde. Hij is degene die hem publiekelijk vernederde. En hij is degene die vervolgens het initiatief nam om in een klein gezelschap van gelijkgestemde broeders te praktiseren. Moslims die hun geloof wél serieus nemen, die zich wél willen houden aan alle regels die de profeet Mohammed heeft geopenbaard, en de islam niet verloochenen door hier en daar een krent uit het geloof te pikken, en vooral heel veel weg te laten, zodat van de enige ware religie weinig meer overblijft dan een misselijkmakend aftreksel, een islam-light.

Hij is degene die de gespreksthepma's van de bijeenkomsten bepaalt, en hij zorgt ervoor dat hij altijd iets bedenkt waarmee hij zijn broeders kan verrassen. De brief die Mohammed Bouyeri hem vanuit de gevangenis schreef, die hij hun een tijdje geleden voorlas; wat keken ze daar van op!

Vanavond zal hij – insjallah – zichzelf overtreffen. Toch is hij blij dat hij die grap over Skype niet hardop maakte. Sommige broeders vrezen dat het haram is om dat soort grappen te maken. Om überhaupt grappen te maken. En dat terwijl is overgeleverd dat de profeet – vrede zij met hem – een groot gevoel voor humor bezat.

Hij kijkt naar het glas dat hij net vulde met thee, en denkt aan een van de beste grappen van de boodschapper van Allah. Komt een oude vrouw bij de profeet, vrede zij met hem. Ze vraagt hem voor haar te bidden, zodat zij het paradijs kan betreden. De profeet vertelt haar dat voor oude vrouwen geen plek is in het paradijs. De vrouw begint te huilen, als een klein meisje. Hij gooit er een schepje bovenop, en vertelt ook aan zijn toehoorders dat er voor oude vrouwen geen plek is in het paradijs. De profeet laat dat even bezinken, waarna hij (waarom zou het oneerbiedig zijn om het een 'punchline' te noemen?) een Koranvers openbaart dat hem net door Allah wordt ingefluisterd: 'Wij hebben haar nieuw doen opgroeien en haar gemaakt tot maagden.' Oftewel: oude vrouwen worden, als ze het paradijs mogen betreden, weer maagden!

Met een grijns om zijn mond pakt hij, tussen duim en wijsvinger, zijn glas van de grond.

'Waarom lach je, broeder?' vraagt Badr.

'Slechts een binnenpretje, broeder.' Het is nu niet het moment om grappen van de profeet te herhalen.

'*Bismillah*, broeders,' zegt hij voor hij een slok van zijn thee neemt, want hij weet hoe het hoort.

'Bismillah, broeder Bilal,' antwoordt Soufiane als eerste, waarna ook de andere broeders God prijzen voor ze het glas aan hun mond zetten.

Een paar weken geleden vroeg Abduljalil of het goed was dat Soufiane el Amrani aanwezig zou zijn bij de bijeenkomsten, die ze in zijn huis houden sinds ze niet meer welkom zijn in de moskee. Hij twijfelde of het verstandig was om nog een broeder tot het selecte gezelschap toe te laten. Abduljalil, Samir, Nourredine, Badr, Jamal, Mimoun: hij kent ze allemaal al jaren, en zou zijn hand voor ieder van hen in het vuur steken.

Soufiane kende hij alleen van de verhalen die over hem de ronde deden – en in die verhalen gedraagt hij zich allerminst als moslim. Abduljalil drong aan: hij heeft nog met Soufiane op het Niels Stensen College gezeten, voor hij eraf werd getrapt na een zoveelste incident. Bilal stemde uiteindelijk toe, onder de strikte voorwaarde dat hij eerst met Soufiane op een neutrale locatie een gesprek zou hebben.

In dat gesprek, op een bankje aan het Amsterdam-Rijnkanaal raakte hij al snel overtuigd: Soufiane is – hoewel hij nog niet heel lang geleden spijt betuigde voor zijn zonden en terugkeerde naar zijn geloof – serieus met zijn religie bezig. Hij lijkt, misschien wel door wat hem is overkomen (en misschien toch ook wel door wat hij allemaal in het verleden heeft uitgevreten) heel goed te begrijpen dat de islam totale onderwerping van hem vraagt. Dat hij de islam niet een beetje kan praktiseren, dat het alles of niets is – als je tenminste wil dat de weegschaal op de dag des oordeels gunstig uitslaat.

Soufiane vertelde hem dat hij na zijn ongeluk verbitterd raakte, dat hij zich opsloot en alles en iedereen verwenste, maar dat hij inmiddels begrijpt dat Allah hem op hardhandige wijze op het juiste pad bracht. Natuurlijk, hij heeft er jaren tegen geprotesteerd, er keihard tegen gevochten, maar uiteindelijk besefte hij dat Allah hem heeft begunstigd met zijn dwarslaesie: want wat voor verrot leventje zou hij leiden als hij nog steeds Souf de Haas was, zoals hij in heel Kanaleneiland bekend stond?

Het was een YouTubefilmpje dat hem op het rechte pad bracht, vertelde hij, terwijl ze naar het zacht golvende water in het kanaal keken. 'Ik zat te kijken naar een filmpje waarin zwaar gehavende kinderlijken gewoon op straat lagen, broeder, en ineens besefte ik dat ík er nog ben, dat Allah mij heeft gespaard, terwijl Hij al met me had kunnen afrekenen. Ineens wist ik dat ik serieus moest worden. Dat Allah dat voor mij zo heeft bedacht, dat dát zijn plan is, omdat ik blijkbaar in dit aardse leven nog niet klaar ben.'

Ze kregen het in dat eerste gesprek over de strijd tegen de Alawietenhond Assad, en Bilal raakte nog meer overtuigd van Soufiane's juiste intenties. Hij kreeg tranen in zijn ogen toen hij vertelde dat hij zou willen dat hij uit zijn rolstoel kon stappen om mee te vechten tegen die fokking kindermoordenaar, die klootzak die zusters laat verkrachten, onschuldigen bestookt met brandbommen, en hele steden uithongert.

Bilal vermaande Soufiane om de woorden die hij gebruikte ('Niet schelden, broeder, dat is niet *soennah*, hoe gerechtvaardigd het in dit geval ook is.'), maar wist op datzelfde moment dat zijn broeder was geslaagd voor het toelatingsexamen.

'Je bent vrijdag van harte welkom bij broeder Abduljalil,' zei hij plechtig, terwijl Soufiane met de rug van zijn hand zijn ogen droog probeerde te wrijven.

Soufiane gedraagt zich voorbeeldig. Terwijl anderen soms net iets te gretig het woord nemen als hij even pauzeert in een betoog, maakt Soufiane (soms subtiel, soms minder subtiel – op die momenten kun je in een flits zien dat hij ooit, vóór zijn ongeluk, zelf een leider was) duidelijk dat hij vooral geïnteresseerd is in wat híj te zeggen heeft.

'Laat broeder Bilal praten,' zegt hij dan. 'Hij heeft de meeste kennis, laten wij daarvan profiteren, inshallah.'

De andere broeders kunnen dan weinig meer doen dan ook hun 'inshallah' of '*amin*' uitspreken.

Ook vanavond stelt Soufiane zich nederig op. Hij heeft de hele avond nauwelijks gesproken. Slechts één keer nam hij het woord. Ze hadden het over de situatie in Syrië en Nourredine vertelde dat hij gisteren een filmpje zag waarin de handen van een dief werden afgehakt.

Soufiane onderbrak hem. 'Jullie weten allemaal van mijn verleden, beste broeders,' zei hij. Hij keek vanuit zijn rolstoel neer op de broeders op de grond, en liet even een korte stilte vallen voor hij verder sprak.

'Jullie weten van mijn verleden,' herhaalde hij. 'En ik wil jullie dit zeggen: als er voor mijn ongeluk sharia in Nederland was geweest, dan zou ik nu misschien nog kunnen lopen, want dan had ik nooit gedaan wat ik allemaal heb gedaan. Moge Allah mij vergeven.'

'Amin, broeder,' antwoordde iedereen in koor.

O, wat zal hij Soufiane verrassen met het Skypegesprek! Waarom stelt hij het eigenlijk nog langer uit?

'Beste broeders,' zegt hij. 'Ik heb vanavond – insjallah – een verrassing voor jullie.' Zijn volgende woorden spreekt hij een voor een uit: 'Een hele bijzondere verrassing.'

Hij staat op, loopt zwijgend het gangetje van Abduljalils woning in, en pakt zijn MacBook Pro uit zijn rugzak. Terug in de woonkamer klapt hij zijn laptop open. Over het Apple-symbool is een sticker met het ISIS-logo geplakt.

'Ik heb voor jullie vanavond een Skypegesprek geregeld met een broeder die jullie allemaal zullen herkennen, een broeder die ons allen tot voorbeeld dient. Door zijn moed, door zijn kracht, én door zijn karakter.'

Hij klikt op het blauw-witte Skypelogo, tikt met twee vingers langzaam een naam in, en kort daarna verschijnt in het beeldscherm haarscherp het gezicht van Abu Jihad al Hollandi.

De eerste woorden die hij vanuit Syrië tot zijn broeders in Nederland richt, zijn niet te verstaan omdat ze overstemd worden door Soufianes zeven keer herhaalde 'mashallah'.

Mo

De kater valt mee. Een beetje wollig gevoel in het hoofd, een licht randje boven zijn linker wenkbrauw, een opgezwollen gevoel in zijn maag – dat is het wel. Een fijne bonus van steeds meer drinken: je kunt meer hebben.

Van Gierst lijkt het niet te merken, dat gezuip. Arrogant tot op het bot en vooral: plaat voor z'n kop. Die gast is zó naar buiten gekeerd: dáár zit de vijand, of het nu de politiek, de pers of een terrorist is. Wat zich in zijn directe nabijheid afspeelt? Hij heeft geen idee. Waarschijnlijk zou hij het niet eens merken als Mo tijdens een teamvergadering zijn lul uit zijn broek zou halen om een van de foto's met 'in de gaten te houden subjecten' aan de muur van het vergaderhok eens duchtig te swaffelen.

Hij draait het raampje van zijn Golf naar beneden. Steekt een sigaret op.

Gadverdamme, Van Gierst. Wat heeft hij géén zin om die gast te zien vandaag. Ook omdat zijn leidinggevende een gedetailleerd observatierapport verwacht (dat er natuurlijk niet is, hij had gisteravond wel wat beters te doen), maar vooral omdat hij vandaag nog minder dan normaal trek heeft in de stupide opmerkingen, het getreiter, de stompzinnige humor en het ge-Mohammed van Dennis van fucking Gierst.

Vandaag is zijn – toch wel ietwat brakke – hoofd bij Melissa, en vooral bij haar vader, dokter Van Buuren.

Hij gooit zijn peuk door het open raampje naar buiten. Gisteravond was hij nog van plan zich ziek te melden, wat hij eigenlijk nooit doet, dus hij zou er zeker mee wegkomen. Maar vanochtend bedacht hij dat de vader van Melissa met wat hulp van de computer in Zoetermeer waarschijnlijk in no-time gevonden is. Sneller dan thuis in ieder geval.

Bovendien kan hij in Zoetermeer een beroep doen op nerd Nick, die ze misschien wat beter hadden moeten screenen voor ze hem aannamen, want de voormalig hacker en privacygoeroe ontpopte zich – eenmaal werkzaam voor De Dienst – al snel tot een wandelend lek. Intern althans: als je hem een beetje aandacht geeft, regelt hij alles voor je.

Guilty as charged, hij heeft menig nietszeggend observatierapportje opgeklooid met wat extra info van Nick, waardoor het nog heel wat lijkt. In de ogen van Van Gierst dan, want die is al snel tevreden als hij maar veel lettertjes voorgeschoteld krijgt.

Hij is al op weg naar de parkeerplaats voor medewerkers als het blauwe straatnaambordje met 'Europaweg' hem op een bizarre gedachte brengt: zonder die hele geschiedenis die begon op de Utrechtse Europalaan was hij nooit medewerker geworden van de Algemene Inlichtingen- en Veiligheidsdienst, die sinds een paar jaar kantoor houdt aan de Zoetermeerse Europaweg.

Nooit eerder opgemerkt. Een gelovige zou er de hand van God in zien.

Bij de koffieautomaat staat Dennis te kletsen met El Kaddouri. Dan maar geen koffie.

Aanvankelijk leek het wel een goeie, die Youssef. Hij had oog voor wat mis is in de moslimgemeenschap, en hij had daar scherpe opvattingen over. Ze konden praten in het begin. Dronken samen zelfs weleens een borrel, wat hij verder eigenlijk alleen met Johan doet. Maar meer en meer raakt Mo ervan overtuigd dat El Kaddouri een ordinaire carrièretijger is. Zijn fanatisme en toewijding lijken onoprecht, zijn bezorgdheid over radicalisering is nep: hij is vooral bezig zijn superieuren tevreden te stellen, en zich zodoende omhoog te werken.

Dat verwijt kreeg hijzelf ook in het begin – natuurlijk is hij dat niet vergeten. Johan noemde hem, na een zoveelste biertje tijdens een maandagavondborrel ('Waarom wachten tot vrijdag': hun drinkmotto) zelfs een keer *starfuckertje*. Toen hij hem vroeg wat hij daar in godsnaam mee bedoelde, antwoordde Johan alleen maar dat hij 'omhoogneuken niet sexy vindt'.

Hij heeft het Johan nooit kwalijk genomen. Die begreep – hoe kon hij ook? – simpelweg niet dat Mo's fanatisme, bevlogenheid, en monomane werkdrift in die tijd voortkwamen uit iets anders; die werden niet gevoed door het verlangen superieuren tevreden te stellen, nee, hij had destijds een andere, veel persoonlijker missie. Noem het jeugdige overmoed. Hij wilde het goedmaken. Herstellen wat de anderen kapot hadden gemaakt.

Hoe heeft hij ooit zo naïef kunnen zijn?

Hij heeft de neiging weer naar buiten te lopen om nog een sigaret op te steken voor hij de vergadering in gaat. Maar dan moet hij weer langs de koffieautomaat, dus loopt hij meteen door naar het vergaderhok op de tweede verdieping.

Het hok is nog leeg, en hij moet moeite doen om niet het whiteboard van Van Gierst vol te kalken met obscene teksten, maar hij weet zich in te houden. Hij gaat zitten, sluit zijn ogen. Johan is er niet bij vanochtend, die mag zijn roes uitslapen na zijn dienst van gisteravond dus het belooft een *trial* te worden.

'Goedemorgen, Mohammed. Nog niet volledig uitgeslapen, zie ik?'

Hij opent langzaam zijn ogen. Zwijgt.

'Benieuwd naar je observaties van gister, kerel.'

'Ik zei toch al dat hij zich niet liet zien?'

'Ja, maar je had toen nog een paar uur te gaan, niet?'

Van Gierst draait zich om, loopt naar het whiteboard, pakt een stift, en schrijft in een kleuterhandschrift langzaam 'Rachid Alaoui' in rode letters op het bord.

'Je bent netjes op tijd, trouwens, Mohammed,' zegt hij, terwijl hij twee dikke strepen onder de naam zet. 'Keurig, hoor.'

Mo krult zijn tenen in zijn All Stars, spant zijn bovenbenen, en bijt zijn kaken stevig op elkaar. Dragelijk maakt dat het niet, maar het verdooft de haat die hij voelt – een beetje dan.

Nadat zijn leidinggevende achter zijn opengeklapte Mac is gaan zitten, komen de andere teamleden een voor een binnenlopen. El Kaddouri blijft gelukkig uit zijn buurt; die gaat natuurlijk zo dicht mogelijk bij de chef zitten, hopend op een aai over zijn Noord-Afrikaanse krullenkop. Hij heeft vandaag weer eens zijn trouwkostuum uit de kast getrokken. Op de vouwen in z'n broek heeft z'n bruidje vanochtend vroeg waarschijnlijk uren staan zwoegen, want haar *hubby* moet er representatief bij lopen.

Ook al zo'n ambitieus type, die Yasmina. Die ene keer dat hij haar zag, tijdens de bruiloft waarvoor hij tot zijn eigen verbazing was uitgenodigd (hij en Youssef gingen al niet meer zo lekker), lulde ze de oren van zijn kop. Ze blééf maar doormekkeren over haar werk op het ministerie, hoe belangrijk het allemaal niet was wat ze daar uitvrat, hoe trots ze was op Youssefs werk voor De Dienst, en hoe goed het was Mo eindelijk te ontmoeten, want ze had van haar man zóveel over hem gehoord, want hoelang werkte hij al niet…

Hij walgde van haar 'wij succesvolle Marokkanen'-toontje. Gelukkig werd er drank geschonken. Er waren immers ook Nederlandse gasten, niet-moslims, die het bruidspaar tevreden moest houden.

Youssef en Yasmina raakten zelf natuurlijk geen druppel aan: wat zou de familie wel niet moeten denken? De vader van Yasmina – die erg zijn best deed om er als een middeleeuwse moefti uit te zien – gaf hem het boze oog toen hij, waarschijnlijk niet meer geheel *steady*, met zijn zoveelste witte wijn terugkwam van de bar.

Ooit was die droogkloot vanuit Marokko naar Nederland gekomen, en reken maar dat hij vóór hij z'n eigen bruidje over liet komen flink genoot van alles wat Nederland hem te bieden had. Er waren weinig mannen van de eerste generatie die durfden te erkennen dat veel van hen in die jaren zopen als tempeliers en elk blondje pakten dat zich liet pakken. En dat waren er nogal wat, want Marokkanen waren toen nog exotisch, dus in trek. De moefti's van nu waren toen ze aankwamen in Nederland een soort Italianen, maar dan zonder kapsones, en met slechtere schoenen. Ze hadden een nieuw leven kunnen opbouwen, maar ze lieten uiteindelijk allemaal een Berberbruidje overkomen; ze importeerden wat ze achter zich hadden gelaten, omdat ze uiteindelijk het nieuwe, het onbekende niet durfden omarmen.

Helemaal mis ging het met het gros van die mannen na hun ontslag bij de fabrieken waar ze werkten, of na hun arbeidsongeschiktheid door het zware werk in diezelfde fabrieken. Werkeloos werd de moskee hun nieuwe huis, want thuis waren ze niet graag: daar maakte dat in razend tempo oud en dik geworden bruidje inmiddels de dienst uit. En dan waren er ook ook nog al die zonen en dochters die de krappe flats waarin ze woonden nog krapper maakten; je kreeg er amper lucht.

'Is deze stoel nog vrij, schoonheid?'

Mo kan een glimlach niet onderdrukken, hoe chagrijnig hij ook is.

'Ga zitten, stinkerd,' zegt hij tegen Barry. Goeie gast. Volksjongen, Amsterdam-Noord, *and proud of it*. Moddervet, en misschien daarom wel zo'n goeie in z'n vak: niemand verwacht achtervolgd of geobserveerd te worden door een zompige beer. Radicalo's al helemaal niet, die zijn zo fucking ijdel dat ze denken dat ze in de gaten worden gehouden door James Bondachtige figuren, die hen in maatkostuums vanuit snelle bolides schaduwen.

Terwijl Van Gierst opstaat om nog een extra rode streep onder 'Rachid Alaoui' te zetten, wringt Barry zich in zijn stoel. Het past altijd maar net.

'Fisherman's Friend?' fluistert hij als hij eenmaal zit.

Mo houdt zijn vlakke hand onder het gele zakje, en neemt

zich voor vandaag zijn best te doen, en voor de verandering eens te luisteren naar de woordenstroom van zijn leidinggevende, vooral omdat dat het waarschijnlijk makkelijker maakt om vanmiddag ongezien weg te *sneaken*.

'Oké, heren.'

Een feitelijke mededeling: het clubje waaraan Van Gierst leiding geeft telt geen enkele vrouw. Voor mannen is hij onuitstaanbaar, voor vrouwen ondragelijk. Hij behandelt mannen en vrouwen tot op zekere hoogte gelijk: iedereen krijgt dezelfde Van Gierstiaanse overdosis bemoeizucht, arrogantie, paternalisme en heel slechte grappen toegediend, maar vrouwen worden daarnaast nog eens overladen met wat hijzelf waarschijnlijk 'complimentjes' noemt. In de loop der jaren hebben alle vrouwen die onder hem dienden eieren voor hun geld gekozen en ontslag genomen om op een of ander ministerie ambtenaartje te spelen. Of ze lieten zich wegpromoveren naar andere afdelingen binnen De Dienst, zelfs als dat betekende dat ze salaris moesten inleveren; alles beter dan dienen onder Van Gierst.

En soms werden ze weggestuurd. Zoals Deborah. Mo mist haar.

Van Gierst kijkt nog eens tevreden naar het whiteboard. Geen idee waarop hij wacht.

'Zoals jullie weten ben ik een man van de feiten, dus ik wil eerst met jullie kort de feiten doornemen, zoals die er nu liggen,' zegt hij nadat hij met zijn handen op zijn rug een rondje door het vergaderhok heeft gemaakt.

Daar gaan we dan: onder het inmiddels driemaal onderstreepte 'Rachid Alaoui' schrijft hij 'alias Abou Issa'. Hoe vaak heeft hij de afgelopen jaren niet volstrekt overbodig en zogenaamd tussen neus en lippen door, uitgelegd dat *abou* 'vader van' betekent, dat het een 'zogeheten *kunya*' is, een bijnaam, en dat iemand die zich Abou zus of zo noemt dus de vader van zus of zo is?

Soms denkt Mo dat het allemaal absurde sketches zijn, die

46

praatjes van Van Gierst, dat de man hen allemaal in de zeik neemt. Dat hij zijn team heimelijk test om te zien of ze wel scherp zijn, of ze doorhebben dat hij ze in de maling neemt. Maar daarmee geef je die schoolmeester veel te veel credits.

Van Gierst heeft het halve whiteboard volgekliederd met zijn kleuterhandschrift. El Kaddouri zit driftig te tikken op een Mac, zijn hoofd gaat op en neer, van laptop naar whiteboard, van whiteboard naar laptop – *knikknikknik*.

'Goed, resumerend,' zegt Van Gierst. 'Zoals gezegd is Alaoui voor ons op dit moment vooral interessant vanwege zijn recente gevangenisbezoek aan Mohammed Bouyeri én zijn pogingen om zowel in Nederland als in Marokko in contact te komen met die hele kliek uit 2004. Uit ambtsberichten van onze collega's in Marokko blijkt dat hij zelfs enkele leden van wat wij "De Hofstadgroep" noemden, aldaar heeft opgezocht.'

Van Gierst knikt naar El Kaddouri: 'Youssef heeft recentelijk Marokko bezocht, zoals de meesten van jullie weten. Deel je bevindingen met ons, als je wilt, Youssef.'

Dat wil Youssef natuurlijk wel. Het draaiorgelaapje gaat er zelfs bij staan. Voor hij begint te orakelen, trekt hij nog snel even zijn jasje en stropdas recht.

'Rachid Alaoui verbleef in Marokko gedurende de eerste week van deze maand. Tijdens zijn verblijf heeft hij geen enkel familielid bezocht, zelfs zijn recent geremigreerde ouders niet. Zijn reis lijkt slechts één doel te hebben gehad: in contact komen met voormalig leden van de Hofstadgroep. In de loop der jaren is een aantal van hen, na het uitzitten van hun gevangenisstraffen, uitgezet naar Marokko, zoals jullie weten.'

Draaiorgelaapje imiteert baasje.

'Nouredine el Fahtni, Zine Labidine Aouraghe, Fahmi Boughaba, Mohammed el Morabit: hij heeft ze tijdens zijn verblijf allemaal opgezocht in respectievelijk Al Hoceima en Rabat.'

Hij pauzeert. Neemt een slok water. Een typisch El Kaddouriaans maniertje. Doet-ie altijd voor hij iets openbaart.

'Ik heb ze tijdens mijn verblijf vanzelfsprekend óók gesproken, en ik kreeg oprecht het idee dat ze geen van allen op Alaoui zaten te wachten. Sterker nog: alle vier hebben hem – naar eigen zeggen – zeer stellig aangegeven dat ze op geen enkele manier nog herinnerd willen worden aan hun lidmaatschap van de Hofstadgroep.'

Hij neemt nog een slok water.

'De vraag is: moeten we dit kwartet op hun bruine ogen geloven?'

Hoe krijgt hij het uit zijn bek.

'Dát is de hamvraag: moeten we deze heren zomaar geloven?' El Kaddouri pauzeert weer. Tikt op het trackpad van zijn Mac. Doet hij niet zomaar. De oogappel van de meester heeft natuurlijk nóg een troef in handen.

'Ik heb hier een rapport van de Marokkaanse veiligheidsdienst, de Direction Générale de la Suirveillance du Territoire...'

Weer een pauze. Toegegeven: zijn Frans is heel behoorlijk.

'In dit rapport van de DGST – dat we mochten ontvangen dankzij onze goede banden met de Marokkaanse zusterdienst – worden onverkort chatgesprekken geciteerd tussen de heren El Fahtni, Aouraghe, Boughaba en El Morabit na het vertrek van ons onderzoekssubject Rachid Alaoui, alias Abou Issa. Daaruit blijkt dat ze, bijna tien jaar na de moord op Theo van Gogh, nog immer contact met elkaar hebben.'

Slok water.

'De vraag is dan: moet dat ons verontrusten?'

Hou toch op met je retorische vragen, man.

'Het antwoord op die vraag is moeilijk te geven. Voorzichtigheid blijft geboden, want we weten niet wat er in de hoofden van de heren omgaat. Wat we wel weten, is dat ze in hun versleutelde chats, waarin ze zich overduidelijk onbespied wanen, onomwonden en eenduidig blijk geven van een grote argwaan jegens de heer Alaoui en diens motieven.'

Ook zo'n El Kaddouriaans dingetje: dat archaïsche gelul van

hem, waarmee hij de zeepbellen die hij uit z'n bek blaast extra gewicht wil geven. Het is bijna aandoenlijk. Bijna.

'De chats die de heren uitwisselden, bevestigen en versterken ook mijn eigen bevindingen ter plekke: El Fahtni, Aouraghe, Boughaba en El Morabit lijken tien jaar na dato niet in het minst geïnteresseerd in een nieuw terroristisch avontuur. Zoals gezegd: voorzichtigheid blijft geboden, maar het gevaar lijkt op dit moment vooral te komen van de heer Rachid Alaoui zelf.'

El Kaddouri blijft na zijn laatste woorden staan, hij lijkt een staande ovatie te verwachten.

'Goed werk, Youssef,' zegt Van Gierst als die ovatie uitblijft. Het is de *cue* voor El Kaddouri om eindelijk te gaan zitten. 'Zoals ik van je gewend ben.'

Moeten die twee niet gewoon trouwen? Ze verdienen elkaar.

'Goed, laten we snel doorgaan. Nick, kun je ons vertellen wat jij sinds onze laatste vergadering te weten bent gekomen over het internetgedrag van Alaoui?'

'Yep. Kan ik heel kort over zijn: de man lijkt geobsedeerd door de Hofstadgroep en de moord op Van Gogh.'

Kijk, zo kan het ook: gewoon to the point, zeggen waar het op staat, zonder 'zoals gezegds'. En Nick heeft, in tegenstelling tot het draaiorgelaapje, ook niet de behoefte om te gaan staan, om zichzelf groter te maken.

'Kun je daar misschien iets over uitweiden? Dit is wel heel summier.'

'Dat kan, chef. Ik heb de afgelopen tijd live mee kunnen genieten van het surfgedrag van die gast, en tot op zekere hoogte is het een volstrekt gezonde Hollandse jongen...'

'Wat bedoel je?'

'Dat hij, net als zo'n beetje de rest van mannelijk Nederland, een kwart van de tijd die hij doorbrengt op het wereldwijde web spendeert aan het bekijken van porno.'

Van Gierst maakt een gebaar dat Nick ter zake moet komen, maar die laat zich niet stoppen. Wat houdt Mo op deze momenten van die nerd. Eigenlijk jammer dat Nick zo *damn straight* is, want met dat lijf van hem is niets mis.

'Hij begint meestal keurig op wat je een doelgroepsite zou kunnen noemen: muslimass.com. Daar heeft hij een voorkeur voor anale seks, en *girl on girl scenes* – die daar overigens slechts sporadisch te vinden zijn.'

'Wij zijn meer geïnteresseerd in het surfgedrag dat met ons onderzoek te maken heeft, Nick.'

'Spreek voor jezelf, Dennis. Ik vind dit reuze interessant. Relevant ook. Geeft toch inzicht in de psyche van ons onderzoekssubject, nietwaar?'

Barry. De held.

'Tot een hoogtepunt lijkt meneer op muslimass.com maar moeizaam te komen, want na gemiddeld een halfuurtje op die site te hebben rondgehangen, surft hij standaard door naar het u allen waarschijnlijk welbekende youporn.com. Daar heeft hij ineens geen enkele interesse meer voor de Arabische vrouw. Dat zou je opmerkelijk kunnen noemen.'

'Absoluut,' zegt Barry. 'Absoluut.'

El Kaddouri probeert oogcontact te krijgen met Van Gierst, maar die zit verbeten te pielen met zijn rode viltstift.

'Op die pornosite zoekt meneer het vooral in de groepsseks, de zogeheten gangbangs. Andere zoektermen die hij tijdens zijn omzwervingen in de krochten van YouPorn vaak gebruikt, zijn "bukkake" en "rimming". Meneer klikt trouwens niet altijd meteen weg als het geen fijne gewaxte vrouwenbilletjes, maar behaarde mannenaarzen zijn die worden gelikt. Zou je *openminded* kunnen noemen.'

'Inderdaad,' zegt Barry.

Mo bijt in zijn hand om zijn lachen in te houden. Hij durft niet naar Barry te kijken, maar hij weet dat die nu met een uitgestreken bek naar Van Gierst zit te staren.

'Barry, Mohammed, Nick, kunnen we in gódsnaam even serieus zijn?'

El Kaddouri kijkt opgelucht naar zijn chef. Zelf surft het aapje natuurlijk nooit naar porno, bang als hij is dat het ambitieuze bruidje erachter komt; zou dat die altijd wat treurige blik verklaren?

'Nick, echt, kappen met die onzin. Ik verwacht vanaf nu een feitelijke uiteenzetting van het surfgedrag van Rachid Alaoui.'

'Daar was ik mee bezig, chef.'

Niemand kan 'chef' zo minachtend laten klinken als Nick. Iedereen hoort het, behalve de chef zelf.

'Over zijn mailgedrag kunnen we kort zijn: hij mailt nauwelijks. Ook social media als Facebook en Twitter boeien hem niet echt; hij heeft accounts, maar post niets en reageert niet op anderen. Nog een opmerkelijk dingetje: hij lijkt maar matig geïnteresseerd in de strijd in Syrië – en zoals we allemaal weten, is dat wel anders bij de meesten van zijn bevlogen broeders, die hebben allemaal een abonnement op Onthoofdings-tv.'

'Nick, feitelijk graag.'

'Natuurlijk, chef. Waar was ik? O ja, zoals eerder opgemerkt, lijkt meneer volstrekt geobsedeerd door de Hofstadgroep en de moord op Theo van Gogh. Zo'n beetje al zijn zoektermen – op de pornografische na – hebben op de een of andere manier te maken met Van Gogh en die gasten uit 2004. Wat verder opvalt: hij heeft een opmerkelijke interesse voor de datum 2 november 2014.'

'Tien jaar na Van Gogh.'

'Scherp. Heel scherp, Youssef.'

Nick marineert zijn woorden in sarcasme. Extra smakelijk omdat El Kaddouri het in al zijn ijdelheid niet proeft.

'Wat vindt hij als hij op die datum zoekt? Geen openbaar aangekondigde "Tien jaar na Theo"-feestjes, waarvoor hij kaartjes hoopt te scoren, neem ik aan?'

Zo kan het inderdaad ook. Zoals Barry het doet. Niet naar complimentjes hengelen, maar gewoon een vraag stellen; als je al zo nodig wat moet zeggen. En het is een goeie vraag. Een paar jaar geleden was er gedoe toen bekend werd dat een aantal radicale sicko's feestvierden op de sterfdag van Van Gogh. Wie er precies op het besloten partijtje aanwezig waren, en hoe die gelukkigen de verjaardag vierden werd nooit duidelijk; drank zal er in ieder geval niet geschonken zijn. Het gênante was dat De Dienst geen enkele weet had van het feestje. Het kwam allemaal naar buiten doordat een Nijmeegse antropoloog – naar eigen zeggen een van de partygangers, 'in het kader van veldonderzoek' – zijn bek niet kon houden toen een journalist in het zaakje begon te wroeten. Die journalist was zelf eerder ook doel van onderzoek geweest, toen hij iets te lang en enthousiast in salafistische kringen rondhing. Dat onderzoek werd snel gestaakt nadat Nick de bonuskaart van die gozer leegtrok: er werd iets te veel alcohol aangeschaft om van een bekering te kunnen spreken.

'Nope. Dat is het treurige, Bar. Meneer zou na al die pogingen echt wel moeten beseffen dat je op het wereldwijde web geen openbaar aangekondigde "Hiep, hoi! Theo is dood"-partijtjes kan vinden. Toch blijft hij zoeken op die datum, en dan vindt hij telkens weer evenementen als "Den Haag over de Kook", de "Utrechtse Snerttocht" of een concert van Level 42 in het Burgerweeshuis in Deventer. Moet een teleurstelling voor hem zijn, maar hij blijkt hardleers: zo'n beetje elke dag tikt hij "2 november 2014" in op Google.'

'En daarmee maakt hij ons werk hopelijk wat makkelijker, heren. Het lijkt er sterk op dat Rachid Alaoui, alias Abou Issa, iets van plan is op 2 november 2014.'

Sharp thinking, Van Gierst.

'Het is aan ons om ervoor te zorgen dat die plannen worden gedwarsboomd, en als het even kan, zullen we hem laten oppakken. Daarvoor hebben we op dit moment helaas te weinig. We weten allemaal dat het OM best wil, maar dat de rechtbank nooit iemand weg gaat zetten omdat hij obsessief zoekt op een bepaalde datum. Ook pogingen om in contact te komen met leden van de Hofstadgroep zijn op zich natuurlijk niet strafbaar.'

'Hij heeft toch ook Bouyeri opgezocht? Weten we wat daar in de bajes is besproken?'

Van Gierst trekt opzichtig een wenkbrauw op. Voor deze ene keer valt hem weinig te verwijten, want hij is zelf ook verbaasd: waar komt ineens die behoefte vandaan om een vraag te stellen?

'Goeie vraag, Mohammed. Ik heb daar nog niets over gezegd omdat ik eerst de feiten met jullie wilde delen, maar we hebben dat gesprek vanzelfsprekend getapt.'

Van Gierst trekt een smoel alsof hij een schouderklopje verwacht, voor hij verder oreert. 'Aanvankelijk ging het vooral over koetjes en kalfjes. "Hoe gaat het met je broeder?", "Red je het wel?", "Mag je wel vijf keer per dag bidden?", "Weet je zeker dat je eten hier echt halal is?" Dat soort dingen. Later bespraken ze wat oninteressante geloofskwesties. Het radicalere werk, dat wel, maar niet meteen iets waar wij wat mee kunnen. Al met al was het een behoorlijk gezapig gesprek.'

Van Gierst pauzeert, pakt de rode stift en tikt theatraal tegen het lege waterglas. 'Wat mij echter zorgen baart, is niet iets wat werd gezegd, maar iets wat ik bij het herhaaldelijk bestuderen van de camerabeelden opmerkte. Ik heb het moment vanochtend voor deze vergadering diverse keren vertraagd bekeken, en ik ben er inmiddels van overtuigd dat Mohammed Bouyeri door driemaal langzaam met zijn hoofd te knikken Rachid Alaoui, alias Abou Issa, opdracht dan wel toestemming heeft gegeven om op 2 november 2014 een aanslag te plegen.'

De laatste woorden worden door Van Gierst staccato uitgesproken; tijdens elke korte pauze tikt hij driftig met zijn de stift op zijn het bureau, en met elke tik knikt El Kaddouri harder mee.

Mo kan het niet aanzien. Hij sluit zijn ogen en denkt aan Melissa.

De grens over… (2001)

Mo & Melissa

Bij het passeren van de grens kreeg hij, ondanks het zomerse weer, kippenvel op zijn armen. Voor het eerst van zijn leven was hij in het buitenland! Oké, het was maar België, dus een echte globetrotter kon je hem nog niet noemen, maar het was verder dan hij ooit was geweest. Waar andere jongens uit de wijk elke zomer wekenlang met het hele gezin in Mercedessen of Volkswagenbusjes met zwaarbepakte imperiaals naar Marokko of Turkije gingen, bleef hij de afgelopen achttien jaar altijd in Kanaleneiland.

Zijn vader vond het maar onzin om elke zomer terug te gaan naar Marokko. 'Al die mensen willen alleen maar aan familie laten zien dat ze het zo goed hebben in Nederland. Dat ze dure spullen bezitten. Ze willen pronken met wereldse zaken.' Hijzelf werkte liever door in de fabriek om zijn droom eerder te kunnen verwezenlijken: een tweede Marokkaanse moskee in de wijk.

Aanvankelijk was Mo's vader, net als de andere mannen van de eerste generatie, trots op de Marokkaanse Sayidina Ibrahim-moskee aan het Attleeplantsoen, bij hen om de hoek. Jarenlang spaarden ze om, net als de Turken, een volwaardig eigen gebedshuis te kunnen bouwen. De Marokkanen in de wijk kwamen niet graag over de vloer bij de Turken, die niet alleen een andere taal spraken, maar hun moskee vooral beschouwden als clubhuis. Er hingen zelfs vlaggen van Galatasaray in de kantine.

Zijn vader had er een keer wat van gezegd. De Turken hadden hem uitgelachen. Erger: iemand had het clublied van het voetbalteam uit Istanbul aangeheven. Nog erger: het merendeel van de aanwezigen zong net zo lang mee tot zijn vader afdroop.

'Die Turken gedragen zich als hooligans,' zei hij bij thuiskomst. 'En dat in het huis van God.'

Na het pijnlijke incident zamelde zijn vader met volle overgave geld in voor een nieuw te bouwen moskee waar in plaats van een voetbalclub Allah aanbeden diende te worden. Toen hij doorkreeg dat hij niet elke keer dezelfde mensen om donaties kon blijven vragen, reed hij op zijn vrije zondagen naar Duitsland en België om daar te bedelen en mensen te bewegen tot het leveren van een bijdrage.

Als je geld doneert om een huis voor Allah te bouwen dan levert je dat heel veel *hasanaat* op. Hoe vaak had hij dat zijn vader niet horen zeggen? Altijd maar dat gehamer op die zegeningen die het je op zou leveren als je gul gaf; hij vond het onfris. Het voelde alsof zijn vader een afperser was, die geld aftroggelde van mensen die het toch al niet breed hadden. Maar zijn vader was niet te stoppen. En al helemaal niet door hem.

Toen die eerste Marokkaanse moskee in de wijk er eenmaal stond, raakte zijn vader al snel teleurgesteld. De koers van de moskee zou te liberaal zijn, maar Mo vermoedde dat iets anders hem meer stoorde. Achmed el Amrani, de fabrieksarbeider die zich had ontpopt tot fanatiek fondsenwerver, kreeg niet genoeg krediet voor al het krediet dat hij had binnengeharkt.

Zijn vader boycotte de net voltooide moskee en ging zo vaak als hij kon naar de As-Soennah in Den Haag. En hij had een nieuwe missie: een tweede Marokkaanse moskee in de wijk. Eentje die wel halal was. Maar belangrijker: eentje waar hij de credits kreeg die hem toekwamen voor al dat gebedel. Stiekem, diep in zijn gelovige hart, droomde hij er misschien wel van dat de moskee naar hem zou worden vernoemd.

Die droom kwam nooit uit. Een paar zomers geleden stopte zijn hart met pompen.

Hij werd begraven in Marokko. Het was de eerste keer sinds

zijn komst naar Nederland dat zijn vader terugkeerde naar zijn geboorteland. Zijn moeder en Souf vlogen mee met de kist, en bleven een aantal weken bij familie in het geboortedorp van zijn vader in de buurt van Tétouan. Hij, de oudste zoon, mocht thuisblijven.

'Mohammed, we kunnen geen drie vliegtickets betalen,' had zijn moeder gezegd. 'Soufiane is nog te jong om thuis te blijven, en hij gaat allemaal kattenkwaad uithalen als er hier niemand is om hem in de gaten te houden. Jou vertrouw ik wel. Je kunt ook hier afscheid van je vader nemen.'

Dat deed hij. De afgedwongen kus op het voorhoofd van zijn dode vader voelt nog steeds als capitulatie.

Later hoorde hij van Souf wat zijn moeder tegen de familie in Marokko had gezegd. Zijn broertje moest een lachstuip onderdrukken om het uit zijn bek te krijgen.

'Mama vertelde dat je vast zat voor diefstal! Dat je daarom niet bij de begrafenis aanwezig kon zijn.'

Liever een dief als zoon, dan hém als zoon.

'Wat zit je te dromen?'

'Niks. Over mijn vader. Mijn moeder.'

Melissa knikte. Leek zelf ook in gedachten verzonken. Ze blies wat lucht door haar neusgaten, en hij zag hoe daarbij wat snot vrijkwam. Ze nam haar rechterhand van het stuur van de huurauto, haalde de rug van haar hand onder haar neus door, en veegde het snot vervolgens ongegeneerd af aan de bestuurdersstoel.

Dat onbeschaamde van haar, die virtuele middelvinger naar iedereen die haar wilde beteugelen – God, wat hield hij daar van.

'België,' zei ze uit het niets. 'Dat betekent dat het tijd is voor dEUS, dj.'

Al vanaf hun vertrek uit Utrecht vertelde ze hem wat ze wilde horen – wat hij horen móést. Hij bladerde door het blauwe cd-mapje dat ze hem vanochtend plechtig in zijn handen had gedrukt met de woorden: 'We gaan vandaag weer iets aan je muzikale opvoeding doen.'

Met zijn wijsvinger duwde hij DEUS in de cd-speler.

'Druk meteen door naar nummer twee.'

Hij deed wat ze zei.

'Ik heb zin om te gassen op "Suds and Soda". Fuck it als we een bekeuring krijgen, rock & roll!'

De paar minuten die het nummer duurde, wist hij niet waar hij meer van genoot: van het hem totaal onbekende, met schurende violen aangezette liedje, of van het gezicht van Melissa.

De tweede keer dat hij haar zag, na die eerste keer in de bus, kreeg hij in het begin geen normale zin uit zijn bek. Schoonheid legt het zwijgen op. Zo werkt dat bij hem in ieder geval. Souf kreeg juist altijd praatjes als hij een mooi meisje tegenover zich had. Zijn broertje – een jaar jonger dan hij, maar niemand die het geloofde als ze niet wisten dat het waar was – zette al een paar jaar met veel succes een onophoudende woordenstroom in als glijmiddel om meisjes te krijgen waar hij ze hebben wilde: onder hem, voorovergebogen voor hem, op hun knieën met zijn leuter in hun...

Hoe vaak had hij niet in detail verteld wie hij nu weer had 'gepakt'? De eerste keer was hij net veertien. Het meisje al zeventien. Hij had haar, vertelde hij trots, wijsgemaakt dat hij net zo oud was als zij. Ze was de eerste in een lange reeks veroveringen, als hij Souf op zijn woord moest geloven, en dat deed hij – tenminste, als het hierom ging.

Misschien had zijn broertje ook wel zoveel succes bij meisjes omdat hij er zo goed uitzag, en zo zelfverzekerd was. Souf had *swag*, hijzelf was altijd bang. Alleen bij Melissa voelde hij zich op zijn gemak.

Maar niet meteen. Toen hij in het faculteitsgebouw zo gedecideerd mogelijk op haar afstapte, zag hij direct dat ze niets van hem moest hebben. Ze leek zelfs wat angstig, alsof hij haar daar – met tientallen andere studenten als getuigen – wat wilde aandoen, of verhaal kwam halen over het een of ander.

'Serieus: ik dacht dat je een klant was. Dat je op de een of andere manier had uitgevonden wie ik was, waar ik studeerde, en dat je m'n loverboy, of pooier – weet ik veel – wilde spelen,' zei ze een paar uur later toen ze in de Winkel van Sinkel aan een zoveelste cappuccino slurpte. 'Je wil niet weten hoeveel Marokkanen ik over me heen heb gehad.'

Ze had een paar keer zachtjes aan haar linkeroorlel getrokken. Wat verwachtte ze dat hij ging zeggen?

'Hartstikke haram, hoeren. Toch?'

Hij knikte.

'Dan lopen dankzij mij heel wat Marokkaanse mannen het paradijs mis.'

Dat brak het ijs, een beetje.

'Weet je, in mijn business kom je heel veel gekken tegen,' zei ze toen ze uitgegrinnikt waren. 'Maar het engst zijn misschien nog wel de mannen die je willen redden. Dat zijn de échte *creeps*.'

Melissa draaide het volume van de cd-speler omlaag.

'Wat denk je, meteen in één ruk doorrijden naar *La Douce France* of wil je eerst wat meer van België zien?'

'Wat wil jij?'

'Ik vraag het aan jou. Echt, Mo, je moet afleren steeds aan anderen te vragen wat zíj willen. De komende weken ben jij de baas. Gedraag je dan ook zo.'

Hij keek haar aan. Ze draaide zich naar hem toe, en trok haar strengste schooljuffrouwengezicht.

School... Het leek alweer een eeuwigheid geleden, terwijl hij zich een paar maanden geleden nog druk maakte over zijn examens. 'Je bent glorieus geslaagd,' zei zijn mentor, toen hij in de aula een vwo-diploma in Mo's handen drukte. 'Er ligt een mooie toekomst voor je in het verschiet.' Zo voelde het niet. Zo voelde het helemáál niet. Het voelde alsof hij had verloren, alsof iets eindigde zonder dat iets nieuws begon. Als hij in de toekomst keek, dan zag hij verdomme helemaal geen toekomst. Want straks, na terugkomst in Kanaleneiland, zou hij moeten solliciteren.

Maar daar wilde hij de komende weken niet over nadenken. De komende weken was hij op vakantie met Melissa.

Toen ze het plan opperde, twijfelde hij. Natúúrlijk wilde hij twee weken weg met haar. Hij wilde sowieso weg. Weg van Souf en zijn moeder, weg uit die betonnen flat, weg uit Kanaleneiland, weg uit Utrecht, en ja, misschien ook wel weg uit Nederland – hoewel hij wat dat betreft geen vergelijkingsmateriaal had: wás het elders wel beter?

Maar de door haar voorgestelde *road trip* beangstigde hem ook, om meerdere redenen.

Zijn eerste gedachte was: hoe ga ik het mijn moeder vertellen? Dat bleek uiteindelijk mee te vallen. Ze was hem liever kwijt dan rijk – had hij kunnen weten – en een kutsmoes volstond. Het gemak verbaasde hem. Misschien gunde ze hem een paar weken vrij voor hij in het korset van kostwinnaar werd gedwongen.

Hij was uiteindelijk natuurlijk ook banger Melissa teleur te stellen, dan zijn moeder te trotseren. In twee weken kon hij alles verkloten. In feite hoefde hij niets te doen om Melissa teleur te stellen: ze zou er vanzelf achter komen hoe oninteressant hij was, dat ze haar tijd vergooide, dat hij haar niet waard was.

Hij gooide het op geld.

Had hij niet.

Wist zij.

En hij wist dat zij dat wist.

Daarom had ze ook aangeboden de trip te betalen, zei ze.

Maar dat kon hij dus niet accepteren, zei hij.

Accepteerde zij niet, want hij had een beloning verdiend voor het terugbrengen van de portemonnee.

Die beloning had hij allang gehad: ze had heel veel cappuccino's betaald, een paar etentjes, concerten en bioscoopkaartjes, een eerste druk van *Bezorgde ouders*. Maar ze had hem vooral beloond met haar gezelschap, probeerde hij.

'Dan zijn we eruit,' antwoordde ze. 'Ik wil verdomme met jou op vakantie. Als je mijn "gezelschap" zo waardeert, dan kun je dus niet weigeren. Anders ben je gewoon een leugenaar, en heb je geen zin om twee weken met mij door te brengen.'

Haar logica was soms ondoorgrondelijk.

Hij plantte zijn Puma's op het dashboard.

'We gaan meteen door naar Frankrijk,' zei hij. 'België is me te dichtbij.'

In het hotel vroeg ze naar de bruidssuite. De baliemedewerkster trok haar wenkbrauwen op, leek iets te gaan zeggen, maar zweeg toen Melissa uit haar spijkerbroek het verschuldigde bedrag opdiepte.

'Kutwijf,' zei hij, terwijl ze met hun tassen de trap opliepen.

'Geen kutwijf gaat mijn vakantie verpesten, Mo,' antwoordde ze, twee stappen tegelijk nemend. Achteromkijkend: 'En die van jou al helemaal niet.'

Hij nam een paar traptredes extra, en gaf haar een kus op haar wang – geen idee waar hij het lef vandaan haalde.

Melissa leek even te schrikken.

Toen zei ze: 'Niemand gaat onze vakantie verpesten, Mo.'

Een uur later liepen ze over Père Lachaise. Hij kende het overgrote deel van de doden niet.

'Jezus, Mo. Jim Morrison ken je toch wel?' zei Melissa toen ze voor een ondergekliederde buste stonden.

'Nope.'

'The Doors?'

'Zegt me niets.'

Ze begon te zingen. '*Come on baby light my fire...*'

Hij keek om zich heen. Bang dat iemand hen zag.

Ze stopte met zingen, misschien ook wel omdat ze doorhad dat hij zich schaamde.

'Hij wordt beschouwd als een van de eerste leden van de "Club van 27".'

Hij had geen idee waar ze het over had.

'Allemaal bekende muzikanten die op zevenentwintigjarige leeftijd doodgingen. Sommige doordat ze te veel zopen of gebruikten, andere omdat ze er zelf een eind aan maakten.'

Ze pakte een verdorde roos van het graf, stak hem in een bierflesje naast de buste van die Morrison, en vroeg Mo over haar schouder of hij Kurt Cobain wél kende.

'Hé, Kanaleneiland is een getto, maar geen grot!' Het kwam er geïrriteerder uit dan hij bedoelde. Ze leek het niet op te merken.

'Cobain schoot zichzelf op zevenentwintigjarige leeftijd door zijn hoofd in een schuurtje. *Pang!*' Bij die laatste klank zette ze haar wijsvinger tegen haar slaap en krulde haar duim, haar hand ineens een pistool – hij vond het moeilijk ernaar te kijken.

'En ken je Richey James Edwards?'

Hij haalde zijn schouders op.

'Hij speelde in The Manic Street Preachers.'

'Klinkt als iets wat mijn vader had kunnen waarderen.'

Ze grinnikten. Hij had haar verteld over zijn vaders niet te onderdrukken aandrang om op straat het geloof te verspreiden.

'"Motorcycle Emptiness", echt een fantastisch nummer. Vind ik niet alleen. Vindt iedereen die het hoort. Normaal is dat kut, dat een nummer dat jij supergaaf vindt ook door andere mensen goed wordt gevonden. Maar dit nummer is zo goed dat het niet uitmaakt.'

Ze begon, midden op de begraafplaats voor het graf van die dode zanger, weer te zingen, nog luider dan net.

Hij moest moeite doen om niet weer opzichtig om zich heen te kijken, bang als hij was dat andere begraafplaatsbezoekers ze zouden aanstaren. Toen ze eindelijk was uitgezongen, vertelde ze dat die Richey een jaar of vijf geleden ineens verdween. Zijn auto liet hij achter in de buurt van een beroemde zelfmoordbrug over een Engelse rivier.

'Als hij niet meer leeft, ik bedoel, als hij dood is – en daar gaat iedereen eigenlijk wel van uit, hoewel hij om de paar jaar in India wordt gespot – behoort ook hij tot de "Club van 27".' Ze liet het klinken als een exclusief gezelschap, iets waar je bij zou willen horen.

'Sorry, deprimeer ik je? Ben ik nogal goed in, soms.'

Ze sloeg een arm om zijn hals en nam hem mee naar het protserige graf van Oscar Wilde, die hij gelukkig wél kende door de lessen van meneer Dewael. Melissa ging recht voor hem staan.

'*I sometimes think that God in creating humanity somewhat overestimated His ability*,' verklaarde ze.

'*Whenever people agree with me I always feel I must be wrong*,' zei ze.

'*There is no sin except stupidity*,' beweerde ze.

Zo ging ze door, het ene citaat van Oscar Wilde na het andere uit haar brein opdiepend, net zo lang tot ze allebei de slappe lach kregen, vooral vanwege de bombastische manier waarop ze het bracht.

Lachend verlieten ze de begraafplaats.

Op weg naar het metrostation pakte ze zijn hand. Ze keek hem recht in de ogen, en zei samenzweerderig: 'Richey Edwards kraste ooit met een scheermes "4REAL" in zijn arm, toen een journalist hem vroeg hoe *dedicated* hij was.'

Op een terras in de buurt van het hotel proefde hij zijn eerste wijn. Het bleek lekkerder dan alles wat hij tot nu toe gedronken had. Bier, wodka, Baileys en Blue Curaçao: hij goot het de afgelopen jaren allemaal naar binnen. Hij genoot van het effect dat drank op hem had. Het maakte hem een beetje loom, de scherpe randjes verdwenen, en tegelijkertijd maakte drank hem scherper, gevatter, en minder bang om fouten te maken.

'Wij gaan avonturen beleven, Mo,' zei Melissa nadat ze een

tweede fles rode wijn had besteld. Hij wist niet wat hij moest zeggen, hij kon alleen maar grijnzen.

Bij hun eerste echte ontmoeting, in het faculteitsgebouw, was ze na de aanvankelijke argwaan al snel vriendelijker geworden, tenminste, zo had hij het met zijn naïeve kop ervaren. Hij doorzag pas later dat ze hem wilde testen.

Ze stond erop dat hij 'een kop koffie' met haar ging drinken.

In de Winkel van Sinkel bestelde ze twee cappuccino's zonder hem te vragen wat hij wilde. Toen ze op tafel stonden, gooide ze ongevraagd suiker in de zijne. Ze roerde door beide kopjes, en likte daarna het schuim van het lepeltje.

'Goed, ik speel dus de hoer,' zei ze met het lepeltje tussen haar lippen, waardoor het wat blikkerig klonk, alsof haar stem versterkt werd door het metaal in haar mond.

'Je zou daar iets op kunnen zeggen,' zei ze, toen hij niets zei, omdat hij geen idee had wat hij moest zeggen.

Dat beeldschone meisje, Bloem, néé, zo mocht hij haar dus niet noemen, dat had ze hem vlak daarvoor nogal nadrukkelijk opgedragen... dat meisje, Melissa, een hoer?

'Jezus, je bent of heel bleu, of je speelt een spel waar ik dus he-le-maal geen zin in heb. Je vond mijn portemonnee verdomme in de bus naar de Europalaan!'

Ze pauzeerde even.

'Dat is tenminste jouw verhaal, voor hetzelfde geld heb je me gewoon gerold.'

Voor het eerst durfde hij haar recht aan te kijken. Met onbegrip in zijn ogen waarschijnlijk, want ze maakte meteen haar excuses.

'Sorry. Oké, ik geloof je. Als je me hebt gerold, dan is het niet echt logisch dat je later die portemonnee komt terugbrengen. Zeker niet met achthonderd gulden erin.'

Haar gedachten leken even af te dwalen.

'Maar serieus: dacht je écht dat ik op weg was naar Kanaleneiland? Dat ik daar woonde, en daarom in die bus zat?'

Hij keek op van zijn cappuccino, waarin hij manisch zat te roeren. Hij had het zelf door en het irriteerde hem mateloos, maar ermee stoppen lukte niet.

'Er zijn toch echt mensen die in Kanaleneiland wonen, weet je,' zei hij, nog altijd cirkels draaiend in zijn koffie.

'Zo bedoel ik het natuurlijk niet.'

'Ik dacht dat jij misschien in Transwijk woonde,' zei hij, om het goed te maken. Alsof hij iets goed te maken had.

Nu, met die wijn in zijn mik, die zijn blik dus gek genoeg verscherpte, besefte hij pas echt dat Melissa bij die ontmoeting vooral wilde weten wat hij van haar wist, en wat hij van haar wilde.

Maar het ging verder dan dat: ze leek al snel echt in hem geïnteresseerd. Was hij niet gewend. Dus liep hij leeg. Over Souf. Zijn moeder. De begrafenis waar hij niet welkom was. School. En dat hij geen idee had wat hij met zijn leven aan moest. Wat hij na school moest doen.

Ze luisterde. Slechts heel af en toe stelde ze een vraag. 'Maar wat deed je toen je wekenlang alleen thuis was, zonder Souf en je moeder?'

'Vooral veel lezen. Gewoon, in de huiskamer. Eindelijk hoefde het niet stiekem, eindelijk hoefde ik niet bang te zijn voor irritante opmerkingen. Ik las soms een boek per dag.'

Hij verzweeg dat hij een deel van zijn dagen sleet met in zijn vrije hand een pornoboekje dat hij in Soufs kamer had ontdekt; telkens keerde hij terug naar diezelfde foto van een gespierde jongen die werd afgezogen door een meisje waarvan je alleen de rug zag.

Verder was hij openhartiger dan hij ooit tegen iemand geweest was. Toen hij eindelijk was uitverteld, keek ze hem recht in zijn ogen.

Ze schraapte met haar lepeltje wat schuim uit haar cappuccinokopje, en zei: 'Wij gaan jouw leven leuker maken. En dat van mij ook.'

67

Ze pauzeerde even.

Zei toen plechtig: 'Wij gaan vrienden worden.'

Hij keek naar haar, zonder te weten wat hij moest zeggen. Wat moest hij zeggen?

'Of wil je geen vrienden worden met een hoer?'

'Misschien wil jij wel geen vrienden worden met een Marokkaan.'

Ze negeerde zijn opmerking. Zei: 'Dat ik dacht dat jij een klant was!'

Een paar minuten later zaten ze samen te grinniken, en wist hij dat hij haar niet meer kwijt wilde.

Sinds die middag zagen ze elkaar zo veel mogelijk, op de dagen dat ze het niet kon opbrengen om te werken. Doordeweeks, soms ook in het weekend. Nooit op zondag, want dan had ze 'een vaste klant die na een nare ervaring niet meer op de Europalaan durfde te komen'.

Ze dwaalden samen door het Museumkwartier, waar hij haar zijn favoriete plekjes in het eeuwenoude stadsdeel liet zien. Hij vertelde haar over de talloze middagen die hij er doorbracht, weg van Kanaleneiland, weg van Souf en zijn moeder. Heimelijk (en hopelijk discreet, want hij wilde ze niet beledigen) wees hij naar zijn favoriete gekken.

'Zie je die zwarte vrouw daar? Met die korte krulletjes? Totaal van het padje. Heroïne, volgens mij. Ze groet me elke keer alsof we beste vrienden zijn. Ze lacht altijd, en iedere keer dat ze me gedag zegt, maakt dat me vrolijk.'

Melissa boekte kaartjes voor Springhaver, Tivoli en Ekko. Ze zagen films en bandjes en praatten daarna na in haar studentenkamer in Zuilen waar ze liters thee dronken. Hij moest uiteindelijk altijd terug naar Kanaleneiland, naar zijn moeder en Souf. Die wisten van niets, ze gingen er waarschijnlijk van uit dat hij, zoals alle andere jongens in de wijk, zijn avonden ergens op straat doorbracht; misschien had hij eindelijk vrienden gemaakt. Bij thuiskomst gaven zijn moeder en Souf hem nooit het gevoel dat hij thuiskwam.

Hij vertelde haar een keer hoe het was om op te groeien in Kanaleneiland, hoe hij het daar haatte. Ze beet op haar lip, liep naar haar cd-speler, en zei: 'We gaan jouw haat vieren.'

Hij keek haar niet-begrijpend aan.

'Viva Hate!' riep ze.

Waarna hij voor het eerst kennismaakte met Morrissey, Steven Patrick Morrissey – dat zoiets bestond! En hoe was het mogelijk dat hij die zanger nooit op de bbc had gezien?

Ze nam hem op een zaterdagmiddag mee naar Hinderickx & Winderickx op de Oudegracht, waar hij eerder niet naar binnen durfde te gaan, omdat hij zich niet kon voorstellen dat je zo'n antiquariaat binnen kon lopen om door oude boeken te bladeren. Maar de eigenaren, Hans en René, bleken – als je eenmaal hun pantser van afstandelijkheid had doorboord – hele toffe gasten, die hem weliswaar niet aanmoedigden, maar ook niet tegenhielden wanneer hij iets uit de overvolle kasten pakte.

Tijdens de autorit naar Parijs had hij ineens beseft dat Melissa de afgelopen maanden bar weinig over zichzelf had verteld. Ja, hij wist dat ze Frans studeerde, hij kende haar muzikale voor-keuren, hij wist welke boeken ze graag las, dat ze net als hij gek was op Gerard Reve, en ja, hij wist dat ze 'de hoer speelde'. Maar wat wist hij verder eigenlijk van haar?

In de hotelkamer liet ze zich, met gespreide armen, achterover op het bed vallen. 'Misschien moeten we gaan slapen,' zei ze.

'Ja,' zei hij.

'Morgen is er weer een dag. Dag twee.' Ze stond op, trok haar t-shirt over haar hoofd, en schudde haar blonde haren heen en weer.

'Statisch,' zei ze.

Hij zag hoe ze zich omdraaide en met een hand achter haar rug tastte, waarna haar rode bh op de grond viel. Langzaam draaide ze zich weer om. Ze keek even omlaag naar haar kleine borsten, voor ze zonder gêne haar zwarte, kanten string van haar billen trok.

Hij zag een donkere, weelderige driehoek tussen haar slanke benen. Waarschijnlijk keek hij te lang. Haar kut leek in niets op al die kale kutten die hij, op zoek naar iets wat hem wél opwond, in de pornoboekjes van Souf was tegen gekomen.

'Als ze een kinderkutje willen neuken, zijn ze bij mij aan het verkeerde adres,' zei ze, alsof ze zijn gedachten kon raden, voor ze onder de dekens kroop.

De volgende ochtend werd hij wakker met barstende koppijn. Melissa zat in een leren stoel tegenover het kolossale bruidsbed, en keek hem – volledig gekleed – een beetje verdrietig aan. 'Eindelijk wakker?'

'Ik geloof het wel.'

'Je ziet er brak uit.'

Hij zei dat hij zich ook zo voelde.

'Dan is dit misschien wel het beste moment om het te vertellen. Je voelt je toch al klote.'

Zenuwen. Paniek. Nu ging ze hem vertellen dat ze hem oninteressant vond, dat het een vergissing was om samen op reis te gaan. Dat het tijd werd terug te gaan naar Nederland.

Ze ging naast hem op het bed zitten. 'Ik ben als kind door mijn vader misbruikt,' zei ze plompverloren.

Natuurlijk weer geen tekst, hij.

Ze vertelde dat hij dokter was, dat haar moeder dood was. Kanker. Na haar dood sloop haar vader steeds vaker haar meisjesslaapkamer binnen. Voor 'een knuffel'. Eerst bleef het bij strelen. Dat vond ze wel fijn. Later ging het verder. Veel verder. En iedereen in Zutphen had medelijden met haar vader. Zó vroeg weduwnaar geworden van een veel jongere vrouw, die vriendelijke dokter. Want dat was dus zo, haar moeder was jaren jonger dan haar vader, ze was op haar achttiende met hem getrouwd. Hij had al een eigen praktijk toen, hij was al halverwege de dertig. Niemand durfde ze te vertellen wat haar vader met haar deed, de ranzigheden die hij uithaalde. Niemand zou haar ook geloofd hebben.

'Nu weet je alles,' zei ze, na een korte stilte.

Hij kon er niets aan doen, maar hij huilde. Hij zou háár moeten troosten, maar zij stond op uit de leren stoel, kwam naast hem op het bed zitten, en sloeg haar armen om hem heen.

Ze kuste zijn tranen weg, letterlijk; ze nam zijn hoofd in haar handen en kuste zachtjes zijn wangen tot zijn ogen opdroogden en de tranen stopten.

Hij stond op en zei: 'Ik maak hem kapot.'

Ze schudde haar hoofd, en hij moest – voor het eerst tijdens hun vriendschap – iets beloven.

'Hij is al kapot. Hij bestaat niet. Hij bestaat niet in mijn leven. Beloof me dat je hem met rust laat.'

Het was geen verzoek: het was een opdracht.

Hij beet zijn kiezen op elkaar, zo hard als hij kon, knielde voor het bed en sloeg zijn armen om haar heen, en de tranen kwamen – wéér die van hem. Schokkerig hield hij haar minutenlang vast, tot zij de omhelzing verbrak.

'We gaan het hier nooit meer over hebben,' zei ze.

Na een hartig ontbijt, waardoor hij zich wat beter voelde, liepen ze de stad in. Hij durfde zijn arm niet om haar heen te slaan.

'Ik heb zin om naar Shakespeare and Company te gaan,' zei ze opgewekt, waarna ze hem vertelde over de roemruchte boekwinkel, die het in tegenstelling tot uitgeverijen in zowel Amerika als Engeland wél aandurfde *Ulysses* van James Joyce uit te geven. 'De eigenaresse was een vrouw, Sylvia Beach. Echt een stoer wijf. Ze stak gewoon haar middelvinger op tegen censuur.'

In de boekwinkel pakte ze Richard Ellmanns biografie van Oscar Wilde van een plank.

'Dit ga je goed vinden.'

Ze drukte het boek in zijn handen. Gelezen had ze het nog

niet, zei ze. Maar ze wist wel dat het tragisch afliep.

'Grote kans dat jij erom moet huilen.'

Hij probeerde te lachen, maar het lukte niet.

Een paar dagen later, op het terras. Ze zaten te lezen. Hij las over het leven van Wilde, zij de biografie van Jean Genet. Toen hij haar vertelde dat Wilde was gestorven in een hotel in de buurt, stelde ze voor een 'bedevaart' te maken.

Binnen tien minuten stonden ze voor het hotel, aan de Rue des Beaux-Arts. Ze keken naar de plaquette naast de ingang. 'Weet je in welke kamer hij is gestorven?' vroeg ze toen ze naar binnen glipten.

'Zestien, als ik 't goed heb.'

Ze sneakten langs de lobby, en doken een gang in. Toen ze kamer zestien hadden gevonden, draaide ze zich om. 'En nu?'

'Ik heb geen idee.' Hij fluisterde, net als zij.

'Wil je die kamer niet vanbinnen zien?'

'Dat kan toch niet.'

'We zouden bij de lobby kunnen vragen of we even binnen mogen kijken. Als we uitleggen...'

'Dat gaan ze nooit doen. Denk je echt dat ze zo'n kamer even showen aan een Marokkaan en...'

'Een hoertje?' Ze gaf hem een stomp tegen zijn borst, waardoor hij kalmeerde.

'Nou, dan zit er niets anders op,' zei ze. 'We trappen de deur in. Of heb jij een beter idee? Je hebt in Kanaleneiland vast wel geleerd hoe je een deur zonder schade open krijgt, toch?' Fluisteren was blijkbaar niet meer nodig.

Hij wilde haar een plagerig stompje teruggeven, maar net voor zijn vuist op haar borst landde, bedacht hij zich (je stompt geen meisjes), en opende hij zijn hand, waardoor het leek alsof hij naar haar borsten graaide. Ze wilde iets zeggen, maar net op dat moment ging de kamerdeur open.

Ze deinsden achteruit, de brede gang in, en vonden beschutting in een soort nis. Een vadsige vent met nat, achterover gekamd haar kwam de kamer uitlopen. Hij had een verfrommeld pak aan dat ondanks zijn corpulentie toch te ruim was. Rode bretels zorgden ervoor dat zijn pantalon nog een beetje werd opgehouden. De dikzak keek schichtig op een klokje aan zijn pols, en leek hen nog niet te hebben opgemerkt. Hij draaide zich om en riep iets de kamer in, het was moeilijk te verstaan. Het klonk agressief, alsof hij een onwillige hond toesprak.

Na een paar seconden wachten – ze keken nog steeds tegen zijn rug aan – liep de man de kamer weer in. De deur stond open.

Melissa keek hem aan. 'Zullen we?' fluisterde ze.

'Doe normaal.'

'We kunnen toch net doen alsof we de verkeerde kamer binnenlopen?'

'Je loopt toch niet zomaar een hotelkamer in? Als daar mensen zijn?'

Melissa haalde haar schouders op en stapte naar voren.

Een jonge brunette kwam de kamer uit. Ze droeg een mantelpakje en had pumps aan haar voeten. Met beide handen stopte ze haar halflange lokken achter haar oren. In tegenstelling tot die kerel merkte ze hen wel meteen op. Ze keek argwanend naar Melissa, die achteruitstapte, en toen naar hem.

'*Pardon?*' zei ze.

Achter haar kwam ook de man de kamer uit. Hij trok de deur dicht, draaide zich om, en legde een hand op de onderrug van de jonge vrouw. Pas toen leek hij hen te zien.

Die vent zou hen meteen het hotel uit laten gooien. Hij zou een scène schoppen, verdomme!

Maar de man passeerde hen – nadat hij Melissa van top tot teen had uitgecheckt – alsof het hem geen zak uitmaakte dat ze daar stonden. De vrouw keek nog wel even argwanend over haar schouder, maar zei niets.

Toen ze uit het zicht waren verdwenen, liep Melissa richting kamer zestien.

'Hoerenloper,' zei ze, terwijl ze knielde voor de kamerdeur.

'Wat dóé je?'

'Ik probeer door het sleutelgat te kijken.'

'Je bent niet goed, jij,' zei hij. Maar meteen daarna knielde hij naast haar. Zijn linkeroog dichtknijpend, probeerde hij door het sleutelgat te kijken.

'*Qu'est-ce que tu fais?*'

Hij keek om, en zag verderop in de gang een hotelmedewerker in een strak gesneden pak, die hem wijdbeens aanstaarde. Mo sprong op, trok Melissa aan haar hand omhoog, en sprintte op de man af. Die probeerde – armen gespreid – de doorgang te versperren.

Mo gaf de hotelmedewerker een duw. De man viel, en niet zachtjes ook, hij schreeuwde het uit. Melissa sprong over hem heen, en wist net aan zijn graaiende handen te ontkomen.

Ze stopten pas met rennen toen ze de vijver in Jardin du Luxembourg bereikten. Buiten adem ploften ze neer op het gras. Op hun rug lagen ze minutenlang zwijgend naast elkaar.

'Had ik niet van je verwacht, dat je die kerel omver zou duwen,' zei ze, nog steeds een beetje kortademig.

'Ikzelf ook niet, maar hij leek me niet het type waarmee te praten valt.'

Ze zei dat ze niks verkeerds deden, dat ze het heus wel uit hadden kunnen leggen.

Hij draaide zich op zijn schouder, en keek haar onderzoekend aan. Aan haar gezicht was niet te zien of ze het meende.

'Maar goed, ik vond het te gek dat je die kerel omduwde.' Ze draaide zich naar hem toe. 'Je hebt ons gered!'

'Ik dacht dat jij niet hield van mannen die je willen redden.'

Even leek ze van haar stuk gebracht, maar toen lachte ze.

Hij gaf haar een por in haar zij. Gelukkig kwam die dit keer wel op de juiste plek aan.

Met de handen onder hun hoofd, liggend op het gras, keken ze naar de stralend blauwe lucht. Alle vogels leken uitgeweken naar andere oorden.

'Ik las gisteravond dat Wilde zich op zijn sterfbed bekeerde tot het katholicisme,' zei hij.

'Reve werd ook pas later katholiek.'

'Maar niet op zijn sterfbed. Hij kon niet eens meer praten. Een vriend maakte uit een handsignaal op dat Wilde gedoopt wilde worden. Misschien had-ie het wel mis, en wilde Wilde dat helemaal niet. Moest hij eigenlijk pissen, of zo.'

Ze negeerde zijn grapje.

'Jij bent toch ook moslim zonder dat je daar zelf veel over te zeggen hebt gehad?'

Mo grinnikte.

'Zie je jezelf nog als moslim, eigenlijk?'

'Al heel lang niet meer,' zei hij. 'Maar daar denken anderen dus anders over. Ik bedoel: als de mensen om je heen je beschouwen als moslim, dan is het heel lastig. Ze blijven je erop aanspreken, snap je?'

'Letterlijk?'

'Souf bijvoorbeeld, die zuipt en blowt en neukt erop los. Maar als het hem uitkomt, gaat-ie ineens heel vroom doen. Of nee, "vroom" is niet het goede woord, juist niet eigenlijk. Het is meer dat hij, als moslims kritiek krijgen, heel agressief de islam gaat verdedigen. Dat wordt van mij ook verwacht.'

'Hypocriet,' zei ze.

'Maar zo ziet hij dat niet. Hij heeft dan juist het idee dat hij goed bezig is. En hij is niet de enige. Ik zag het bij mij in de klas, ook bij de meiden. Wel een hoofddoekje dragen, en tijdens de ramadan hartstikke vroom doen en zo, maar op donderdagavond in Hoog Catharijne rondlopen in de hoop nagesist te worden.'

'Ze wíllen nagesist worden?'

'Ja, sommige van die meiden wel. Weet ik veel, waarschijnlijk

75

is dat het dichtst dat ze bij seks komen. Daar hebben ze blijkbaar toch behoefte aan, ondanks hun vrome praatjes.'

Melissa draaide zich naar hem toe. Ze plantte haar hand onder haar kin, en haalde luidruchtig haar neus op.

'Heb jij weleens geneukt, Mo?'

'Nee.'

'Zou je het willen?'

Hij voelde zich ongemakkelijk. Ze zag het en lachte.

'Ik bedoel: niet met mij. Maar gewoon: zou je willen neuken?'

'Heel raar misschien, maar ik ben er niet erg mee bezig.' Dat was niet helemaal waar, maar hoewel hij Melissa vertrouwde, weerhield iets hem ervan uit te spreken wat onuitspreekbaar was als je in Kanaleneiland opgroeide. Bovendien had hij het idee dat ze het allang doorhad – of vermoedde ze niets en dacht ze dat hij van haar afbleef omdat ze de hoer speelde?

Melissa ging rechtop zitten. 'Ik wou dat ik dat kon zeggen,' zei ze.

Mo kroop overeind. Keek haar vragend aan.

'Dat ik nog nooit geneukt heb.'

Hij sloeg een arm om haar heen. Meer kon hij niet doen.

2014

Bilal

'Kom op, Bilal! Is dat alles wat je hebt? Dieper gaan nu. En sneller. Je bent toch geen mietje? Tempo, tempo, tempo!'

Bilal ligt op zijn rug in het gras langs het Amsterdam-Rijnkanaal, en Samir probeert hem te motiveren bij zijn buikspieroefeningen. Normaal zou hij niet accepteren dat een broeder zo tegen hem tekeergaat. Nu lijkt het functioneel, wat niet betekent dat hij daar comfortabel ligt, met een schreeuwende broeder die op hem neerkijkt.

Hij komt nog een paar keer zo snel mogelijk omhoog en voelt hoe die beweging zijn vetrollen pijnlijk samenperst.

'Beter, broeder, beter. Rust maar even uit. Ik trek ondertussen een paar sprintjes.'

Samir rent weg zonder op een antwoord te wachten.

Bilal wrijft over zijn buik. Dat hij overgewicht heeft, erkent hij pas sinds kort. In wijdvallende islamitische kledij kun je jezelf lang voor de gek houden. Hij draagt al jaren *salwar kameez* die hij koopt in een Afghaans winkeltje in de Kanaalstraat, of dishdasha's die hij online bestelt. Dat hij vaak wordt aangestaard op straat maakt hem niets uit; laat die kuffar stikken in hun haat.

Ook onwetenden in de moslimgemeenschap vinden dat hij zich aanstelt – hij heeft het vaak genoeg gehoord –, maar die dwalenden beseffen niet dat hij ook met de kleding die hij draagt Allah tevreden probeert te stellen.

Iedereen snapt dat vrouwen hun *awra* moeten beschermen tegen de lustgevoelens van mannen; daarom dragen ze een niqab en wijdvallende, lange kleding om hun schoonheden te verbergen. Maar de onwetendheid in de moslimgemeenschap is zo groot dat wordt vergeten dat mannen ook awra hebben: het gebied tussen de navel en de knieën dient voor vrouwen én voor andere mannen bedekt te blijven. Hoeveel moslimmannen eerbiedigen die regel? Ja, natuurlijk zeggen die jongens in hun skinny jeans dat die hun intieme delen bedekken, maar dat toont slechts aan hoe ver ze van het rechte pad zijn geraakt. Kennen zij geen schaamte?

Toen hij een paar weken geleden aanvaardde dat hij echt te dik was geworden (honderdachttien kilo en één meter zesentachtig lang) zag hij dáár nog het meest tegenop: hoe kan hij sporten zonder zichzelf te verlagen tot het niveau van de goddelozen en de onwetenden? Nooit zal hij gezien worden in zo'n strakke hardloopbroek, zo'n legging, waarin zijn intieme delen te zien zijn – nooit!

Hij besprak het dilemma met Samir, die zei dat hij wel zo'n legging droeg, maar dat hij zijn awra beschermt door er een wijdvallende korte joggingbroek overheen te dragen.

'Volgens mij zit je een beetje naar excuses te zoeken, broeder,' hield Samir hem voor. Hij lachte erbij, wat de opmerking extra pijnlijk maakte.

'Je kunt niet in mijn hoofd kijken, broeder. Allah weet dat ik wil afvallen, maar ik ben niet van plan daarbij te zondigen tegen de islam,' antwoordde hij, rustig maar gedecideerd, hoewel hij van binnen kookte.

Samir bood zijn excuses aan en samen gingen ze naar de Aktiesport in het winkelcentrum. Bijna zeventig euro besteedde hij daar; het zou nog meer hebben gekost als hij om merken gaf. Maar de profeet Mohammed kleedde zich ook sober, die maalde niet om wereldse zaken, om merkkleding, en hij dient ook wat dat betreft het voorbeeld van de boodschapper van Allah te volgen.

In het pashokje trok hij de hardloopbroek aan, om te kijken of de knielange, eveneens zwarte, korte broek van joggingstof eroverheen paste. In de spiegel zag hij dat het goed was, zeker met het wijdvallende, misschien net iets te lange zwarte sport-jack aan. Het viel allemaal lekker ruim, en hij voelde zich minder opgelaten dan verwacht.

En nu ligt hij hier op zijn rug, uit te hijgen van de oefeningen waaraan Samir hem heeft onderworpen. Vandaag gaat het niet van harte.

Het was laat geworden gisteravond. Ze praatten met z'n allen nog lang na over het Skype-gesprek met broeder Abu Jihad al Hollandi. Zoals hij hoopte en verwachtte waren de broeders enorm onder de indruk dat hij – alle lof aan Allah natuurlijk – de nobele strijder voor een interview had weten te strikken. Iedereen in Kanaleneiland kende de reputatie van de moedige broeder, die een profcontract bij F.C. Utrecht vaarwel zei om in Syrië te strijden tegen die Alawietenhond en zijn sjiitische vriendjes – moge Allah hun nekken breken.

De broeder, die opgroeide in Kanaleneiland maar de laatste jaren, voor naar Syrië te vertrekken, in een duur nieuwbouwhuis in Houten woonde, liet alles achter om broeders en zusters in nood te helpen. Op zijn Facebookpagina, waar hij alle foto's verwijderde die met zijn voetbalcarrière te maken hebben, liet hij weten dat hij zich had aangesloten bij ISIS, wat natuurlijk meteen tot kamervragen van de geblondeerde bedrijfspoedel van Pisraël leidde. Hij postte later meerdere foto's van hemzelf en Abou Omar al Shishani.

Bilal kan zich nog precies herinneren hoe het voelde om die foto's voor het eerst te zien. Trots, dat een Utrechtse broeder, een broeder uit de wijk, verkeerde in het gezelschap van de Tsjetsjeense commandant, een van de meest vooraanstaande strijders in Syrië. Tegelijkertijd, en daar is hij niet trots op, voel-de hij jaloezie jegens de ex-profvoetballer die zich jarenlang het wereldse liet smaken (verhalen doen de ronde dat hij soms op één avond met twee vrouwen het bed deelde), maar anno 2014 is opgeklommen in de allerhoogste jihadistenkringen.

Het hoort niet om zo te denken, natuurlijk weet hij dat. Het is niet aan hem om te oordelen over een broeder; het oordeel is aan Allah. Hij toonde berouw in gebeden en vroeg zijn Heer om vergiffenis voor die vergiftigde gedachten over Abou Jihad. Daarna voelde hij zich beter, en hij deed er sindsdien alles aan om met zijn moedige broeder in Syrië in contact te komen. Met succes.

Het was zó indrukwekkend om Abou Jihad te horen praten over zijn ervaringen. Alle broeders waren muisstil. Alleen hijzelf stelde af en toe een vraag. Dat had hij als voorwaarde gesteld, nadat het even uit de hand dreigde te lopen omdat iedereen wilde weten hoe het was om in Syrië te strijden. Het moest geen kippenhok worden, en híj had nu eenmaal het interview geregeld.

Abou Jihad vertelde over de spanning die hij 's nachts voelde als hij de grenzen van gebieden bewaakte die hij en zijn broeders hadden veroverd. Hij gaf voorbeelden van de schietpartijen waarin hij was terechtgekomen; volgens hem klonk het geluid van kogels totaal anders dan in *The Godfather* en de *Rambo*-films. Met eigen ogen had hij de rechtvaardigheid van de sharia kunnen aanschouwen als er bij dieven handen werden afgehakt. Maar er was ook tijd om te chillen, benadrukte hij. Met zijn medestrijders speelde hij een paar keer per week een potje voetbal. Hij was niet eens de beste, vertelde hij bescheiden, want er liepen in Syrië meerdere voormalig profvoetballers rond. Gezwommen werd er ook, in de zwembaden van de villa's waarin de strijders konden uitrusten na lange dagen patrouilleren. 's Avonds stond het door zusters met veel liefde klaargemaakte eten al klaar. Na de avondmaaltijd kreeg je tijd om te ontspannen, zei hij. En alle broeders begrepen wat hij daarmee bedoelde.

Nadat de Skypeverbinding was verbroken, spraken ze nog urenlang over de strijd in Syrië. Bilal vertrok als laatste, en op weg naar huis zondigde hij. Niet tegen de regels van de islam, natuurlijk. Allah is zijn getuige! Hij kreeg een vreetkick, en haalde bij de Turk een kapsalon. Bijna tweeduizend calorieën, vlak voor het slapengaan, daar had hij nu goed last van.

'Genoeg geluierd, broeder,' zegt Samir, die hem van achteren nadert.

Hij draait zich om. Samir vertoont na zijn sprintjes geen spoor van vermoeidheid.

'Hoe vond jij het interview met Abou Jihad, broeder?'

'Zeer indrukwekkend. Hoe hij spreekt over de strijd: "Als ik in de loop van een geweer kijk, dan zie ik slechts het paradijs." Hij ziet er ook zo gelukkig uit, alsof hij eindelijk zijn plek in het leven heeft gevonden.'

'Hij heeft in het verleden flink gezondigd.'

'Maar daar heeft hij berouw voor getoond, toch? Hij heeft alle wereldse zaken losgelaten en vecht nu op het pad van Allah in Syrië, terwijl wij ons gewone leventje leven in Utrecht.'

Samir heeft natuurlijk gelijk. Toch kan Bilal zijn jaloezie opnieuw niet helemaal onderdrukken. Hij heeft erover nagedacht om ook af te reizen. Iedereen kent de routes, en iedereen weet hoe makkelijk het is om er te komen. Zelfs broeders en zusters die door die sukkels van de AIVD in de gaten werden gehouden, slagen erin Syrië te bereiken. Maar hij weet dat hij door zijn overgewicht en gebrekkige conditie in de strijd alleen maar een last is, dat hij anderen in gevaar brengt. Er zijn ook broeders die de strijd ondersteunen door bijvoorbeeld in ziekenhuizen te werken, of zelfs vuilnis op te ruimen. Maar Allah heeft andere plannen met hem, iets groters, daar raakt hij steeds meer van overtuigd.

Moge het hem gegeven zijn om in de voetsporen te treden van *mujahid* Mohammed Bouyeri! Over het doelwit hoeft hij niet na te denken. Is er een legitiemer doelwit dan de grootste vijand van de islam die er op aarde rondloopt?

De broeders, die hij nog niets heeft verteld over zijn plannen, zullen trots op hem zijn. De gehele *ummah* zal hem prijzen om zijn daad... Eerst fit worden. Dat moet toch kunnen in zeven maanden?

'Zullen we nog een keer naar het zwembad rennen?'

Samir kijkt hem verbaasd aan. Geeft hem dan een hand om hem overeind te helpen. 'Goed bezig, broeder.'

Terwijl hij achter Samir aan rent, maakt hij boksbewegingen. Hij moet zijn best doen om dat liedje uit die Rocky-film in zijn hoofd te onderdrukken.

Mo

Het was niet moeilijk om het pand uit te sneaken. Van Gierst dook meteen na de vergadering met El Kaddouri zijn kantoor in. Gebeurde steeds vaker. De chef en het beste jongetje van de klas zitten soms uren samen achter de computer om een zoveelste rapportje in elkaar te knutselen.

Van hem werd vandaag ook een rapportage verwacht, over die Abou Issa, maar wat valt er over die gast te noteren? Hij kan toch moeilijk tikken dat hij gisteren een PowNews-verslaggever achter op de fiets van een agent zag springen, dat dat eigenlijk alles was wat hem de afgelopen dag was opgevallen?

In het verleden bakkeleide hij met Van Gierst over de dagelijkse rapportages die iedereen moest inleveren. Waarom niet één keer per week een rapportje? Of maandelijks? Nog beter – dan heb je tenminste wat tekst. Maar de chef stond erop. 'Ik wil elke dag de meest actuele info, om het dreigingrisico van elk geobserveerd subject zo goed mogelijk te kunnen analyseren, en later niet voor verrassingen te komen staan,' mantra'de hij.

Voor de vorm had Mo de computer opgestart, maar nog voor hij ook maar een letter tikte, verdween hij al in het rookhok. In het raamkozijn, haar voeten op de verwarming, zat Deborah. Ze stak net een sigaret op. Hij wilde haar vragen of het ging, maar besloot haar in plaats daarvan een kus op haar wang te geven.

'Dank je, Mo.'

'Als ik iets voor je kan doen...'

'Weet ik.'

Drie kinderen, een man die op een bermbom stapt in

Afghanistan – en Van Gierst die gaat zeiken dat je 'functioneren de laatste tijd te wensen overlaat'. Dat tegen Deborah, jarenlang het meest betrokken en het scherpst van de hele afdeling, zonder plakplaatjes van de meester te verwachten, zoals El Kaddouri.

'Hoe is het werk waar je nu zit?' Meteen spijt van die vraag.

'Wat denk je zelf? Saai, *boring*, saai. Had ik al gezegd dat het saai is?'

Nick kwam met een laptop onder zijn arm het rookhok binnen, en Mo probeerde Deborah wat op te vrolijken door haar te vertellen hoe Van Gierst de pornopraatjes van Nick had moeten ondergaan.

Ze glimlachte. 'Ik mis jullie, jongens.'

Na een derde sigaret liep Deborah het rookhok uit zonder afscheid te nemen.

'Je moet me helpen, Nick,' zei Mo, toen hij zeker wist dat ze zich buiten gehoorafstand bevond. 'Ik heb een naam. Ik wil een adres, telefoonnummers, een foto, alles. En ik wil het snel.'

En Nick leverde, zoals hij altijd levert.

Mo tikt 'Jacob Damsingel' in op zijn TomTom en kijkt naar de foto op de passagiersstoel. Een jaar of zeventig moet hij zijn, maar hij lijkt jonger. Geen lelijke vent. Grijze krullen, een rond brilletje op een strenge neus, goeie kaken. Hij had verwacht te walgen van de aanblik van dokter Van Buuren uit Zutphen, maar het doet hem vreemd genoeg weinig.

Hij belt Johan, die nu wel wakker zal zijn.

'Middag, Mo.'

'Middag.'

'Je hebt de vergadering overleefd, hoor ik.'

'Viel best mee, om eerlijk te zijn. De nerd was op dreef.'

Hij vertelt voor de tweede keer hoe Nick 'chef' Van Gierst tergde.

'Goeie gast, die Nick.'

Hij overweegt Johan in vertrouwen te nemen, en hem te vertellen dat hij Nick zijn toegangspasje heeft gegeven, zodat die later vanmiddag voor hem kan uitchecken. Maar hij doet het uiteindelijk niet, waarom weet hij niet precies, het is niet dat hij Johan niet vertrouwt.

'Jij ligt vanavond weer in de bosjes in Kanaleneiland?'

'Yup, maar niet te lang. Gisteravond kwam hij trouwens nog even naar buiten.'

'Wat ging-ie doen?'

'Nou ja, wandelen. Langs het kanaal. Met een koptelefoon op, zo'n hippe. Is toch haram, muziek?'

'Van Gierst is ervan overtuigd dat hij iets van plan is op 2 november. Bouyeri himself zou hem daarvoor toestemming hebben gegeven. Door drie keer met zijn moordenaarsbakkes te knikken, als ik het goed begreep.'

'Een fatwa van Bouyeri? Ik geloof er geen zak van, en ga me niet vertellen dat jij Van Gierst ineens wél serieus neemt.'

'Nee, joh. Die gast is gewoon de zoveelste Hofstadgroupie. Van Gierst ziet spoken. Hij zou z'n moeder nog op laten pakken als daarmee het dreigingsrisico in Nederland verminderde.'

'Ik taai vanavond gewoon weer lekker op tijd af. Ik heb wel wat beters te doen dan achter een jurk aan lopen.'

Ze lachen.

'Maar goed, ik ga nu langs de slijter, dan heb ik vanavond tenminste iets om naar uit te kijken.'

'Spreek je.'

'Spreek je,' zegt Johan.

In Zutphen parkeert hij zijn auto voor de praktijk van dokter Van Buuren, een statig herenhuis aan een singel in het centrum. Vanaf nu heeft hij eigenlijk geen plan.

Gisteravond was hij vastbesloten: hij moest eindelijk de vader van Melissa opzoeken. Vanochtend was dat gevoel niet verdwenen. Maar nu hij hier voor de deur van de dokter staat, voelt hij zich alleen nog maar lusteloos en moe. Wat doet hij hier eigenlijk? Wat hoopt hij te vinden? Waarom zit hij hier in zijn auto naar een pand te staren alsof daar achter de voordeur de zoveelste Abou een aanslag zit voor te bereiden?

Hij kijkt weer naar de zwart-wit foto op de passagiersstoel naast hem. Dankzij Nick weet hij al uren hoe de vader van Melissa eruitziet. Daarvoor had hij dat hele eind niet hoeven rijden.

Ook als hij wilde weten hoe de man klonk, had hij in Zoetermeer kunnen blijven. Nick regelde binnen no-time drie telefoonnummers: twee nulzesjes, en een 0575-nummer. Hij kan bellen, vanuit zijn auto. Een smoes, en hij weet hoe dokter Van Buuren klinkt.

Waarom heeft die vent eigenlijk twee mobieltjes? Een vrouw heeft hij niet meer, al heel lang niet, dus dat kan het niet zijn. Voor haar hoeft hij niets te verbergen, ze is jaren geleden overleden. Waarom dan een tweede mobiele telefoon?

Hij pakt het papiertje erbij waarop Nick de drie nummers noteerde, en staart naar de cijfercombinaties alsof daarin de oplossing te vinden is voor – ja, voor wát eigenlijk?

Hij verfrommelt het papiertje, overweegt het uit het raam te gooien, maar bedenkt zich als hij in het fietsenrek voor het pand, half verscholen onder een overhangende boom, een roze meisjes-opoefiets ziet staan.

Hij strijkt het verkreukte papiertje glad, stopt het in zijn portemonnee achter de afscheidsbrief die hij al dertien jaar bij zich draagt, en stapt uit de auto, ineens behoorlijk besluitvaardig. Voor het groene art-decohek van de dokterspraktijk draait hij zich om en richt zijn autosleutel op de zwarte Golf. Een vrouw met een labrador aan een lange fluorescerende leiband kijkt even verschrikt op als de lichten van Mo's auto beginnen te knipperen. Ze staart hem aan als hij het hek openduwt, maar hij aarzelt niet, hij voelt ineens weer die vastberadenheid van gisteravond, hoewel hij geen idee heeft waar hij mee bezig is, wat hij zo gaat dóen – áls hij al binnenkomt.

Naast de groene voordeur hangt een intercom, zo te zien zonder camera. Hij drukt op een wit plakkertje waarop met een lettertang 'Dokter Alphons van Buuren' is gestanst. De intercom maakt een blikkerig geluid, en hij meent een zucht te horen voordat de deur vanzelf opengaat.

Binnen is het opmerkelijk licht. De muren zijn wit geschilderd, net als het houtwerk van de trap, waar een kinderhekje voor is geplaatst. Het ruikt naar bloemen, iets hyacinterigs, niet uit een spuitbus, échte bloemen ruikt hij, hoewel in de gang geen vaas te bespeuren is.

Naast een goudomlijste spiegel aan de muur hangt een bordje: 'WACHTKAMER →'. Hij volgt de pijl en schrikt wanneer hij twee vrouwen ziet zitten, misschien omdat het voelt alsof hij zomaar een huis is binnengeslopen. De vrouwen, een bejaarde met praktisch paars haar en een veertiger met rode laarzen en een gebloemd King Louie-jurkje, zitten zo ver mogelijk van elkaar verwijderd in de wachtkamer. Ze hebben allebei een tijdschrift in hun handen, maar ze lezen niet. Ze staren naar hem alsof ze nog nooit een Marokkaan in het echt hebben gezien. Zou kunnen: het is tenslotte Zutphen.

'Goedemiddag, dames,' zegt hij, met een zo vet mogelijk allochtonenaccent, wat nog best lastig blijkt als je het niet gewend bent.

De vrouwen zeggen niets terug, en veinzen snel weer te lezen.

Aan de andere kant van de wachtkamer, vanuit een uitsparing die hij nog niet had opgemerkt, klinkt plots een opgewekt 'goedemiddag'. In de halfronde alkoof zit een tienermeisje in zwartleren hotpants met haar mobieltje te spelen. Ze kijkt op en glimlacht een beugeltje bloot wanneer Mo tegenover haar gaat zitten. Naast het meisje zit een vrouw met een blonde paardenstaart en felrood gestifte lippen, die hem ook een glimlach schenkt – zo voelt het echt, alsof het een geschenk is. Waar komen díe weeë gevoelens ineens vandaan?

Hij pakt een *Arts en Auto* van een stapel tijdschriften, en begint te bladeren.

Wat doet hij hier in godsnaam?

'Ik smeek je, Mo, laat hem met rust,' schreef ze in het PS in haar afscheidsbrief zonder te definiëren wie die 'hem' was. En nu zit hij hier in de wachtkamer van dokter Van Buuren, de vader van Bloem, de vader van Melissa.

'Noem me geen Bloem,' zei ze meteen die eerste keer in de Winkel van Sinkel, geen tegenspraak duldend. 'Noem me alsjeblieft Melissa. Bloem werd in haar jeugd vertrapt.'

'Mevrouw Harskamp?'

Ineens staat hij daar. Langer dan Mo verwachtte, slanker ook. Een tanige, gebronsde zeventiger, die gemakkelijk door kan gaan voor een late vijftiger. Al zijn haar nog op zijn kop, goed gekleed ook; in de Reguliersdwarsstraat zou hij het nog prima doen.

De bejaarde met het praktische haar loopt achter de dokter aan. Hij houdt de deur voor haar open, draait zich om en kijkt naar Mo. Zijn wenkbrauwen gaan even iets omhoog – of verbeeldt hij zich dat?

Hij slaat zijn ogen neer. De deur sluit, hoort hij, en Mo overweegt op te staan en weg te lopen, nu het nog kan. Straks zit hij alleen in de wachtkamer, en dan? Er komen natuurlijk ook weer andere patiënten, maar de dokter gaat hem op enig moment vragen wat híj hier doet, wie hij is, waarmee hij hem kan helpen.

Hij legt het tijdschrift weg, staat op, maar gaat meteen weer zitten als de deur van de kamer van de dokter alweer opengaat.

'Niet vergeten, driemaal daags innemen en het kuurtje helemaal afmaken, ook als u zich weer beter voelt.' De dokter schudt de hand van de vrouw, maar staart daarbij over haar schouder naar Mo. Dit keer kijkt hij de dokter recht in de ogen. Onderzoekend, niet vijandig – tenminste, niet opzettelijk.

De dokter kijkt weg.

'Myrthe van Klaveren?' vraagt hij aan het meisje in de hotpants. Ze propt haar mobieltje in haar broekzak voor ze opspringt. De vrouw met de blonde paardenstaart, kennelijk de moeder, loopt al richting de praktijkkamer. De dokter houdt de deur voor haar open. Ze gaat naar binnen voor haar dochter, en Mo ziet hoe de dokter zijn hand op de billen van het meisje legt voor hij de deur sluit, alsof hij haar een duwtje in de goede richting moet geven, alsof ze anders niet die kamer in zou lopen, maar weg zou vluchten, weg van dokter Van Buuren.

Hij probeert kalm te blijven, na te blijven denken, maar hij krult zijn tenen in zijn All Stars tot het pijn doet, en hij merkt dat hij zwaar begint te ademen. De vrouw met de rode laarzen kijkt hem aan. Ze opent haar mond om iets te zeggen. Aarzelt, maar zegt het dan.

'Gaat het?'

'Nee,' antwoordt hij, terwijl hij opstaat en de wachtkamer uitloopt, op weg naar zijn auto, weg van hier.

Buiten richt hij de autosleutel op zijn Golf, en hij loopt, nee, hij rént naar zijn auto. Met piepende banden rijdt hij de Singel af, zijn vingers knijpen in het stuur, hij zit met zijn gezicht vlak voor de autoruit, en hij negeert het gejengel dat hem erop attendeert dat hij zijn gordel niet om heeft.

Hij rijdt rond tot hij een kroeg vindt.

Aan een tafeltje achterin naast het dartbord probeert hij tot rust te komen. Het meisje achter de bar staat opzichtig wijnglazen te poleren. Ze kijkt hem aan maar maakt geen aanstalten om hem te bedienen. Even overweegt hij om de verder bijna lege kroeg uit te lopen, op weg naar een tent waar hij wél gewoon als klant wordt behandeld, maar hij bedenkt zich; het duurt dan nóg langer voor hij bier naar binnen kan gooien. En dat is het enige wat hij wil: de boel verdoven. Die door alle drank waarschijnlijk al zwaar aangetaste hersencellen van hem werken nog veel te goed, ze malen maar door, hij heeft er geen grip op – hij wil rust in z'n kop, verdomme.

Hij staat op, loopt naar de bar, en probeert niet al te chagrijnig te klinken als hij zegt: 'Twee Lentebokken, alsjeblieft.'

'Twee?'

'Dat zeg ik.'

Het meisje kijkt hem stoïcijns aan, hangt het wijnglas in haar hand in een rek boven de bar, vouwt de droogdoek in haar hand met chirurgische precisie op alsof ze bang is dat ze anders op staande voet wordt ontslagen omdat haar baas geen ongevouwen droogdoeken in zijn zaak tolereert – o, daar kan hij zó slecht tegen! –, en houdt dan eindelijk het eerste glas onder de tap.

Op weg naar zijn tafeltje giet Mo het grootste deel van het eerste biertje naar binnen.

De volgende rondes volgen elkaar in hoog tempo op. Hij neemt niet eens de tijd om buiten te roken. Om het kwartier (of is het sneller?) steekt hij zijn hand omhoog. Misschien oordeelde hij te hard over dat grietje achter de bar, want nadat hij voor de zoveelste keer heeft besteld, komt ze uit zichzelf bier brengen als ze ziet dat zijn glas leeg is.

Hij is dronken aan het worden. Precies volgens plan. Hij pakt zijn portemonnee, en tikt er – op de maat van een liedje in zijn hoofd – zachtjes mee op tafel.

Zijn glas is alweer halfleeg als hij zijn portemonnee openklapt. Zonder te kijken vinden zijn vingers de afscheidsbrief. Voor hij die openvouwt en gladstrijkt, veegt hij met zijn linkeronderarm de tafel droog.

Hij leest met zijn hoofd ingeklemd tussen zijn gebalde vuisten; hij drukt zo hard op zijn slapen dat het pijn doet.

Na het lezen van de brief blijven zijn ogen nog minutenlang hangen op het p.s. en het verbaast hem dat ze droog zijn, die ogen.

Hij staat op, loopt naar de bar.

'Heb je pen en papier voor me?'

Terug aan zijn tafeltje drinkt hij zijn glas leeg, en begint te schrijven. Hij heeft geen idee waar de woorden vandaan komen:

Er was eens een dokter uit Zutphen
Die graag doktertje speelde met zijn dochter
De dochter is dood, al bijna 13 jaar
Hoelang leeft de dokter nog?
En hoe komt híj aan zijn einde?

Het lijkt verdomme wel een limerick. Maar dan een mislukte; dichten is nooit zijn forte geweest. Toch is hij tevreden. De dokter slaapt niet lekker vannacht.

Aan de bar geeft hij het meisje een fooi, die ze hautain in ontvangst neemt.

Buiten is het al donker, zijn ogen moeten er aan wennen. Hoelang heeft hij zitten zuipen?

Hij start zijn auto, en hoort bij het verlaten van zijn parkeerplek een krassend geluid. Fuck it, dat ziet hij morgen wel.

Onderweg naar de Jacob Damsingel steekt hij een sigaret op. Het raampje blijft dicht; hij heeft geen behoefte aan frisse lucht.

Schuin tegenover de dokterspraktijk is plek. Met de peuk in zijn mond, zijn kin op zijn schouder, draait hij de auto hortend en stotend achteruit. Hij raakt de stoeprand, de motor slaat af. Met een forse haal trekt hij de handrem omhoog, en zijn auto staat, min of meer recht, geparkeerd. Hij veegt de askegel uit zijn kruis weg, duwt de peuk in de overvolle asbak, en steekt een nieuwe sigaret op. Uit zijn kontzak haalt hij het briefje dat hij in de kroeg schreef. De woorden bevallen hem nog steeds.

Hij paft door tot de auto blauw staat van de rook. Na een hoestbui stapt hij uit, zonder af te sluiten. Het hek is open. Bij de voordeur zoekt hij naar de brievenbus, die niet in de deur maar in een stenen uitsparing daarnaast blijkt te zitten. Hij dropt het briefje en hoort meteen daarna een stem.

'Kan ik u helpen?'

Hij draait zich om en kijkt recht in het gezicht van de man die hij de afgelopen dertien jaar heeft vervloekt, gehaat en verwenst.

De man ook die hij al die jaren probeerde te vergeten – omdat Melissa hem dat had opgedragen, omdat ze hem smeekte de smeerlap te negeren.

'Wie bent u, als ik vragen mag? Zat u vanmiddag ook al niet in de wachtkamer?'

Het beeld van de hand van dokter Van Buuren op de billen van het meisje schiet door zijn hoofd, en hij staat op het punt uit te halen – vloeren wil hij hem – als de dokter opnieuw zijn mond opent.

Wat hij zegt hoort hij niet.

Hij kijkt alleen maar.

Tussen zijn tanden heeft hij net zo'n spleetje als Melissa.

Hij geeft de man een halfhartige duw, springt over het hek dat de dokter blijkbaar heeft dichtgedaan, en sprint voor de tweede keer die dag van de dokterspraktijk naar zijn auto. Voor hij het portier opentrekt, kijkt hij hijgend achterom.

De dokter staart hem aan, meer verbaasd dan angstig. Even overweegt hij terug te gaan om de klootzak alsnog de klappen te geven die hem toekomen, maar iets houdt hem tegen. Dertien jaar lang hield hij zich aan zijn belofte, waarom is hij hier vandaag dan?

Als hij het portier achter zich dichtslaat ziet hij dat de dokter hem nog steeds nastaart. En nu pas ziet hij de hond naast de man. Hij draait de contactsleutel zo hard mogelijk om, en trapt de koppeling in alsof het de schenen van de dokter zijn. Hij geeft gas, en onderdrukt de neiging weer naar de dokterspraktijk te kijken.

Al bijna de straat uit, merkt hij dat hij nog steeds in de eerste versnelling rijdt.

Op weg naar Amsterdam probeert hij tevergeefs tot rust te komen door te roken, de ene sigaret na de andere, totdat vlak voor Hilversum het pakje leeg is, en hij nog onrustiger wordt.

Hij stopt bij een tankstation en koopt twee pakjes Marlboro Light en een blikje Red Bull. Op de parkeerplaats giet hij het energiedrankje in zijn keel, laat een boer, en dan komen de tranen. Hij doet geen moeite ze te onderdrukken, laat ze over zijn wangen stromen zonder ze weg te vegen, en gaat op een houten bankje achter het pompstation liggen. Met zijn achterhoofd bonkt hij tegen het hout, net zo lang totdat daar een zeurderige beurse plek ontstaat. Hij steekt een zoveelste sigaret op, die hij liggend oprookt voor hij besluit naar Utrecht te rijden.

Op de Europalaan is het druk. Mo sluit aan in de rij: klusjesmannen in bedrijfswagens, een Canta, een vintage Volkswagenbusje en verder heel veel leasebakken; een lange optocht van geile mannen die langzaam langs een paar schaars geklede meisjes rijden. Twee keer maakt hij het rondje, strak voor zich uit kijkend om de hoeren niet in de ogen te hoeven kijken, bang ook om in een van de meisjes Melissa te herkennen.

Hij passeert auto's die wel stoppen. Op de achterbank van een Audi ziet hij een kinderzitje.

Als er op zijn raampje wordt getikt, zet hij de auto in z'n achteruit, zonder te kijken of er iemand achter hem rijdt. Hij heeft geluk, hij is de laatste in de karavaan.

'Kijken, kijken, niet kopen,' zegt hij met een zwaar accent als hij de Europalaan verlaat. Ja, hij is dronken.

Een blauw bord wijst de weg naar Amsterdam, maar hij slaat rechtsaf de Beneluxlaan in, neemt de eerste afslag naar links en parkeert de Golf in de Livingstonelaan. Hij steekt een nieuwe sigaret op, als een man met een lange baard de flat uit komt lopen. De man draagt een witte dishdasha, met daaroverheen een bodywarmer met een camouflageprint. Op zijn hoofd heeft hij een oversized formaat koptelefoon.

Mo stapt uit en loopt achter de man aan. Hij houdt minder afstand dan normaal tijdens een observatieklus, maar hij is nu dan ook niet aan het werk. Hij maakt verdomme gewoon ook even een avondwandelingetje, mag het? Loopt hij de alcohol er meteen uit. Daar kan Van Gierst toch geen bezwaar tegen maken; dat-ie morgen fris is?

Ze lopen langs de Triumfatorkerk, via de Columbuslaan naar het Amsterdam-Rijnkanaal, waar Abou Issa trager gaat lopen, alsof hij nu al moe is van de geleverde inspanning. Het geluid uit de koptelefoon kan Mo horen, zo dichtbij loopt hij. Geen muziek, zoals Johan dacht, maar een *nasheed*.

Hoelang geleden is het dat hij die voor het laatst hoorde? Zijn vader was er gek op, en als jongetje was hij blij als zijn vader 's avonds een cassettebandje uit zijn collectie haalde om te luisteren naar zo'n a capella, instrumentloos Arabisch deuntje. Het betekende dat hij een goede dag had gehad in de fabriek, en een goede dag voor zijn vader was een dag zonder klappen voor hem en Souf.

'Wat moet je van me?'

Hij schrikt. Abou Issa heeft zich omgedraaid, zijn koptelefoon hangt in zijn nek, en hij staat nauwelijks twee meter voor Mo. Gewoon antwoorden is misschien maar het beste.

'Waar heb je het over? Ik maak een wandelingetje. Net als jij.'

'Lieg niet, man. Je loopt al achter me aan vanaf m'n huis. Denk je dat ik niet doorheb dat jullie me in de gaten houden?'

'Geen idee waar je het over hebt.'

'Denk je dat ik je gisteren niet gezien heb in je zwarte Golfje? Schaam je je niet? Een Marokkaan die voor de *mukhābarāt* werkt, en moslims bespioneert? Jij bent echt het laagste van het laagste. Moge Allah je rug breken!'

Abou Issa spuugt het uit, letterlijk: de punt achter de laatste zin die hij uitspreekt is een rochel die doel treft.

De woorden raken hem niet, hij weet dat veel moslims net zo over zijn werk bij de AIVD denken als de man voor hem, maar als hij voelt hoe de fluim uit de bek van Abou Issa van zijn voorhoofd in zijn oog dreigt te lopen, haalt hij uit – zo hard als hij kan.

Abou Issa is met die ene klap gevloerd. Zijn lippen bloeden, en hij kijkt verbaasd als Mo de eerste keer tegen zijn hoofd trapt. Hij blijft trappen, net zo lang tot zijn All Stars doorweekt zijn van het bloed en het lichaam van Abou Issa niet meer beweegt.

Hijgend, handen op de knieën, hangt hij boven het kapot-getrapte gezicht van de man die volgens Van Gierst grote plan-nen heeft voor 2 november 2014. Hij snuift, ruikt een weeë, muskusachtige geur, en neemt meteen afstand.

Toch blijft hij nog even kijken. Het bebloede gezicht van Abou Issa vertoont grote gelijkenissen met foto's die Mo heeft gezien van doodgeschoten jihadstrijders in Syrië: zijn ogen zijn vredig gesloten, maar rond zijn mond speelt een zoete glimlach, alsof hij het paradijs zojuist heeft bereikt, en net een eerste glimp heeft opgevangen van de tweeënzeventig maagden die daar op hem wachten.

When in England... (2001)

Mo & Melissa

'Laten we vandaag nog naar Engeland gaan,' zei ze de volgende ochtend, toen hij zijn plakkerige ogen opende. Ze zat in dezelfde stoel waarin ze eerder haar geheim opbiechtte, maar nu leek ze vrolijk.

Op zoek naar hun huurauto – ze waren vergeten waar het ding stond geparkeerd – kochten ze verse croissants, kaasbroodjes en Orangina voor onderweg. Toen ze de auto eindelijk hadden getraceerd, vonden ze een parkeerbon onder de ruitenwissers. Melissa graaide het gelige papiertje eronder vandaan en gooide de bekeuring in de goot. Hij kon de neiging om het papiertje op te rapen, weerstaan.

Terwijl ze Parijs uitreden, duwde hij *The Queen is Dead* in de cd-speler. Mo plantte zijn Puma's op het dashboard. Gelukkiger dan nu was hij nooit geweest. Hij zou willen dat hij nooit meer terug hoefde naar waar hij vandaan kwam.

Bij de laatste klanken van 'Vicar in a Tutu' draaide hij het volume omhoog. Melissa knikte goedkeurend, ze wist wat ze zouden gaan doen, en trapte het gaspedaal dieper in.

Met tranen van plezier zongen ze uit volle borst mee met hun favoriete liedje. '*And if a double-decker bus crashes into us, to die by your side is such a heavenly way to die... And if a ten-ton truck kills the both of us, to die by your side, well, the pleasure – the privilige is mine...*'

Ze vonden een hotel in de buurt van King's Road. Hij was nog loom van de wijn, die ze op de ferry hadden gedronken. Melissa zei dat het kon. Hijzelf vond het niet verstandig, *drinking and driving*, maar hij had gezwegen.

'Ik ben kapot,' zei Melissa. 'Misschien dat een douche me goed doet.'

Langzaam trok ze haar kleren uit. Hij sloot zijn ogen.

'Kom je ook douchen?' riep ze vanuit de douchecabine.

Met haar? Bedoelde ze dát? Toch weer die twijfel: wist ze het nou, of niet? Of was het voor haar normaal om met een vriend onder de douche te gaan?

Hij aarzelde.

'Ik douche niet graag 's avonds,' riep hij ten slotte terug. 'Word ik wakker van, en ik heb juist zin om straks lekker snel te pitten.'

'Goed idee.'

Gelukkig, ze nam het goed op.

Hij pakte het fototoestel uit de grote leren tas die ze altijd met zich meezeulde.

'We zijn helemaal vergeten foto's te maken!' had ze vanmiddag ineens uitgegild op de ferry. 'We hebben geen énkele foto van Frankrijk, Mo.'

Zelf was hij geen liefhebber van foto's. Vreselijk vond hij het om zichzelf terug te zien. De weinige goede herinneringen van vóór deze reis waren opgeslagen in zijn hoofd, die hoefde hij niet terug te zien in een fotoalbum. En de avonturen die hij met Melissa in Parijs beleefde, stonden nu al in zijn geheugen gegrift – hij zou het allemaal nooit vergeten.

Maar Melissa stond erop de schade in te halen. Te beginnen op de ferry. 'Als we ons snel op het achterdek laten fotograferen, dan hebben we misschien toch nog een heel klein beetje Frankrijk op de foto.'

Hij drukte op de *power*-knop van het toestel. Het duurde even voor de eerste foto oplichtte. Ze stonden er stralend op. Hij kon gewoon naar de foto's kijken, zonder de gebruikelijke gêne die hij voelde als hij naar zichzelf keek. Tegelijkertijd wist hij dat hij er op die foto's mee door kon omdat Melissa hem mooier maakte dan hij was: haar schoonheid straalde ook op hem af. Op de eerste foto die ze die middag maakten kon hij, inderdaad, heel in de verte Frankrijk zien. Of was dat verbeelding?

Bij het bekijken van de laatste foto kneep hij zijn ogen samen. Hij was veel donkerder dan alle andere. Het leek wel nacht, maar dat kon niet, want het was licht tijdens de overtocht van Calais naar Dover. Ze bereikten Londen net voor het donker werd.

Wat zág hij op die foto?

Hij keek nog eens, hield het schermpje zo dicht mogelijk voor zijn ogen, kneep ze samen, en uiteindelijk meende hij een auto te zien. Daarin, als hij zich niet vergistte, een man van middelbare leeftijd en een jonge vrouw. Echt duidelijk was het niet, want vreemd genoeg leek de maker van de foto (dat moest Melissa zijn, want het was haar toestel – maar waarom zou je zo'n foto maken?) te focussen op het kenteken van de wagen. Ja, in feite was alleen dat kenteken echt scherp.

'Leuke foto's?' zei ze, terwijl ze de badkamer uit kwam.

'Ja,' zei hij, terwijl hij de wazige foto snel wegklikte. 'Ze zijn echt tof.'

Melissa had niet de moeite genomen om een handdoek om zich heen te slaan. Maar haar naaktheid zag hij niet. Hij focuste op haar ogen. Toen hij te lang staarde, draaide ze zich om alsof ze ineens iets te verbergen had.

De volgende ochtend liepen ze door King's Road. 'Vroeger was dit het epicentrum van de punk,' las Melissa voor uit een gratis brochure die ze in een kledingwinkel hadden opgepikt. Daar was nu niet veel meer van te zien. De straat was behoorlijk mainstream. Een beetje zoals de Steenweg thuis, maar dan met duurdere winkels.

'Hé, Malcolm McLaren had hier ooit een kledingwinkel!'

Ze liep nog steeds met de brochure voor haar neus over straat. 'Wie?'

'Jij kent ook niemand. Die gast van dat grappige liedje.'

'Wélk liedje?'

Ze zong, huppelend. *'Something's jumping, something's jumping in my shirt...'* Al snel was ze enige meters van hem verwijderd. Ze kwam terug huppelen, nog steeds zingend. *'Something's jumping, something's jumping in my shirt...'*

Hij schaamde zich, en schaamde zich dat hij zich voor haar schaamde.

'Rings a bell?' vroeg ze toen ze vlak voor hem tot stilstand kwam.

'Nee, ik ken het echt niet,' zei hij zo opgewekt mogelijk.

'Misschien dat ik me het liedje zo goed kan herinneren omdat ik toen het uitkwam net tietjes begon te krijgen. Bij elke stap die ik zette, had ik het idee dat iedereen ze kon zien. Heel eng, beangstigend, en nou ja, vooral raar. Maar ook geil... Nee, kut, dat is het woord niet... Spannend. Ja, spannend, dat was het. Ik had het gevoel dat ik ertoe deed, ofzo. Dat ik begeerd werd. Een beetje dan. Dat mensen, mannen, naar me keken. Om twee lullige, nauwelijks ontwikkelde tietjes.'

Hij vond het lastig als ze zo praatte. Wat moest hij in godsnaam zeggen als zij dat soort dingen zei?

Toch zei hij iets. Iets wat alles kapot kon maken.

'Waarom wil je eigenlijk Melissa genoemd worden?' Het kwam er bot uit. Dat had hijzelf ook wel door.

Ze keek hem ijzig aan.

'Melissa is de meest sletterige naam die ik kon bedenken. Leek me handig.'

Dat snapte hij. Maar waarom – hij begreep het echt niet – wilde ze dan ook als ze níét aan het werk was zo genoemd worden? Oké, Bloem was geen optie, dat wist hij. Maar waarom niet iets anders dan de naam die ze op de Europalaan gebruikte? Hij stond op het punt de vraag te stellen, maar hij kreeg de kans niet. Nu hij haar zo aankeek zag hij pas dat ze met gebalde vuisten naast hem stond.

'Jezus, Mo, hier heb ik dus he-le-maal geen zin in,' zei ze. Haar woorden onderstrepend, stampte ze met haar schoenen op het asfalt. Als een kind.

Daarna rende ze weg.

Hij doorkruiste de hele stad. Urenlang. Van wijk naar fucking wijk. Hij was niet op zoek naar Melissa. Hij wist niet waar hij wél naar op zoek was.

In Brixton, het was al middag, pinde hij zijn totale kapitaal. Nog geen honderd pond kreeg hij uit de automaat. Hij at staand een *baked patato* met jus in een snackbar, en vroeg zich af hoe het nu verder moest. Hij had alles verkloot, dat was duidelijk.

Terwijl hij met een servet de jus uit zijn mondhoeken poetste, hoorde hij de *azan*. De oproep tot het gebed vergat je nooit.

'Allahoe Akbar, Allahoe Akbar...'

Hij liep naar buiten, en zag hoe uit alle hoeken en gaten mannen tevoorschijn kwamen, op weg naar een moskee, even verderop. Ze gingen allemaal dezelfde kant op. Hij keek naar ze, bedacht hoe het zou zijn om achter die mannen aan te lopen, onderdeel te zijn van een groep, maar toen er een taxi aan kwam rijden, liep hij zonder links of rechts te kijken de weg op, en stak zijn hand omhoog.

De hotelkamerdeur stond op een kier. Argwanend stapte hij naar binnen. Er lagen een paar plastic tassen op het bed, en uit de badkamer kwam geluid. Daar stond de deur ook al open. Naast het gekletter van de douche hoorde hij nog iets anders. Wat wás dat?

Hij kuchte, in de hoop dat ze hem zou horen. Maar haar gezang (ja, ze was aan het zingen, het klonk als dat liedje van vanochtend) overstemde zijn nephoest.

Hij overwoog op bed te gaan liggen, maar hij wilde het zo snel mogelijk goedmaken, áls er nog iets te redden viel.

Ze stond met haar rug naar hem toe. Op haar linkerarm, net

boven haar elleboog, zag hij een blauwe plek die hem niet eerder was opgevallen. Ze wiegde haar billen een beetje, en zong nog steeds.

Hij kuchte, harder dan eerder.

Ze draaide zich rustig om, alsof ze hem al verwachtte. Ze glimlachte, in die stomende badkamer, alsof er niets gebeurd was.

'Voorlopig ben ik toch niet aan het werk,' zei ze toen ze opmerkte dat zijn blik was afgedwaald naar haar kaal geschoren kut.

Voor hij iets kon zeggen, trok ze hem onder de douche. Zo stonden ze minutenlang, zwijgend. Hij met zijn kleren aan, zij naakt, hun armen om elkaar heen geslagen.

'Ik heb de deur maar een beetje opengelaten, zodat je naar binnen kon,' zei ze terwijl hij zijn drijfnatte kleren over een kastdeur hing.

Voor het eerst trok hij in haar bijzijn ook zijn boxershort uit. Douchewater droop op het hoogpolige tapijt.

Ze gooide een plastic tasje in zijn richting. 'Cadeautje, omdat ik zo lullig deed vanochtend.'

Mo wilde zeggen dat dat helemaal niet zo was, dat hij die vraag niet had moeten stellen, maar hij hield zijn mond. Hij graaide in de plastic zak, scheurde gretig aan het pakpapier. Hij hield het zwarte T-shirt met gestrekte armen voor zich uit. Op het shirt was een foto geprint van een grijnzende Morrissey, liggend op een bed, een hand op zijn borst. Naast zijn hoofd lag een boek van Oscar Wilde.

'Oh, fuck, Melissa dit is zó cool!'

Ze moest lachen om zijn enthousiasme, en pakte een tweede plastic tas van het bed.

Niet veel later hadden ze allebei een nieuw shirt aan. Hij droeg zijn twee helden op zijn borst, zij had een knalgeel T-shirt van de Sex Pistols aan. Ter hoogte van haar borsten las hij in zwarte kapitalen: 'NEVER MIND THE BOLLOCKS'.

Echt mooi vond hij het T-shirt niet. Het was wel érg geel, maar Melissa kwam ermee weg.

'Hoe kom je aan die blauwe plek, trouwens?' vroeg hij toen hij de hotelkamerdeur dichttrok.

'Wat?'

Hij wees op de beurse plek boven haar elleboog.

'Geen idee. Gestoten, waarschijnlijk. Kom, we gaan zuipen. En als we dronken zijn, en de kroegen sluiten, eten we een curry. *"When in England, act like the English."'*

De volgende dagen waren fantastisch. Ze zagen schilderijen van Lucian Freud en Francis Bacon in Tate Modern, en raakten onder de indruk van de genadeloze eerlijkheid van de Britse kunstenaars, die net als zij – zo lazen ze in een museumbrochure – vrienden waren. Ze aten *fish and chips*, met extra veel azijn en zout, na een lange middag doorzakken in de kroeg, waarna ze het vet en het bier eraf dansten bij Placebo in het London Astoria. Ze lagen urenlang in bed te lezen, net als in Frankrijk, en aan het eind van de avond vertelden ze elkaar wat ze hadden gelezen. Doelloos slenterden ze door de straten, die nieuw voor hen waren, en telkens weer verrassingen boden: een flamboyant figuur, een excentriek winkeltje, een donkere kroeg waar als ze binnenliepen net dát liedje werd gedraaid waar ze zin in hadden. En ze namen foto's. Ze namen heel veel foto's.

Ja, het was fantastisch – maar eindig, dat wist hij voor ze vertrokken. Natuurlijk had het veel langer mogen duren, het liefst zou hij zijn hele verdere leven zó verder leven, maar toen ze aan hun laatste avondmaaltijd in Londen zaten, was hij voor het eerst in jaren optimistisch over de toekomst. Terug zijn in Nederland leek hem vreselijk. Zin in solliciteren had hij nog altijd niet. In een kutbaantje dat hij met een beetje geluk zou vinden ook niet. Weer bij zijn moeder en Souf wonen was, nou ja, de hel. Toch, het besef dat Melissa de afgelopen twee weken niet op hem was afgeknapt, dat ze (daar leek het in ieder geval op) ook van zíjn gezelschap genoot, dat ze vrienden wilde zijn, jezus ja, dat maakte die toekomst ineens dragelijk.

Misschien kon hij haar zelfs uit het vak krijgen. Maar daar moest hij niet aan denken. Daar mócht hij niet aan denken.

'Waar denk je aan?'

'Aan ons.'

'*Cheesy!*'

Ze lachte, dus lachte hij mee.

De ober zette de pizza's op tafel. Nadat Melissa de helft van haar Perfect Pepperoni op had, het kostte haar maar een paar gulzige happen, legde ze haar mes en vork naast haar bord, nam een slok wijn, en pielde tergend langzaam met een nagel tussen het spleetje van haar voortanden.

Hij at stug door, alsof hij haar in moest halen.

'Mo, het is misschien niet het moment, maar ik moet je iets vertellen.'

Hij legde zijn bestek naast zijn bord. Hopend dat het mee zou vallen.

'Ik werk niet alleen op de Europalaan,' zei ze, waarbij ze die woorden uitsprak alsof het één lang woord was.

Hij keek haar vragend aan. Geen idee had hij: was dit goed nieuws, was dit slecht nieuws, wat betekende dit?

'Ik doe ook escortwerk.'

Hij probeerde die mededeling zo snel mogelijk te doorgronden, zodat hij de boel niet wéér verklootte, en hun vriendschap op het spel zette. Het leek hem, als hij moest kiezen, eigenlijk wel goed nieuws. Als ze dan toch haar lijf verkocht voor geld, dan beter niet op een industrieterrein in Kanaleneiland, misschien? Maar kon je dat zeggen?

'Oké,' zei hij.

'Het verdient beter dan op straat. Veel beter.'

Dat wist hij ook wel.

'Maar het is vreselijk. Op straat word ik behandeld als een hoer.'

Een pauze.

'Wat ik op dat moment ook ben, natuurlijk.'

Een lach. Die niet beantwoord werd door hem.

'Maar die kerels die een escort bestellen, die me mailen omdat ze geil worden van mijn advertentie op internet: ze denken echt dat ze beter zijn dan bezoekers van de Europalaan. Terwijl ze alleen maar meer geld hebben. Of meer geld over hebben om een hoertje te neuken.'

'Zijn ze niet, weet ik veel, beschaafder?' Hoe kreeg hij het uit zijn bek. Het goede nieuws: hij kreeg tenminste íéts uit zijn bek, waardoor het gesprek niet stilviel, en hij haar het idee zou geven dat hij het smerig vond wat ze deed.

'Nee, joh, de echte freaks zijn die escortbestellers. Die denken dat alles te koop is, dus vragen ze om de meeste bizarre dingen.'

Hij wilde dit allemaal niet weten. Dat moest ze toch begrijpen?

'Eerst hangen ze de beschaafde, gecultiveerde man van de wereld uit. Ze huren je voor een hele dag, of een weekend. Soms zelfs langer. Ze hebben de tijd, zij hoeven niet in een kwartiertje, of hoelang duurt het, klaar te zijn.'

Ze moest even op adem komen. Hij hoopte dat ze haar tanden in haar, inmiddels waarschijnlijk lauwe, pizza zou zetten en haar verhitte betoog vergat.

'Nee, die escortboekers houden een deur voor je open. Hangen praatjes op over cultureel dingetje zus of museumdingetje zo. Ze voeren je een lepel met kaviaar of ander driesterreneten, maar altijd volgt het moment dat ze vragen of – ik geef maar een voorbeeldje – je op je knieën hun sperma van zo'n zelfde lepel likt, terwijl zij toekijken.'

Ze pauzeerde even.

'Het liefst maken ze er dan nog een foto van. Maar dat heb ik nooit toegelaten.'

Hij wilde dit niet weten. Verdomme, waarom verklootte ze het zo?

'Je wil dit natuurlijk niet weten,' zei ze.

Hij schudde zijn hoofd.

'Begrijp ik. Toch vind ik dat het moet. Ook dat werk hoort bij mij, hoezeer ik het ook haat.'

Hij probeerde begripvol te kijken, zoals ze dat in films deden. Lippen op elkaar geklemd, mondhoeken iets naar beneden getrokken, samengeperst.

'Echt, Mo, als ik móét kiezen, dan werk ik liever op de Europalaan dan als escort.'

Pauze. Zij.

'Maar ja, het geld is goed.'

Weer niet weten wat te zeggen. Hij.

'Ik noem mezelf trouwens Charlotte als ik de escorthoer speel. Klinkt chiquer dan Melissa, toch?'

Het was al donker toen ze in Hoek van Holland arriveerden. Morrissey stond op, maar ze zongen niet mee. Op de boot hadden ze een beetje gedut, en nog een paar laatste foto's genomen. Hij had liever weer via Calais gereisd, al was het maar om nog een foto in Frankrijk te nemen, maar Melissa zei dat dat 'krap werd', zonder uit te leggen wat ze daarmee bedoelde, en koos voor de ferry van Harwich naar Nederland.

Hij voelde zich ondanks het dutje op de boot nog steeds gaar. De laatste avond in Engeland sliep hij nauwelijks. Hij wist niet wat hij aan moest met Melissa's biecht. Wat wilde ze ermee zeggen? Hij had echt geen idee, behalve dan dat hij zich extra slecht voelde dat zij ook deze vakantie alles betaalde. Misschien kon ze dat alleen door dat escortwerk. En dat maakte hem medeverantwoordelijk.

Hij pakte de camera uit de tas van Melissa, en klikte in de schemer van de auto van shot naar shot. Misschien moest hij alleen hieraan proberen te denken. Aan de toffe dingen die ze samen hadden ervaren.

Hij kwam bij het laatste beeld, op de boot van Calais naar Dover. Toen herinnerde hij zich de foto van die auto, met die man en die vrouw erin, en die focus op het kenteken. Waar was die gebleven? Hij overwoog het aan Melissa te vragen, maar wat deed het ertoe?

Ze zwegen verder tot vlak voor Utrecht.

'Luister, Mo, ik ben de komende tijd druk. Ik heb eind deze maand wat langere escortklussen. Geld binnen harken voor het nieuwe studiejaar begint. Dus we zien elkaar even iets minder.'

Hij beet op zijn lip.

'Maar dat maak ik daarna helemaal goed, oké?'

Hij begreep het. Hij moest wel.

'Ik heb zelf de komende weken ook minder tijd. Solliciteren, gadverdamme...'

'Misschien komt er wel iets moois op je pad.'

Hij zei maar niets.

Op de Livingstonelaan (hij wilde niet dat ze hem voor zijn huis afzette) stapte hij uit nadat ze elkaar kort en ongemakkelijk omhelsden.

'Tot snel,' zei hij, met één knie op de passagiersstoel en één voet buiten de auto.

'Doe je best,' antwoordde ze, voor ze wegreed.

Daarna hoorde hij niets meer van haar. Tot de afscheidsbrief.

Hijra (2004)

Het laatste boek dat hij van zijn de boekenplank pakte, was *Islam voor Dummies*. Hij liet de stukgelezen pagina's door zijn vingers gaan, las hier en daar een paragraaf, en bedacht dat dit nog maar drie jaar geleden helemaal nieuw voor hem was geweest.

De eerste maanden na zijn terugkeer tot de islam zat hij elke avond, uit het zicht van zijn vader, gebogen over het geel-zwarte boek dat hem in korte tijd de basics van zijn nieuwe geloof bijbracht. Hij schaamde zich een beetje voor het boek in die tijd. Dat je nieuwe software of programmeerinstellingen uit een handboek leerde, dat was normaal, zo deed je dat nu eenmaal. Maar een religie?

Hij had het een keer voorgelegd aan een broeder met meer kennis, na de vrijdagpreek in de Libische moskee in Overvecht, waar hij toen graag kwam.

'Is het toegestaan dit boek te lezen?' vroeg hij aarzelend, terwijl hij het uit zijn rugzak haalde alsof het een seksboekje was.

De broeder las de titel hardop voor: *Islam voor Dummies*...

Bilal keek om zich heen, bang om een scène te maken in het huis van Allah, het huis waar hij zich zo welkom voelde.

'Is het niet haram, dit boek? Die titel is een beetje...'

De broeder bladerde langzaam door het boek. Hij nam zijn tijd om tot een oordeel te komen.

'Je bént toch ook nog een dummy?' zei hij uiteindelijk.

Alsof hij met vlakke hand in zijn gezicht werd geslagen. De pijn zat 'm in de vernedering.

'Bedoel ik niet lullig, broeder. Je hébt nog veel te leren over het geloof, toch? En als je door het lezen van dit boek in korte tijd veel over de islam opsteekt, dan lijkt mij dat prima.'

Hij knikte, maar stopte het boek toch snel weer in zijn rugzak.

De broeder zag het, en glimlachte. 'Luister, beste broeder Bilal,' zei hij, terwijl hij door zijn volle baard streek. 'Zoals een wasmachine maar één doel heeft, namelijk kleding wassen, zo heeft de mens ook maar één doel: de aanbidding van Allah, subḥānahu wa ta'ala. Om te weten hoe een wasmachine werkt, lees je eerst de gebruiksaanwijzing. Als jij wilt weten hoe jouw geloof werkt, dan zul je de Koran en de overleveringen van de profeet – vrede zij met hem – moeten bestuderen. Het liefst in het Arabisch, want dat is de taal van de Schepper. Je zult daar je hele verdere leven zoet mee zijn, want het zijn onuitputtelijke bronnen van kennis.'

Hij kon het niet helpen, hij zat heftig 'ja' zat te knikken. De Koran las hij in Nederlandse vertaling, en zelfs dat viel al niet mee.

'Onuitputtelijke bronnen van kennis,' herhaalde de broeder. 'Dáár zul je uiteindelijk de antwoorden op al je vragen vinden. Op al je vragen! Maar als jij door het lezen van dit boek in korte tijd al een beetje doorkrijgt hoe de islam werkt, dan denk ik dat daar niets mis mee is.'

Na het lezen, herlezen en bestuderen van *Islam voor Dummies* verbaasde hij al snel sommige jonge geloofsgenoten in de moskee. 'Je weet echt veel voor een bekeerling,' kreeg hij te horen.

'Terugkeerling,' zei hij. 'Ik ben een terugkeerling. Ik werd als moslim geboren, net als iedereen. Alleen ben ik door mijn ouders, door mijn vader, verpest. Hij heeft me ongelovig opgevoed – moge Allah hem op het rechte pad brengen.'

Ook daarmee maakte hij indruk. Want hij was serieus.

Hij legde het boek boven op de stapel in een verhuisdoos. Zijn ogen gingen door zijn kamer, nu bijna leeg. Zeventien jaar woonde hij hier, zijn hele leven. Nieuwegein was al die jaren zijn thuis geweest, maar op de een of andere manier had hij zich er nooit thuis gevoeld. Niet écht.

Hij had vriendjes en vriendinnetjes in de wijk gemaakt, ze speelden samen op straat, maakten vuurwerkbommen in december, knikkerden, voetbalden en stoeprandden, ze zwommen op zomerse dagen in de Lek. Toen ze ouder werden, hing hij met ze onder het bruggetje verderop. Ze jatten snoep in de buurtsuper en aten dat – schuilend voor de regen en de blikken van volwassenen – op onder het bruggetje. Ze haalden ook andere dingen uit die, niet alleen vanuit islamitisch oogpunt, niet door de beugel konden. Zwanen treiteren, banden lekprikken, muurtjes van nieuwbouwhuizen omtrappen, dat werk.

Hij had dus een jeugd zoals de meeste van zijn leeftijdsgenoten, maar waar die Nieuwegein droegen als een jack dat precies goed past, had hij zich naarmate hij iets ouder werd bekneld gevoeld. Nieuwegein voelde te klein voor hem, te bekrompen, niet ambitieus genoeg: er moest meer in het leven zijn.

Mashallah, dat de islam in zijn leven was gekomen!

Hij keek nog eens zijn kamer rond. Boven het bed hing de vlag met de islamitische geloofsbelijdenis, verder had hij alles al ingepakt. Veel was het niet. Drie dozen voor zijn computer, en alles wat daarbij hoorde. Een paar vuilniszakken met spijkerbroeken, T-shirts, bloezen, en de *djellaba* die hij droeg wanneer hij de moskee bezocht. En die ene doos met boeken, dus.

Zeventien jaar verzameld in een paar dozen en een paar vuilniszakken. Daar zou je cynisch van kunnen worden, zo cynisch als zijn vader, maar dat lag niet in zijn aard. Hij had niet veel meer nodig dan een paar dozen en vuilniszakken met spullen; aardse zaken doen er immers niet toe. Wie te veel hecht aan wereldse zaken speelt een gevaarlijk spel, voor je het weet vergeet je wat voorop moet staan in het leven van de mens: de aanbidding van je Heer.

Hij knielde op zijn bed, en pulkte met zijn nagels de punaises los waarmee hij de groene vlag een paar jaar geleden had opgehangen.

'Een normale jongen van jouw leeftijd hangt een naakt wijf boven zijn bed, of desnoods de vlag van zijn favoriete voetbalclub,' zei zijn vader toen hij het weken later opmerkte, want hij kwam zelden in de kamer van zijn zoon.

Vanaf vandaag hoefde hij dat soort opmerkingen gelukkig niet meer aan te horen.

'Ik getuig dat niemand het recht heeft aanbeden te worden behalve Allah, en ik getuig dat Mohammed Zijn dienaar en boodschapper is,' zei hij plechtig terwijl hij de vlag netjes opvouwde en boven in de boekendoos legde. Hij bedacht zich en pakte *Islam voor Dummies* uit de doos, waarna hij de vlag weer terugstopte.

Op de titelpagina van het boek was met enige moeite nog de naam te lezen die zijn ouders hem gegeven hadden, en die zijn vader nog steeds gebruikte om hem te sarren. Hij had, niet lang na zijn terugkeer tot de islam, Pjotr op die pagina doorgekrast en vervangen door Bilal, de naam die hij als moslim aannam. Daar had hij niet lang over hoeven nadenken. Het was de naam van één van de eerste terugkeerlingen, een moedige zwarte slaaf die werd onderworpen aan de zwaarste martelingen toen hij de islam tegen de wil van zijn meester omarmde. Maar Bilal boog niet, hij bleef standvastig.

Van zijn bureau pakte hij een pen, waar hij even op kauwde. Hij kraste vervolgens ook zijn nieuwe naam door in het boek dat hem op weg hielp op het pad van de enige ware religie, en schreef: 'Voor mijn vader, de man die alles denkt te weten, maar de alwetendheid van Allah betwist en de islam bespot. Moge Allah subḥānahu wa ta'ala, u leiden en brengen tot de islam. Amin. Uw zoon Bilal.'

Zijn vader had nauwelijks gereageerd toen hij meedeelde dat hij uit huis ging. Hij was weer eens verdiept in een vuistdikke roman, altijd maar die verzonnen verhalen, en keek niet eens op.

Dat viel mee, om eerlijk te zijn. Een scène had hij verwacht, zoals ze het afgelopen jaar steeds vaker scènes schopten, ruzies die steeds hoger opliepen. Meestal, bijna altijd eigenlijk, gingen ze over het geloof, over de islam; zijn vader schiep er een duivels genoegen in om te beschimpen wat hem zo dierbaar is.

Soms had hij het idee dat zijn vader ruzie maakte om de verveling te bestrijden, om de leegte in zijn leven op te vullen. Hij had werk, maar dat verafschuwde hij: zijn collega's haatte hij, en door zijn leerlingen wilde hij vooral met rust worden gelaten. Hij had een huis, maar hij deed niet erg zijn best om het netjes te houden, bezoek kwam er toch nooit. Vrienden had hij niet, tenzij je zijn drinkmaatjes in café De Zwaan aan de Herenstraat tot zijn vrienden kon rekenen. Een vrouw had hij ook al niet: zijn moeder was, in de woorden van zijn vader 'als een pubermeisje' verliefd geworden op een Amerikaanse *visiting professor* op de universiteit waar ze werkte. Toen de professor terugkeerde was zij met hem meegegaan.

Wat had zijn vader eigenlijk wél in zijn leven? Een enorme verzameling boeken, dat was waar. Weinig mensen bezaten meer boeken dan zijn vader. Maar hij kon het niet hebben als zijn zoon de Koran las.

'Lees godverdomme eens een echt boek,' zei hij de afgelopen jaren meermalen, telkens weer diezelfde kwetsende woorden.

In het begin probeerde hij zijn vader nog met argumenten te overtuigen; hij was met wetenschappelijk bewijs gekomen dat de Koran het woord van God is. 'Hoe kan het anders dat 1400 jaar geleden in de Koran al in detail werd beschreven hoe een embryo zich ontwikkelt, ruim voor westerse wetenschappers ook maar een idee hadden?' vroeg hij.

'Dat kan alleen omdat de Koran het woord van de Alwetende is,' antwoordde hij op zijn eigen vraag, zonder af te wachten wat zijn verwekker te zeggen had.

Zijn vader nam niet eens de moeite zijn bewijs te ontkrachten. Hij kon alleen maar stompzinnig grinniken.

Hij paste zijn strategie aan toen hij doorkreeg dat zijn arrogante vader niet gevoelig was voor argumenten. Door goed islamitisch gedrag zou hij hem de superioriteit van de islam laten zien. Maar hoe vromer hij zich gedroeg, hoe kritischer hij was op het roken en drinken van zijn vader, hoe harder hij werd uitgelachen.

Weer paste hij zijn strategie aan. Hij was met zijn vader in discussie gegaan over het geloof. Die discussies leidden tot scènes, want met zijn vader viel niet te discussiëren, altijd kwam er dat moment dat hij kwaad sprak over de profeet, of met leugens de 'achterlijkheid' van de islam probeerde aan te tonen; origineel kon je het niet noemen, want in de media las je niets anders dan dat soort opruiende taal.

Zeventien jaar was hij tot die man veroordeeld geweest, de afgelopen drie jaar als teruggekeerd moslim. Alles, echt álles had hij eraan gedaan om hem de schoonheid van de islam te laten zien, en hem te behoeden voor het hellevuur. Maar de man was niet te redden, in ieder geval niet door hem.

Jamal stond beneden in de woonkamer te wachten. Aan de muur hing een naaktfoto, waar hij zijn ogen maar moeilijk vanaf kon houden.

'Volgens mijn vader is dat kunst,' zei Bilal verontschuldigend. 'Ik heb hem tig keer gevraagd die foto weg te halen.'

Jamal knikte afwezig.

'Hij noemt me preuts, en lacht me uit. Snap je nu waarom ik hier weg wil?'

Zijn vriend bleef staren naar de foto. Kende hij geen schaamte? Pas toen hij *Islam voor Dummies* op de salontafel liet ploffen, waardoor een stofwolkje opsteeg vanuit een blikken asbak vol peuken, wendde Jamal zijn blik af.

'Eerst het bed en het bureau? Of eerst de verhuisdozen?' vroeg Bilal zo vriendelijk mogelijk.

Een uur later hadden ze alles ingeladen in het busje van Jamals vader. Ze stonden uit te hijgen van het sjouwen. Die dozen en vuilniszakken stelden niets voor, daar waren ze zo klaar mee, maar het was nog een hele klus geweest om het bed en het bureau naar beneden te manoeuvreren en in het busje te krijgen.

'Tof van je vader dat je me mag helpen verhuizen,' zei Bilal, voorovergebogen, met zijn handen op zijn knieën. Echt goed was zijn conditie niet. Vroeger kon hij – als het moest – rennen zonder moe te worden, maar de laatste jaren bracht hij vooral door in zijn kamer, lezend, of achter de computer.

'Je kent mijn vader. Die is niet zo moeilijk. En hij mag je.'

'Ik wou dat ik zo'n vader had.'

'Is het echt zo'n klootzak?'

Hij trok een grimas. Kwaadspreken over je ouders was ongepast in de islam, zo had hij geleerd. Je diende je ouders het respect te geven dat hen als ouderen toekwam. Maar misschien wás zijn pa wel gewoon een klootzak. Moest hij hem dan in bescherming nemen? Iemand die geen kans onbenut liet om de islam belachelijk te maken?

'Moeilijk om daarop te antwoorden,' zei hij, terwijl hij de ogen van Jamal zocht. 'Als ik eerlijk zou zijn... moet ik kwaadspreken over hem.'

'Dan is het goed dat je hier weggaat,' zei zijn vriend resoluut. Hij trok de bestuurdersdeur open, en klom in de bus.

Bilal nam plaats op de passagiersstoel. Even zaten ze daar zo, zwijgend.

'Nou, dag Nieuwegein,' zei hij na die korte stilte. 'Ik ga je niet missen.'

Jamal startte de auto. Met horten en stoten manoeuvreerde hij de bus uit de carport, waarbij de spiegel aan Bilals kant van de bus bleef haken achter een houten paal, knakte, en met een droog geluid op de mossige tuintegels viel.

Jamal keek verschrikt op van zijn het stuur, maar Bilal zei: 'Geen probleem. Vergoed ik. Doorrijden.'

Het rook er naar pis, de brievenbussen waren een paar jaarwisselingen geleden al opgeblazen, op de kapotgetrapte grijze vloertegels lagen aangevreten folders en wijkkrantjes, maar toen hij de trap opliep van zijn nieuwe onderkomen aan de Van Heuven Goedhartlaan in Kanaleneiland en de gehavende deur van zijn flatje opende, voelde het alsof hij eindelijk thuis kwam.

Een paar weken geleden hoorde hij erover in de moskee. Nu stond hij, op zeventienjarige leeftijd, in zijn eerste eigen onderkomen, hij kon het nauwelijks geloven. Anti-kraak, noemden ze het. Hij had er nooit eerder van gehoord, maar het concept was te mooi om waar te zijn. In afwachting van de sloop mocht hij, net als andere studenten, voor bijna niks in de flat wonen om te voorkomen dat die ingenomen zou worden door echte krakers.

De moskee was vanaf zijn kleine balkon te zien en om boodschappen te doen in de supermarkt van Jamals vader hoefde hij alleen maar de trap af. Het Abstede College waar hij een ICT-opleiding ging volgen, bevond zich op loopafstand, en hier in het uiterste noorden van Kanaleneiland woonde hij tussen broeders en zusters in de islam: beter kon hij het niet treffen.

Die eerste nacht in zijn eigen flat kon hij niet slapen van opwinding. Samen met Jamal had hij alle spullen naar binnen gesjouwd. Een uurtje kostte het hen, meer niet. Het inrichten was ook zo gedaan. Hij twijfelde over de plek waar hij de vlag met de *shahada* zou hangen. Uiteindelijk koos hij voor de woonkamer, het hart van de flat.

Jamal nodigde hem uit om bij hem thuis te eten. Zijn moeder had een grote schaal couscous gemaakt, kippenbouten gegrild, en op de lage tafel waaraan ze zittend aten, stonden wel tien bakjes met sausjes, olijven, gesneden komkommer, tomaten, uien en andere groenten; van sommige kende hij de naam niet eens.

De ouders van Jamal behandelden hem als hun eigen zoon, zo voelde het tenminste, want hij wist eigenlijk niet zo goed hoe het zou moeten voelen. Zijn vader beschouwde hem – ook voor zijn terugkeer tot de islam – als een huisdier waar hij tegen wil en dank mee was opgezadeld. En zijn moeder? Die had hem achtergelaten bij zijn vader, en dat zei genoeg: nooit had hij de behoefte gevoeld contact met haar te zoeken.

Hoe anders waren de ouders van Jamal! Zijn vader was zwijgzaam, en zijn moeder beheerste het Nederlands niet perfect, maar soms heb je maar weinig woorden nodig om te weten dat mensen deugen, dat het goede mensen zijn.

Jamal was de enige zoon in een groot gezin met alleen maar zussen, dat wist hij al voordat hij kwam eten, maar hij had niet verwacht dat ze zó mooi waren. Vooral Fatima, de op een na oudste – ze zat volgens Jamal al in zes vwo – was prachtig. Ze had een enorme bos bruin krullend haar, en door haar hoge jukbeenderen en haar wat smalle ogen zou ze ook voor Aziatisch door kunnen gaan. Haar huid was smetteloos mokkabruin, ze had dikke, volle lippen, die gek genoeg ook bruinig waren, en haar borsten...

Ze ging als eerste van tafel. 'Huiswerk,' zei ze verontschuldigend tegen niemand in het bijzonder.

'Leuk je ontmoet te hebben,' zei ze daarna tegen hem, en ze leek het nog te menen ook.

Niet veel later hoorde hij 'Hey Ya!' van OutKast uit haar kamer komen. Uit diezelfde kamer kwam ook een ander geluid, het leek alsof er op de grond werd gebonkt. Was ze aan het dansen?

Toen hij na de maaltijd aanstalten maakte om naar huis – zijn eigen huis! – te gaan, hield Jamals vader hem tegen.

'Wij hebben nog iets voor jou,' zei hij. 'Een klein cadeautje.'

De moeder van Jamal overhandigde het, plechtig, een beetje onwennig ook. Ze pulkte zenuwachtig aan haar hoofddoek, en keek hem afwachtend aan. Hij wist niet of hij het cadeautje ter plekke uit kon pakken, of dat dat juist heel onbeleefd was, maar gelukkig moedigde Jamal hem aan, zodat hij wist wat er van hem werd verwacht.

'Wow!' was het enige wat hij kon uitbrengen toen hij de ingelijste foto van de Kaäba met gestrekte armen voor zich hield. Jamal en zijn zusjes lachten om zijn enthousiasme, en ook hun moeder straalde. Ze vouwde haar handen voor haar buik, en keek hem aan alsof hij net iets heel belangwekkends had gezegd.

'Het is heel goed dat jij moslim bent geworden,' zei de vader van Jamal, waarna hij zijn armen theatraal uitspreidde en hem omhelsde. Waarschijnlijk duurde die omhelzing niet veel langer dan een paar seconden, maar hij voelde de warmte, hij voelde zóveel warmte.

Hij wist niet hoe hij deze lieve mensen moest bedanken. Dus gaf hij de vader van Jamal een hand, en zei: 'Bedankt!' Hij gaf de moeder van Jamal een hand, en zei: 'Bedankt!' Hij gaf de zusjes van Jamal een hand, en later ook Jamal zelf, en hij zei: 'Bedankt, broeder!'

Toen Fatima haar kamerdeur opentrok om te kijken waar al dat rumoer ineens vandaan kwam, riep hij ook haar toe: 'Bedankt!'

Duizelig van de dag vertrok hij naar de Van Heuven Goedhartlaan. Daar, in een nog bijna lege woonkamer, zat hij op de kale vloer, zijn rug tegen de muur, nog uren het afgelopen etmaal te overdenken.

Hij had nu een eigen flat. Die gedachte alleen al: hij kon er niet van slapen.

Zijn gedachten gingen ook uit naar Fatima. Hij vocht er lang tegen, maar uiteindelijk ging hij naar de badkamer, waar hij zich aftrok boven het fonteintje.

Jamal liet die eerste dagen in Kanaleneiland zien dat hij een echte vriend was. Samen gingen ze naar de kringloopwinkel in Hoograven om spullen voor zijn huis te kopen. Voor nog geen honderd euro kocht hij een leren bankstel en een houten salontafel, meer had hij niet nodig. Televisie kijken deed hij niet, en eten kon hij op de bank. Een bed had hij al, net als een bureau, dus met die paar aankopen was zijn huis ingericht. De foto van de Kaäba hing hij boven zijn bank.

Jamal regelde een baantje als vakkenvuller in de supermarkt van zijn vader, waar hijzelf fulltime werkte, elke dag van de week. Bilal kon er twee avonden per week aan de slag. Het aanbod was extra aanlokkelijk – misschien wel vooral aanlokkelijk – omdat hij op die avonden mee kon eten bij Jamal.

'Mijn vader wil niet dat je studie lijdt onder het werk. Als je bij ons komt eten op de avonden dat je werkt, hoef je zelf niet te koken, zodat je tijd over houdt om te studeren,' zei zijn vriend.

Hijzelf dacht alleen maar: Fatima.

De eerste dag op Abstede was een verademing. Uiteindelijk, dan. Hij ging op tijd van huis en liep via de Marshalllaan, de Amerikalaan en de Columbuslaan (de nieuwe straatnamen in zich opnemend) naar het pand aan de Bontekoelaan. Om het schoolgebouw stond een hoog ijzeren hek. Op diverse plekken waren camera's bevestigd aan de bakstenen muren van het pand.

Staand voor het schoolgebouw, waar hij de komende jaren een opleiding zou volgen, deed dat gebouw hem ineens denken aan een gevangenis. Zou het hier wel beter zijn dan in Nieuwegein, beter dan op het Cals?

Vijf jaar bracht hij door op die scholengemeenschap, waar hij moeiteloos zijn havodiploma haalde. Echt een klotetijd was het niet. Toch voelde hij er zich naarmate hij ouder werd steeds minder op zijn gemak.

Het was natuurlijk niet cool toen hij in de eerste moest bekennen dat hij de zoon was van Ruud, de leraar Maatschappijleer die niet wilde dat leerlingen hem 'meneer' of (nog erger) 'meester' noemden. Gek genoeg was zijn vader redelijk populair, of in ieder geval niet gehaat – waarschijnlijk omdat hij nooit huiswerk gaf en verder ook niet al te streng was, zolang zijn leerlingen hem maar niet lastigvielen.

Hij maakte vriendjes in de eerste jaren op het Cals, zoals hij ook vriendjes had gemaakt in de straat waar hij woonde. Maar diep gingen de schoolvriendschappen niet. Hij speelde af en toe bij klasgenootjes, klasgenootjes speelden af en toe bij hem. Populair was hij niet, maar hij was zeker geen loser.

Na zijn terugkeer tot de islam veranderde er in eerste instantie weinig. Ze snapten niet dat hij bij die 'club van Osama bin Laden' wilde horen, en tuurlijk werd er weleens een vervelende opmerking gemaakt, maar medeleerlingen leken zijn bekering vooral te zien als een bevlieging, zoals sommige meiden uit de klas ineens in de ban raakten van een boybandje.

Pas toen hij later, heel voorzichtig, op school en in zijn straat, mensen begon aan te spreken op hun gedrag, werd hij serieus genomen. Wat eigenlijk betekende dat hij juist niet serieus werd genomen. Mensen maakten zich zorgen om hém, terwijl hij mensen probeerde te behoeden voor het slechte!

De eerste die hem aansprak op zijn gedrag was zijn mentor, De Graaf, in de derde.

'Pjotr, je weet, het Cals is een open school, waarin iedereen – ongeacht afkomst of geloof – zich senang moet voelen,' zei hij na een lange schooldag. De Graaf had hem aan het eind van de les gevraagd even na te blijven, en het leek alsof de rol van strenge leerkracht hem alles behalve senang deed voelen. De rode vlekken in zijn nek waren nog feller dan tijdens zijn lessen Engels, waar hij gekeet in de klas dacht te stoppen door zwijgend achter zijn bureau te gaan zitten.

'Prettig dus, iedereen moet zich prettig voelen. Ik heb begrepen dat jij je hebt bekeerd tot de islam... En dat is prima, dat is écht prima, daar hebben wij als school, en ik als mentor, niets, echt helemaal niets, mee te maken. We willen een vrije school zijn, een ópen school, waarin je geloof er niet toe doet.'

Hij haalde een hand door zijn halflange haren. 'Ik bedoel: je mag ongelovig zijn, katholiek of protestants, en tuurlijk, vanzelfsprekend mag je ook moslim zijn. Daar hebben wij als school helemaal niets mee te maken, het is een privéaangelegenheid.'

Hij had echt geen idee waar zijn mentor naar toe wilde.

'Maar in een open samenleving, in een vrije school, geeft het geen pas als je een klasgenoot de maat neemt, dat je hem veroordeelt, omdat hij chorizo tussen zijn boterhammen heeft.'

Had Dave daarover geklaagd? Tijd om boos te worden op die sukkel kreeg hij niet. Want De Graaf ging verder, De Graaf ging veel te ver.

'Pjotr, dit zeg ik je in vertrouwen...'

Zijn mentor zocht zijn ogen, en probeerde met opgetrokken wenkbrauwen vertrouwen uit te stralen. 'Je vader... Ik weet dat je vader... Ik bedoel: je moet een moeder missen... Je zoektocht naar houvast, eh, heeft dat misschien iets te maken met...'

Hij was het klaslokaal uit gelopen.

Nog bozer werd hij toen ook een buurman suggereerde dat zijn terugkeer tot de islam iets te maken had met zijn – hoe had die vent het genoemd, zijn 'problematische opvoeding'?

Zomer was het, en buurmeisje Marloes lag in de tuin te zonnen, nauwelijks bedekt door welk kledingstuk dan ook.

'Vrees Allah,' zei hij, en eerlijk waar: dat was alleen voor zijn eigen oren bedoeld. Maar meneer Van Straten hoorde het blijkbaar ook.

'Rot op met je Allah,' zei hij. En na een slok van zijn biertje: 'Als Allah bestond, dan was je moeder niet van je vader weggelopen, had jij geen problematische jeugd gehad, en was je nu niet godsdienstwaanzinnig.'

Na nog een slok bier: 'En dan had je vader misschien ook eens het gras gemaaid, de afgelopen jaren, zoals hij deed toen je moeder 'm nog niet was gepeerd.'

O, hij haatte het dat mensen zijn terugkeer tot de islam zagen als gevolg van zijn zogenaamd problematische opvoeding, van zijn, haakje openen, moeilijke, haakje sluiten, jeugd. Ja, hij hád een problematische opvoeding gehad, hij hád een 'moeilijke' jeugd: omdat hij was opgevoed alsof de islam niet bestond.

Opgroeien in bekrompen Nieuwegein, opgevoed worden door een atheïstische vader: dát was zijn probleem!

Natuurlijk was hij blij daar weg te zijn, weg bij zijn vader, weg uit Nieuwegein, weg van het Cals. Toch waren de eerste uren in zijn nieuwe school allesbehalve relaxed. In de lange claustrofobische gangen, die nog smaller werden door rijen kluisjes aan beide zijden, was het dringen. Iedereen liep door elkaar, vaak gillend.

Tijdens het voorstelrondje durfde hij niemand aan te kijken, ook zijn nieuwe mentor niet. Recht vooruit starend, blik gericht op het schoolbord, dreunde hij op wie hij was en waar hij vandaan kwam; het klonk alsof hij het over iemand anders had. Het voelde laf, en achteraf schaamde hij zich ervoor, maar hij stelde zich voor met de naam die zijn vader hem had gegeven, terwijl hij zich nog zo had voorgenomen om zich op zijn nieuwe school meteen als Bilal te introduceren.

Hij voelde zich opgelaten. Sommige klasgenoten leken elkaar al te kennen, anderen maakten binnen een paar uur vrienden, maar hij durfde geen toenadering te zoeken; waar hij bang voor was, begreep hij zelf ook niet helemaal.

Op weg naar de kantine voor de lunch liep hij, op enige afstand, achter vier Marokkaanse jongens aan, die in de eerste lessen telkens de achterste bankjes voor zichzelf opeisten. Tijdens de derde les kwamen ze te laat binnen, en was er achter in het lokaal geen plek meer, alle bankjes waren ingenomen door luidruchtige meiden. De jongens gingen dreigend voor de bankjes van de meiden staan, en zonder iets te hoeven vragen, verlieten die hun plek.

Ook in de kantine gingen ze helemaal achterin zitten, tussen ouderejaars, niet veel durven zoiets op een eerste schooldag.

Nu moest ook hij lef tonen. Hij pakte een stoel en ging bij de jongens zitten. Ze keken hem argwanend aan. Trillend scheurde hij het aluminiumfolie los waarin hij Turks brood met humus had verpakt. Met één hand maakte hij een prop van het zilverfolie en kneep erin alsof het een stressbal was. Voor hij een hap in zijn sandwich zette, zei hij, harder dan bedoeld: 'Bismillah.'

Aan het eind van de pauze had hij vier nieuwe vrienden gemaakt: Badr, Mimoun, Said en Redouan.

Die avond kwam Badr hem ophalen om naar de moskee te gaan. Slungelachtig, lang, bedeesder dan de andere drie nieuwe vrienden die hij had gemaakt, en gezegend met een gulle lach en rossig, krullend haar, voelde hij zich meteen al het meest geaccepteerd door Badr.

Hij was het die na zijn 'Bismillah' meteen interesse in hem toonde. 'Ben je moslim?' vroeg hij vol ongeloof.

Bilal knikte, en probeerde als een bezetene de hap in zijn mond te vermalen. Nadat hij het stuk brood wegspoelde met wat cola kon hij eindelijk praten, hij wilde zó graag praten nu het ijs gebroken was.

'Ja, sinds drie jaar.'

Ook de andere drie Marokkaanse jongens keken hem onderzoekend aan.

'Mashallah,' zei Badr, waarna zijn vrienden instemmend knikten.

'Na 11 september ben ik me gaan verdiepen in de islam. Eerst vooral omdat ik niet begreep waarom moslims Amerika aanvielen, en omdat ik – net als de meeste ongelovigen – nou ja, pissed was op de aanslagplegers. Maar naarmate ik meer las over die zogenaamde terroristen, en meer kennis vergaarde over de islam, begon ik het allemaal beter te snappen.'

Hij vertelde niet dat die kennis vooral uit *Islam voor Dummies* kwam, dat deed er ook niet toe. 'Ik begon de Koran te lezen, en las dingen die een analfabeet in het Midden-Oosten 1400 jaar geleden echt niet kon weten. Ik realiseerde me dat Mohammed – vrede zij met hem – inderdaad de boodschapper van Allah is geweest. Een paar maanden later, nog voor het eind van 2001, heb ik in de moskee in Overvecht de shahada uitgesproken, alhamdoelillah.'

'Mashallah,' zei Badr opnieuw, en wederom knikten ook de andere jongens instemmend.

Wat hij zijn nieuwe klasgenoten uitlegde had hij al vaker verteld, als hij in moskeeën kwam waar men hem nog niet kende. Het werkte altijd. Met die paar zinnen gaf hij blijk van zijn goede bedoelingen, ze werden altijd meteen begrepen en gewaardeerd: hij stond aan hun kant, alle argwaan verdween onmiddellijk.

Omdat hij niet wist wat hij verder moest zeggen, nam hij een grote hap van zijn brood.

'Je hebt rood haar, net als ik,' zei Badr. 'Misschien ben je wel gewoon een Berber.'

Hij grinnikte toen hij doorhad dat het een grap was, dat Badr hem niet afzeek, maar juist toenadering zocht.

Het laatste uur van die dag schoof hij naast Badr aan, zodat Mimoun ineens alleen zat. Hij hoopte maar dat die hem dat niet kwalijk zou nemen; hij wilde geen vriendschappen verstoren, en als een indringer worden gezien.

Aan het eind van de schooldag, vlak voor de bel ging, stelde Badr voor 's avonds samen naar de moskee te gaan, en daarmee was zijn eerste schooldag geslaagd. Meer dan geslaagd.

Hij was natuurlijk eerder in het gebedshuis aan het Attleeplantsoen geweest. Vorig jaar ontmoette hij er Jamal, en dat had meteen geklikt ondanks het leeftijdsverschil van een paar jaar, zoals het nu direct met Badr klikte. Toch voelde het anders, beter, om als inwoner van Kanaleneiland de moskee te bezoeken. Hij had er zich altijd thuis gevoeld, zoals hij zich eigenlijk in alle moskeeën thuis voelde. Ongelovigen beseffen niet hoe gastvrij moslims zijn – ook voor niet-moslims. Maar op de een of andere manier voelde hij zich vanavond nóg meer onderdeel van de ummah.

Misschien wel omdat hij op heel bescheiden wijze voldaan had aan de plicht om af te reizen van het land der ongelovigen naar het land der gelovigen; dat hij in ieder geval was verhuisd naar een plek waar de moslims in de meerderheid waren, in plaats van tussen de kuffar te blijven wonen. 'Ik neem afstand van elke moslim die tussen de ongelovigen woont' luidde een beroemde uitspraak van de profeet. In het huis van zijn vader kon hij zijn religie niet volwaardig praktiseren, en Nieuwegein barstte bovendien van de ongelovigen. Daarom was het goed dat hij *hijra* had verricht, dat hij migreerde om tussen zijn broeders en zusters in de islam te gaan wonen.

Vanaf nu zou hij voor iedereen Bilal zijn, ook op school, besloot hij die avond in de moskee. Naar de naam Pjotr zou hij simpelweg niet meer luisteren.

Na het gebed nodigde hij Badr uit om thee te drinken in zijn nieuwe woning. Ze liepen even binnen in de supermarkt van Jamals vader, die nog open was. Zijn vriend stond, met een bebloed schort om zijn middel geknoopt, met veel geweld lamsvlees in stukken te hakken. Het zweet stond op Jamals voorhoofd, hij had niet door dat hij bekeken werd, zijn gedachten leken ergens anders te zijn.

'Jamal... Hé, stop eens met hakken, man!'

Zijn vriend keek verrast op. Instinctief hakte hij, zonder naar het vlees te kijken, nog eenmaal. Hij miste zijn linkerhand maar net.

'Dit is Badr, een klasgenoot.'

Jamal legde het hakmes neer, veegde zijn licht bebloede hand af aan zijn schort, en stak 'm vervolgens uit naar Badr. Na de begroeting tikten beide jongens met hun vingertoppen even kort hun linkerborst aan ter hoogte van hun hart. Op de beige bloes van Badr verscheen meteen een lichtrood vlekje.

Een beetje onwennig stonden ze daar, woorden zoekend om tot een gesprek te komen, totdat bleek dat de vaders van Badr en Jamal uit hetzelfde kleine dorpje in Noord-Marokko kwamen. Ze deelden al snel herinneringen aan lange vakanties die ze daar doorbrachten. Bilal voelde zich een beetje buitengesloten.

In Marokko was hij nog nooit geweest, het was uitgesloten dat zijn vader zijn vakantie door zou brengen in een dergelijk land. 'Als ik terug wil naar de middeleeuwen lees ik wel een historische roman,' had hij een keer gezegd toen Bilal zei dat hij graag eens een islamitisch land zou willen bezoeken.

Pas toen Aïcha, de oudste zus van Jamal, erbij kwam staan viel het gesprek even stil. Badr checkte haar uit alsof ze er zelf niet bij stond, en ze moedigde het op de een of andere manier aan door de manier waarop ze hem aanstaarde zonder iets te zeggen. Net als Jamal werkte ze fulltime in de supermarkt van haar vader. Meestal stond ze achter de kassa.

Aïcha had een even indrukwekkende bos krullen als Fatima, maar ze was niet zo mooi als haar jongere zus. Ze was minder verfijnd, en niet alleen doordat haar gezicht werd ontsierd door acne. Ze had iets grofs, in woord en gebaar.

Maar Badr was onder de indruk, dat was overduidelijk. Het werd al snel een beetje gênant omdat hij net iets te veel zijn best deed om haar aan het lachen te maken.

Bilal keek opzichtig op zijn horloge, maar niemand leek het op te merken. Misschien negeerden ze hem gewoon. 'Ik ga zo naar huis,' zei hij.

Badr maakte geen aanstalten om ook te vertrekken, hij voerde nog steeds een showtje op, en Aïcha leek niet van plan weg te lopen; ze liet zich blijkbaar graag vermaken, en zolang zij interesse toonde in Badr, zou die de winkel niet verlaten, daarvan was Bilal inmiddels overtuigd.

'Zullen we die thee morgenavond doen?' vroeg hij. 'Ben al best moe, en ik wil eigenlijk morgen het ochtendgebed in de moskee verrichten, dus dan moet ik vroeg op.'

'Is goed, vriend,' zei Badr.

'Zie ik je daar dan?'

'Ik kijk wel of ik 't red. Ik ben niet zo'n ochtendmens.'

Aïcha lachte voor het eerst hardop, eerder had ze alleen een beetje gegrinnikt om de grappen van Badr. Ze stond nu opzichtig te flirten, het leek haar niet eens uit te maken dat haar broer erbij was. Fatima was echt anders.

Bilal nam afscheid.

In het trapportaal pakte hij twee treden tegelijk. Hij probeerde de aandrang te onderdrukken, en nam zich voor in bed de Koran te lezen, maar nadat hij de voordeur dichtdeed, liep hij meteen door naar de badkamer.

De dagen in augustus en september vlogen voorbij volgens hetzelfde patroon. Hij ging naar school, hij ging naar de moskee (al snel niet elke ochtend meer, dat bleek toch niet te doen), hij werkte in de supermarkt van de vader van Jamal. En hij at twee keer per week bij zijn vriend. Bij Fatima.

Met Badr, Mimoun, Said en Redouan vormde hij een hecht vriendengroepje. Iedereen accepteerde dat er altijd vijf stoelen vrij bleven achter in de lokalen waar ze les kregen, zoals zijn klasgenoten ook al snel voor lief namen dat hij Bilal genoemd wilde worden.

Enkele docenten deden daar langer over. Telkens was het Redouan die hen erop wees.

'Hé, hij heet Bilal!' riep hij, als een docent 'Pjotr' een beurt gaf. Voor de meeste docenten was dat genoeg om de fout niet vaker te maken. Een paar volhardden – of waren gewoon vergeetachtig. Redouan bléééf ze op hun vergissing wijzen, totdat ook zij door hadden dat in 1c geen 'Pjotr' meer op de leerlingenlijst stond.

Alleen Visser, de zwaarlijvige leraar Nederlands, bleef hem consequent Pjotr noemen; doof hield hij zich voor de terechtwijzingen van Redouan. Het leek er zelfs op dat hij 'Pjotr' extra vaak een beurt gaf, alsof hij er een wedstrijd van maakte om die naam zo veel mogelijk in zijn klaslokaal te gebruiken.

Op een donderdagmiddag, ergens begin september, was Redouan het zat. Visser zat zoals altijd onderuitgezakt achter zijn bureau, benen ver uit elkaar, bril op het puntje van zijn blauwige neus, armen hautain rustend op zijn pens. Hij hoestte langdurig zonder een hand voor zijn mond te houden en keek het klaslokaal rond. Zijn blik bleef uiteindelijk weer eens bij Bilal hangen.

Hij zei: 'Zou Pjotr zo vriendelijk willen zijn...'

Redouan trapte zijn stoel naar achter, stormde naar voren, en legde zijn handen ijzig kalm op de uiteinden van het bureau van Visser. Hij keek zijn docent Nederlands aan alsof de shaytan in hoogst eigen persoon voor hem zat, en even leek het erop dat hij Visser in zijn gezicht zou tuffen. Maar uiteindelijk sprak hij. Zachtjes voor zijn doen. Schor, fluisterend bijna.

'Hé, vriend, we noemen jou toch ook geen Pisser? In deze klas zit geen Pjotr, begrijp je dat nu nog niet?'

Hij sprak de naam die zijn ouders hem gegeven hadden uit alsof het een scheldwoord was.

'Bilal, heet hij. En als ik jou was zou ik hem voortaan ook zo noemen,' zei Redouan voor hij terugsjokte naar zijn plek achter in het klaslokaal, zijn stoel opraapte, en ging zitten alsof er niets gebeurd was.

Sinds die dag noemde ook Visser hem Bilal. En Visser was vanaf dat moment voor iedereen in 1C 'Pisser'.

Het was Redouan die op een gegeven moment voorstelde om voortaan op vrijdag in djellaba naar school te komen. 'Belachelijk toch, dat we gewoon les hebben tijdens het middaggebed? Laten we op vrijdagen iedereen inpeperen dat we moslim zijn, laten we tróts zijn op ons geloof.'

Het leek Bilal een goed idee, hoewel hij zich niet kon herinneren dat Redouan ooit had gevraagd, aan hun mentor bijvoorbeeld, of ze op vrijdagmiddag even naar de moskee mochten voor het gebed en de khutbah van de imam. Maar daar ging het niet om: het was terecht dat zijn vriend het opnam voor hun geloof.

Het voelde wat onwennig, de eerste keer dat hij gehuld in djellaba lessen volgde aan het Abstede College. Normaliter droeg hij 'm alleen wanneer hij naar de moskee ging, en dan niet eens altijd. Ook Said, Mimoun en Badr liepen minder zelfverzekerd rond dan normaal. Said zat tijdens de lunchpauze met zijn voeten op de vloer. Zelfs Redouan leek niet helemaal op zijn gemak. Ja, hij keek met zijn kont op de rugleuning van zijn vaste stoel neer op andere studenten, maar hij had niet de blik in zijn ogen die hij normaal had; zijn blik was die eerste vrijdag dat ze in djellaba naar school kwamen niet uitdagend op anderen gericht. Hij had zijn ogen neergeslagen en ritste het zwarte tasje met rood-groene strepen, dat hij zoals altijd om zijn nek had hangen, onophoudelijk open en dicht, open en dicht.

Alle avonden dat Bilal niet hoefde te werken, bracht hij door in de moskee. Na het gebed koos hij met broeders een hoek van het gebedshuis uit om daar, met hun ruggen tegen de muur, hun armen om hun knieën, urenlang te praten over het geloof.

Badr ging vaak mee, Mimoun af en toe. Jamal kwam als hij kon. Redouan en Said zag hij er nauwelijks. Dat gaf niet, want hij leerde andere broeders kennen; als moslim maakte je snel vrienden, zeker als je liet zien dat je serieus was.

Hij was het Arabisch nog niet machtig, maar met de kennis uit *Islam voor Dummies* kon hij in de meeste gevallen andere jonge moskeegangers imponeren, want sinds hij in Kanaleneiland woonde en de islam intensiever praktiseerde dan in Nieuwegein, viel het hem op dat veel jonge moslims weinig wisten van hun geloof; een slechte zaak was dat.

Met een andere, oudere terugkeerling sprak hij over de vooroordelen waarmee je te maken krijgt als je het pad van de ware religie bewandelt. 'Op school was er een docent die weigerde me Bilal te noemen,' zei hij.

'Dat is een beproeving, broeder. En nog veel meer beproevingen zullen volgen. Maar blijf standvastig. Laat je niets door de shaytan influisteren.'

'Amin.'

'Mensen zullen je gaan uitdagen. Tegen mij zeggen ze – alleen omdat ik een baard heb, een gebedsmutsje op mijn hoofd draag, en een djellaba aan heb – dat ik een extremist ben.'

Bilal knikte, en wreef over zijn gladde kaken. Wel of geen baard was voor hem geen afweging: voor een echte, volle baard had hij simpelweg nog te weinig haargroei, dus hij gaf voorlopig de voorkeur aan een keer per week scheren. Een djellaba droeg hij inmiddels niet louter naar de moskee, maar op school was hij nooit voor 'extremist' uitgescholden, ook niet op vrijdagen. Misschien had dat ook iets te maken met zijn vriendschap met Redouan.

'Ze zeggen dat ik radicaal ben,' zei de oudere terugkeerling. 'Vrienden van me, die ik soms al ken vanaf de basisschool, zeggen tegen me dat ik overdrijf. Mijn beste vriend uit mijn jeugd – moge Allah hem leiden – verbrak zonder verder iets uit te leggen onze vriendschap. Hij wilde me niet meer zien, hij neemt niet eens meer op als ik bel. Via via kreeg ik te horen wat hij over me zei als mensen vroegen waarom we niet meer met elkaar omgingen, en dat deed pijn, broeder. Ik zeg het je: dat deed echt pijn. Maar toen ik eenmaal wist hoe hij over mij sprak, toen wilde ik hem nooit meer zien.'

Hij vroeg wat die vriend dan over hem zei.

'Ach, man, het meest stompzinnige dat ze over ons zeggen. Dat debiele, uitgekauwde cliché dat ze telkens weer gebruiken om te verbloemen dat zíj de gekken zijn en niet wij.'

'Wát dan?'

'Gewoon die *usual bullshit*, weet je. Dat wij bekeerlingen de ergste zijn, omdat we roomser zouden willen zijn dan de paus.'

Aïcha zocht steeds meer toenadering. Soms moesten klanten bij de kassa wachten omdat ze ergens achter in de supermarkt met hem stond te kletsen. Eerlijk gezegd voelde hij zich best gevleid, hij kon er niets aan doen; elke keer als ze naar hem toe kwam datzelfde gevoel: ze zoekt mij op.

Tegelijkertijd voelde hij zich er schuldig over. Meisjes hadden nooit veel belangstelling voor hem gehad. Toen hij nog niet was teruggekeerd naar de islam had hij weleens gezoend met zijn buurmeisje Marloes, maar dat was meer om het eens te proberen, niet uit verliefdheid. Een paar meiden op het Cals zochten hem op als ze problemen met hun computers hadden, en sommigen vonden het wel interessant dat hij moslim was: dat was in ieder geval iets, en dat was al heel wat in Nieuwegein.

Maar Aïcha was anders dan Marloes of klasgenootjes op het Cals. Als haar vader en Jamal niet binnen gehoorsafstand waren, kon ze dezelfde directheid hebben als Redouan en Said, hij wist niet zo goed wat hij ervan moest vinden.

Op een avond ergens halverwege september zat hij geknield voor een doos met flesjes knoflooksaus. Gedachteloos haalde hij twee flesjes uit de doos, in elke hand één, en zette ze in het schap, netjes naast de Turkse sambal. Waarna hij weer twee flesjes uit de doos pakte, in elke hand één, opkeek – en recht in het kruis van Aïcha staarde, haar geslacht slechts bedekt door haar spijkerbroek. Hij kon het niet helpen, het was sterker dan hij: zijn ogen bleven hangen op haar kruis.

'Helpen?' vroeg ze, op hem neerkijkend.

Hij zei dat het niet nodig was.

'Heb toch niets te doen. Het is rustig, vanavond,' zei ze, vooroverbuigend, met haar handen op haar knieën.

Aïcha glimlachte toen ze zag dat hij naar haar borsten keek, dat hij naar haar borsten stáárde. Onder haar wijde t-shirt: die zwarte bh. Daarin: haar volle borsten.

Waarom sloeg hij zijn ogen niet neer?

Ze leek iets te gaan zeggen, bleef even zo staan, voorover gebogen met haar handen op haar knieën, maar uiteindelijk knielde ze voor hem neer. De doos iets naar zich toe trekkend, begon ze flesjes knoflook in het schap te zetten, alsof er niets gebeurd was.

Toen hij niet meer verwachtte dat ze erover zou beginnen, fluisterde ze: 'Zat je nou net naar mijn tieten te kijken?'

Fatima was anders. Op de avonden dat hij bij Jamal at, was ze er altijd. Naarmate hij er vaker kwam, bleef ze langer aan tafel zitten. Ze zei in het begin niet zoveel, maar ze kon goed luisteren. Van Jamal had hij gehoord dat ze, zodra ze haar vwo had behaald, wilde gaan studeren. Echt studeren, aan een universiteit, misschien niet eens in Utrecht. Advocaat wilde ze worden, om hulpbehoevenden bij te staan die waren benadeeld of die onrecht was aangedaan. Het tekende haar karakter, ze was overduidelijk een goed mens. Ze wilde echt wat van haar leven maken, maar daarbij dacht ze ook aan anderen.

Op een avond zat hij ineens alleen met haar aan tafel. Haar moeder was in de keuken bezig met de vaat, samen met haar jongere zusjes. Jamal en zijn vader hielpen, voor ze terug naar de supermarkt zouden gaan, een buurman die problemen had met zijn schotelantenne. Hij bood aan ook mee te helpen, hij was immers handig met dat soort dingen, maar de vader van Jamal zei dat het beter was als hij even zou wachten. De buurman was een Somaliër, en nogal gesteld op zijn privé-leven, en op de privacy van zijn in niqab gehulde vrouw in het bijzonder. Dat er twee niet-familieleden het huis binnen traden was nog net te doen, maar een derde indringer zou echt te veel zijn.

'Hoe was het om op te groeien zonder moeder?' vroeg Fatima plompverloren, een vinger ronddraaiend in haar krullen.

Kut, schoot als enige door Bilals hoofd, maar gelukkig nam Fatima alweer het woord voor hijzelf iets kon uitbrengen.

'Lijkt mij heel moeilijk. Ik zou niet weten wat ik zonder mijn moeder zou moeten.'

In de keuken hoorde hij Jamals moeder zingen, een vrolijk liedje dat ze vaker zong. De zusjes van Fatima zongen mee, nogal vals, wat het aandoenlijk maakte.

'Om eerlijk te zijn, weet ik niet anders,' zei hij. 'Maar leuk was het niet.'

Ze keek hem, haar hoofd iets gekanteld, begripvol aan.

'Meer nog door mijn nogal aanwezige vader, dan door mijn afwezige moeder.'

'Hij is leraar toch?'

Het kostte hem moeite op die simpele vraag antwoord te geven.

'Dat heb ik tenminste van Jamal begrepen.'

'Ja, ja, klopt,' zei hij aarzelend.

Hoe kon hij hier een normaal gesprek van maken, waarbij er meer uit zijn mond kwam dan halfbakken zinnen, en gestamel?

'Ik zou niet zonder mijn ouders kunnen. Ik moet er niet aan denken dat ze ooit teruggaan naar Marokko. Mijn vader is natuurlijk in Nederland opgegroeid, dus dat is anders, denk ik. Hij voelt zich hier thuis. Maar ik weet zeker dat mijn moeder heimwee heeft naar Marokko.'

Ze trok met beide handen haar krullen strak naar achteren, alsof ze er een staart van wilde maken. Door die beweging kwamen haar borsten naar voren; hij probeerde te focussen op haar ogen, op haar gezicht.

'Maar ze weet ook dat wij hier een toekomst kunnen opbouwen, en dingen kunnen bereiken die we daar nooit...'

Ze maakte haar zin niet af, trok haar krullen nog iets strakker. 'Ze offert zich op voor ons. Alleen daarom al houd ik van haar.' Ze schudde even met haar hoofd, krullen die heen en weer gingen, haar armen hingen gelukkig weer naast haar lichaam. 'Waarom heb je zo'n hekel aan je vader?'

'Het is gewoon een ongelofelijke lul.'

Nu liet hij zich toch gaan. Maar Fatima keek niet geschokt. Haar ogen opengesperd, haar wenkbrauwen omhooggetrokken, moedigde ze hem zonder woorden aan om meer te vertellen over zijn vader, om uit te leggen waarom het zo'n lul was.

'Ik bedoel, hij kan nooit eens een normaal gesprek voeren,' zei Bilal. 'Alles is cynisme bij die man, niets neemt hij serieus. En altijd is-ie bezig om me af te troeven, ook al voordat ik moslim werd.' Het kwam er feller uit dan hij bedoelde.

'Is het erger geworden? Doordat je moslim werd?'

'Ja. Ja. Daar begrijpt hij helemáál niets van.'

Ze zwegen. In de keuken riep de moeder van Jamal iets in het Berbers. Ze klonk kwaad, maar na een korte stilte werd er hard gelachen; eerst door Jamals moeder, daarna door haar dochters. Fatima snoof, en schudde glimlachend haar hoofd.

'Hij neemt ook niet de moeite het te begrijpen, weet je, dat is het erge. Ik heb er alles aan gedaan om hem de schoonheid van de islam te laten inzien, Allah is mijn getuige.'

Ze keek hem onderzoekend aan. 'Denk je dat je ook moslim was geworden als je moeder er wel voor je was geweest?'

Wat suggereerde ze nou? Waarom klonk ze ineens als buurman Van Straten, of zijn vroegere mentor, De Graaf?

'Niet dat je moslim bent geworden omdat je geen moeder hebt gekend, maar gewoon, misschien was het anders gelopen als je, nou ja, als je wél een moeder had gehad.'

'Dat weet alleen Allah.'

Ze knikte, maar leek niet helemaal tevreden met dat antwoord.

'Ik denk dat ik sowieso het geloof zou hebben gevonden,' zei hij zo krachtig mogelijk. 'Ik ben in ieder geval blij dat ik ben teruggekeerd naar de islam. Als dat komt omdat ik ben opgegroeid zonder moeder, dan ben ik Allah daar alleen maar dankbaar voor.'

Thuis begon het malen. Hij dacht nooit aan zijn moeder. Ze speelde geen rol in zijn leven. Maar door de vragen van Fatima was hij ineens met haar bezig, werd ze zomaar zijn leven ingetrokken, alsof ze ertoe deed, die vrouw die hem had verlaten voor hij oud genoeg was om zich haar te herinneren.

Achter een rij boeken van zijn vader had hij jaren geleden een mapje foto's gevonden. Daarop: steeds dezelfde twee mensen, een man en een vrouw, die met elke afbeelding iets ouder werden. Ze droegen allebei zwarte kleren op de eerste foto. Zijn vader had een T-shirt aan van Joy Division, een bandje dat hij toen hij nog bij hem woonde bijna dagelijks draaide. Depressieve teringherrie was het, maar dat mocht hij natuurlijk niet zeggen. Het liefst had hij zijn vader duidelijk gemaakt dat hij helemaal geen muziek in huis wenste te horen. Muziek is haram. Maar dat zou hij net zo goed tegen een dove kunnen zeggen.

Het gekke was dat zijn vader op al die foto's niet veel veranderde. Hij werd iets dikker, ja, en aan het eind ook iets kaler, maar het bleef ontegenzeggelijk dezelfde man, die ook jaren later nog dezelfde kleren droeg. Dat T-shirt van dat depribandje had hij nog altijd zeker één keer per week aan.

Zijn moeder (de vrouw over wie zijn vader zei dat het zijn moeder was) veranderde wel. Waar ze in de eerste foto's steeds vormeloze zwarte T-shirts aan had, droeg ze in de laatste strakke, kleurige outfits. Jurkjes, zelfs. Haar haren werden ook steeds langer, en ze leek ineens make-up op te hebben. Op de laatste foto in het mapje was ze mooi, sexy zelfs, ook omdat ze er gelukkiger uitzag dan op de eerdere foto's; waarschijnlijk had ze toen al die affaire.

Hoe zou ze er nu uitzien? Hij verdrong de gedachte en probeerde zich de foto's in het mapje scherper voor de geest te halen. Slechts eenmaal had hij ze bekeken, want op een vreemde manier kreeg hij tijdens het bladeren het idee dat dat hem in de problemen kon brengen, alsof hij niet naar foto's van zijn ouders zat te kijken, maar naar kinderporno. Na die ene keer kon hij daardoor de verleiding weerstaan, en dat voelde goed. Discipline voelt altijd goed.

Hij pulkte aan zijn nagelriemen tot er bloed kwam. Fatima had met haar vragen over zijn moeder iets opgerakeld, iets losgewoeld. Hij sabbelde aan zijn bebloede vingers. Metaal op zijn tong, en het bloed bleef komen, hoe vaak hij zijn vingers ook in zijn mond stopte.

Hij liep naar de badkamer, waar hij de kraan van het fonteintje opendraaide. Minutenlang stond hij daar, zijn vingers onder de kraan. Het koude water op zijn handen, het lichtrode, rossige water in de witte wasbak.

Hij bekeek zichzelf in de spiegel. Zijn rode haar, die blauwe ogen, zijn grote voortanden, de sproeten op z'n neus: hoe keek Fatima daar naar?

Toen het water in de wasbak niet langer rossig kleurde, draaide hij de kraan dicht, droogde zijn handen af en ritste de gulp van zijn spijkerbroek open. Hij haalde zijn penis uit zijn boxer. Makkelijk was het niet, want hij had een halve erectie. Met het elastiek van zijn onderbroek onder zijn ballen, masseerde hij zachtjes zijn lid.

Als jongetje was zijn voorhuid verwijderd na een infectie, en hij bedacht nu, gek genoeg voor het eerst, dat Allah toen al een signaal af had gegeven.

Hij blokkeerde bij de gedachte. Zijn erectie kromp. Beschaamd propte hij zijn penis terug in zijn boxer, en ritste zijn gulp dicht. Het duurde even voor hij naar zichzelf in de spiegel kon kijken. Langzaam hief hij zijn hoofd op, zijn blik oprijzend van gulp naar de spiegel.

Zijn ogen leken nog blauwer in zijn rood aangelopen gezicht. Hij beet op zijn lip, net iets te hard, hij proefde weer bloed. In de woonkamer pakte hij de Koran van de houten salontafel. Liggend op de bank begon hij te bladeren, op zoek naar een *aya*, een vers dat zijn zondige gedachten kon stoppen. Waarom had hij die gedachten, was het de shaytan die ze influisterde?

Abrupt stond hij op. Hij trok zijn handen in zijn trui, en legde zo (het boek beschermd door wol) de Koran op de salontafel. In de badkamer waste hij grondig zijn handen voor hij weer terugliep naar de woonkamer.

Hij pakte opnieuw de Koran, nu gewoon met zijn blote handen, en begon te bladeren. Ergens halverwege stopte hij, en begon te lezen. Maar de soera kwam niet aan, wat hij las raakte hem niet. Wat was er met hem aan de hand?

Fatima. Waarom stelde ze toch al die vragen over zijn moeder?

En ineens begreep hij het. Bizar dat hij het niet eerder door-had. Ze stelde al die vragen natuurlijk omdat ze wilde weten wat voor vlees ze in de kuip had! Pas toen die gedachte, en de consequenties ervan, volledig tot hem doordrong, lukte het hem te lezen in zijn heilige boek.

Sinds dat inzicht deed hij school op de automatische piloot en ook zijn bezoeken aan de moskee hadden iets plichtmatigs. Het werk in de supermarkt beviel hem daarentegen steeds beter, mis-schien wel omdat het zo geestdodend en routinematig was: het stelde hem in staat zijn gedachten te focussen op Fatima.

Het hielp ook dat Aïcha wat afstand nam. Als ze al wat aan hem vroeg, dan ging het over Badr.

Fatima zocht juist toenadering. Ze bleef hem ondervragen, elke keer dat hij bij Jamal at; ze leek oprecht in hem geïnteres-seerd, ze was echt nieuwsgierig naar zijn achtergrond. Het kostte hem steeds minder moeite om haar vragen te beantwoorden nu hij besefte waarom die werden gesteld.

Jamal luisterde tijdens hun gesprekken meestal een beetje verveeld mee, hij leek niet echt te begrijpen waarom zijn zus zo geïnteresseerd was in zijn vriend. Haar vader en moeder keken geamuseerd toe als Fatima weer eens de ene na de andere vraag op hem afvuurde. Ze waren overduidelijk trots op hun mondige, slimme dochter, en misschien hadden ze ook al besloten dat hij, inderdaad, een goede partij voor haar was.

Toen kwam de gedachte ineens in hem op: een cadeau. Hij moest een cadeau voor haar kopen!

Maar wat gaf je aan een meisje van zeventien? Nou ja, een vrouw, want in zijn opvatting was Fatima geen meisje meer, daarvoor was ze te volwassen. Net als hijzelf was ze serieus.

In het winkelcentrum liep hij de juwelierszaak binnen. On-wennig keek hij er rond. Van de prijzen schrok hij niet. Fatima verdiende het, en het was ook een investering in hun toekomst samen. Maar vooroverhangend boven de vitrines met ringen, kettingen en armbanden, vond hij een sieraad opeens niet het juiste cadeau: het was te werelds, te gewoon, het was het soort cadeau dat jongens en mannen geven, omdat ze nu eenmaal opgroeien met de gedachte dat je vrouwen en meisjes blij maakt met een ring, een ketting of een armband.

Fatima verdiende iets beters, iets wat duidelijk zou maken dat het hem ernst was, dat hij niet zomaar een jongen, niet zomaar een aanbidder was.

Hij verliet de winkel zonder de eigenaar te groeten. Ter hoogte van de Bruna kreeg hij een ingeving: hij zou een boek voor haar kopen.

Wel een halfuur lang las hij, met gekanteld hoofd, talloze boektitels. Maar niets leek hem geschikt. Hij herkende wat namen van schrijvers die klasgenoten op het Cals gretig lazen voor hun lijst. Geen idee waarom ze daar zoveel plezier aan beleefden, want waarom zou je verzonnen verhalen lezen?

Misschien vanwege de seks. Ja, dat moest het wel zijn. Lieke had zelfs de gênante gewoonte in pauzes seksscènes hardop voor te lezen, ze kende echt geen schaamte, dat kind – moge Allah haar ooit leiden. Ze was een keer, tijdens een leraarloos tussenuur, naar Dave toegelopen en had – haar vriendinnen gilden het uit – haar vinger onder zijn neus gehouden. Dave, normaal niet bepaald zwijgzaam, liep alleen maar rood aan toen ze met een kinderstemmetje zei: 'Ik had een beetje jeuk...'

Plichtmatig had hij voor de lijst het vereiste aantal romans gelezen. De avond voor het mondeling had hij de thematiek, structuur, het perspectief en de hoofdpersonen van die boeken uitvoerig met zijn vader doorgenomen. Ze kregen niet eens ruzie, waarschijnlijk omdat zijn vader blij was dat zijn zoon eindelijk het licht had gezien, en ineens belangstelling had voor *li-te-ra-tuur*. Daar moet hij zo verguld door zijn geweest dat hij niet eens doorhad dat zijn zoon alleen maar een voldoende wilde scoren, zodat hij die rotzooi nooit meer hoefde te lezen.

Zijn vader kocht al zijn boeken bij Bijleveld in het centrum.

Normaal kwam Bilal daar niet, hij had er niets te zoeken. In Kanaleneiland was alles te vinden wat hij nodig had. Maar voor Fatima maakte hij een uitzondering.

In de boekhandel vond hij al snel waar hij, zonder het te beseffen, naar op zoek was. Achter in de zaak, hij moest er een trapje voor omhoog, werd zijn blik meteen gevangen door een grijze cover met vier biddende mannen erop. Onder de naam van de schrijfster, een zekere Karen Armstrong, de korte titel in statige, groene letters: *Mohammed*. Het was, las hij op de achterflap, een van de eerste biografieën van zijn profeet in het Nederlands. Begerig bladerde hij door de dikke pil. Hij zou dit boek zelf ook wel willen hebben!

Heel even flitste de gedachte door zijn hoofd dat hij het later, als ze samen waren, gewoon van Fatima zou kunnen lenen.

Op weg naar de kassa, het boek met beide handen voor zich uit houdend, struikelde hij van het trapje. Hij zwikte door zijn knieën en bleef maar net in evenwicht door met een schouder tegen een stellage met boeken te leunen. De vrouw achter de kassa keek hem argwanend aan, alsof hij het expres deed. Ze rekende het boek af, en toen hij, blijkbaar te laat, zei dat het een cadeau was, pakte ze het met zichtbare tegenzin in.

Maar niets kon zijn humeur verpesten. Hij had een perfect cadeau voor Fatima gekocht! Hij moest alleen een goed moment kiezen om het haar te overhandigen.

In de tram, op de terugweg naar Kanaleneiland met het inge-pakte cadeau op schoot, besloot hij er nog even mee te wachten. De ramadan kwam eraan: hoeveel indruk zou hij maken als hij haar het boek dan zou overhandigen?

Thuis pakte hij meteen zijn agenda. Morgen was het 26 september. De ramadan begon halverwege oktober – nog drie weken tot hij Fatima het cadeau zou kunnen geven. Of beter: Fatima moest al die tijd wachten tot ze het geschenk zou krijgen. Gek genoeg voelde het goed om het uit te stellen, hoewel hijzelf niet precies begreep waarom.

Iedereen had het erover, die maandagochtend. Gisteravond was er een massale politie-inval geweest in Tuinwijk, bij een Marokkaans gezin. De hele straat was afgezet omdat er in de bovenwoning van het gezin explosieven zouden liggen. Toeschouwers werden door de mobiele eenheid op afstand gehouden, en mannen met bivakmutsen arresteerden een vader, een moeder en hun negentienjarige zoon. Het zouden terroristen zijn. Ze zaten nog vast, hoewel er natuurlijk geen bom was gevonden.

'Het is gewoon een razzia,' zei Redouan.

'Ja, man, alleen maar omdat het moslims zijn,' zei Mimoun.

'Waarom worden mensen vastgehouden als er geen bom is gevonden? Je bent toch ook geen dief als je geen gestolen spullen bij je hebt?' Geen idee waar hij die vergelijking ineens vandaan haalde.

'Da's een goeie!' riep Said.

Redouan leek wat te gaan zeggen, maar werd in de rede gevallen door Badr.

'Dat ze een vrouw oppakken. Is toch niet normaal!'

'Zei ik je toch? Zijn jullie doof ofzo? Het is een fokking razzia! Zeker weten: straks word je gewoon opgepakt omdat je moslim bent. Nog even en we moeten sterren op onze kleding gaan dragen met een m erop.'

's Middags fietsten ze met z'n vijven naar de Bucheliusstraat. Een 'solidariteitsbezoek' noemde Redouan het. Met hun aanwezigheid in de straat zouden ze de familie laten zien dat zij geloofden in hun onschuld. En tegelijkertijd moest het ook een protest vormen tegen het oppakken van onschuldige moslims.

Maar eenmaal in de straat werden Redouan, Said, Badr en Mimoun meteen belaagd door journalisten, die wilden weten of ze de verdachten kenden, wat voor mensen het waren, hoe extreem ze waren, of het klopte dat een van de kinderen uit het gezin Osama heette, en of de oudste zoon inderdaad beveiliger was op Schiphol – dat laatste leken ze op de een of andere manier heel belangrijk te vinden.

Van Bilal wilden ze alleen weten of hij in de straat woonde, om na een ontkennend antwoord zich van hem af te wenden en nieuwe vragen af te vuren op zijn vrienden.

Redouan kreeg er genoeg van. 'Waarom stellen jullie al die vragen?'

'Dat is ons werk, gozer,' antwoordde een bijdehante journalist, die dat waarschijnlijk niet zou hebben gezegd als hij op de hoogte was geweest van Redouans reputatie. Badr loste het zwijgend op. Met zijn lange, slungelachtige lijf ging hij tussen de journalist en Redouan staan. Badr zou hem nooit echt tegen kunnen houden, maar Redouan beheerste zich.

Zelf had Bilal ook geen zin in gedoe. 'Laten we gaan,' zei hij. 'Ik heb geen trek in die mensen, en hun suggestieve vragen. Ze gaan toch alleen maar leugens over ons, over moslims, schrijven.'

De journalisten pikten de hint niet op.

'Misschien heb je gelijk,' zei Redouan.

Ze stonden al bij hun fietsen, klaar om die irritante paparazzi achter zich te laten, toen ze beseften dat Said ontbrak. Aan de overkant van de straat stond hij te praten met een blond meisje in een halflange beige jas. Ze had haar benen gekruist, het rechterbeen iets naar achteren, haar spijkerbroek in zwarte laarzen. Met z'n vieren keken ze het even aan. Toen ze hardop lachte om iets wat Said zei, greep Redouan in. 'Said, kom op man!' schreeuwde hij en hij fietste als eerste weg.

Een paar straten verderop haalde Said hen hijgend in. 'Lekker ding, man. Werkt voor *Barend & Van Dorp*. Ze krijgt gewoon betaald om mensen naar de studio te lokken. Geef mij later ook zo'n baantje!'

'Dat soort baantjes geven ze aan blonde meisjes. Niet aan Marokkanen.'

'Wat Bilal zegt,' zei Redouan afgemeten.

De dagen die volgden brachten telkens iets nieuws in wat de 'Utrechtse terreurzaak' werd genoemd. Een krantenlezer was Bilal nooit geweest, maar nu las hij gretig het *Utrechts Nieuwsblad*, dat dag na dag uitpakte met de zaak. Eerst kwam het nieuws dat justitie het zogenaamde 'terreurgezin' vrij moest laten. Er bleek geen snipper bewijs tegen de vader, de moeder en hun zoon.

'Ik blijf het zeggen,' zei Redouan toen het bekend werd. 'Razzia, razzia, razzia.'

Gelukkig was hij niet de enige die verontwaardigd was over de onterechte arrestatie. De burgemeester van Utrecht stelde samen met veertig Utrechtse Marokkanen een verklaring op waarin ze minister Donner van Justitie duidelijk maakte dat de onterechte arrestatie van drie stadsgenoten stigmatiserend was voor de gehele Marokkaanse gemeenschap. Goed dat dát gezegd werd. Ook op televisie werd – hij had het eerlijk gezegd niet verwacht – veel aandacht besteed aan het leed dat het Utrechtse gezin was aangedaan.

'Misschien dat dit mensen aan het denken zet,' zei Mimoun.

'Man, hoe naïef kun je zijn? Wat denk je zelf? Dat moslimhaters ineens tot inkeer komen?'

Redouan geloofde er dus niks van, maar zelf vond Bilal die gedachte van Mimoun niet zo raar: dit zou toch een moment kunnen zijn dat mensen tot inkeer kwamen, dat ze beseften dat er een hetze gevoerd werd tegen moslims. Zelf is hij zich na 11 september toch ook gaan verdiepen in de islam?

Een paar dagen na de vrijlating van het 'terreurgezin' bleek dat er nóg iemand was opgepakt in dezelfde zaak. Hassan. Die in de krant 'Hassan O.' werd genoemd.

Bilal kende hem uit de moskee. Iedereen die weleens in de moskee kwam kende Hassan. Hij was al iets van dertig, maar het *Utrechts Nieuwsblad* schreef zevenendertig. Dat leek hem onzin, zo oud was Hassan echt niet. Het klopte wel dat hij vaak met jongeren in de moskee praatte, zoals de krant schreef.

Zelf had hij ook avonden achtereen zitten kletsen met Hassan, maar van radicaal gedachtegoed had hij nooit iets gemerkt. Integendeel: de oudere broeder vond dat je je buren goed moest behandelen, juist als die ongelovig waren. Hassan predikte dat je als ware moslim met vreedzaam gedrag het goede voorbeeld moest geven, dat je een pannetje soep moest brengen als je Nederlandse buurman ziek was. En díe Hassan werd door justitie, als hij de krantenberichten moest geloven en de journalisten niet zomaar iets uit hun duim zogen, verdacht van het smokkelen van explosieven van België naar Nederland?

Explosieven die in het huis van die familie in de Bucheliusstraat zouden moeten liggen, maar natuurlijk niet gevonden werden.

'Echt, die Pim Fortuyn had het over demonisering, maar justitie kan er ook wat van,' zei hij tegen Redouan. 'Hassan neerzetten als een terrorist!'

Redouan leek een beetje te balen dat hij Hassan niet persoonlijk kende; misschien dat hij zich met terugwerkende kracht realiseerde dat hij iets vaker naar de moskee had kunnen gaan. 'Ik had ook niet anders verwacht,' zei hij. 'Ik zei toch al dat ze met een razzia bezig zijn?'

De volgende dagen werden nog meer moslims opgepakt; Redouans woorden bleken profetisch. In Kanaleneiland en Overvecht werden invallen gedaan en verschillende mannen gearresteerd. In België werd een man aangehouden die familie zou zijn van het onschuldige gezin uit Tuinwijk, waarmee justitie die familie weer verdacht maakte. Er werd zelfs een AIVD'er van Marokkaanse komaf gearresteerd; Othman ben A. heette die man volgens het *Utrechts Nieuwsblad*.

In de moskee aan het Attleeplantsoen, waar Bilal met hernieuwd enthousiasme naartoe ging, gonsde het van de geruchten. Over de namen van de Utrechtse mannen die opgepakt waren, bestond al snel duidelijkheid: dat waren Rachid, Abdelaziz en Nadir.

Hij kende ze van gezicht, van een vluchtig As Salaam Alei-koem bij het schoenen uittrekken. Ze waren tien, vijftien jaar ouder dan hijzelf, maakten deel uit van een grotere, hechte groep dertigers, maar in tegenstelling tot Hassan trokken ze niet op met jongere moslims.

'Toen het wilde jongens waren, werden ze met rust gelaten, maar nu ze serieus zijn, worden ze aan hun baard getrokken,' zei de oudere bekeerling, met wie Bilal nu bijna elke avond sprak.

Ook anderen in de moskee verbaasden zich erover dat Rachid, Abdelaziz en Nadir juist nu ze het rechte pad bewandelden in-eens gezeik kregen met justitie. Als hij de verhalen in de moskee mocht geloven, stond de harde kern van de groep vroeger be-kend als 'The Pasadenas', omdat ze leken op de leden van een of ander Engels bandje, dat in hun wilde jaren blijkbaar populair was.

Over de reden van hun arrestatie werd druk gespeculeerd. Ze zouden geheime documenten van de AIVD in hun bezit heb-ben gehad, en die hardop hebben voorgelezen in de moskee in Overvecht, zoiets was het, Bilal begreep het niet helemaal, en hij wilde niet te veel doorvragen bij de oudere garde. Hij moest voorkomen dat ze hem gingen wantrouwen, want door die belachelijke arrestatiegolf was het niet vreemd dat mensen voorzichtig werden met wat ze je vertelden, en je argwaan wekte als je te veel vragen stelde.

De razziaperiode leek hem niet het geschikte moment om Fatima haar cadeau te geven. Ze moest nog even wachten, de ramadan was nog lang.

Iedere dinsdag- en donderdagavond, vóór het vakkenvullen, sprak hij haar. Ook zij volgde de 'Utrechtse terreurzaak' op de voet.

'Stel dat je nu al advocate was,' zei hij op een avond. 'Dan zou jij die zogenaamde terreurverdachten waarschijnlijk meteen vrij krijgen.' Hardop uitgesproken klonk het als geslijm, terwijl hij het oprecht meende.

Gelukkig glimlachte ze. 'Dat weet ik niet. Ligt eraan wat voor bewijs er tegen die mannen is, natuurlijk.'

Vanuit de keuken klonk gelach. Zoals vaker eerst van Fatima's moeder, gevolgd door het meisjesgegiebel van haar jongere zusjes. Jamal en zijn vader keken een beetje geïrriteerd op van het Marokkaanse journaal, dat ze meestal nog even meepikten voor ze na het eten terug naar de supermarkt gingen.

'Je denkt toch niet...'

'... dat het echt terroristen zijn? Ik ken ze niet, maar daar ga ik niet van uit, nee. Ze zijn natuurlijk ook gewoon onschuldig tot het tegendeel is bewezen.'

Dat zinnetje kende hij uit Amerikaanse series. Hoelang was het geleden dat hij die keek?

Fatima leek te merken dat zijn gedachten afdwaalden, ze zocht nadrukkelijk zijn ogen. Kom op, hij moest focussen, haar laten zien dat de demonisering van moslims hem ernst was.

'Ik heb het idee dat wat er nu gaande is, een razzia is.'

Fatima opende haar lippen om iets te gaan zeggen, bedacht zich, en stopte een olijf in haar mond. Ze kauwde bedachtzaam, voor ze de pit van de olijf uitspuugde op haar bord, wat niet bij haar paste, dat was meer iets voor Aïcha.

'Stel,' zei ze. 'Stel, dat die opgepakte mannen echt iets van plan waren. Dat het terroristen zijn. Dan is het toch juist goed dat ze opgepakt worden? Dat is dan toch ook beter voor moslims?'

Ze keek hem strak aan, en nam nog een olijf. Na een paar keer kauwen, haalde ze de afgekloven pit van haar tong. Ze legde hem op haar bord, spande haar middelvinger in haar duim, en schoot de pit zijn kant op. Het ding kwam vlak voor zijn bord tot stilstand. Hij keek er een moment naar, verbaasd.

'Ja, ja, natuurlijk,' zei hij snel, maar het kostte hem een avond nadenken om te begrijpen wat ze nu eigenlijk bedoelde.

De ramadan was halverwege. Het was alweer november en in de moskee zong het verhaal rond dat de Marokkaanse AIVD'er, die Othman ben A., verdacht werd van het lekken van staatsgeheimen. De man die betaald kreeg om moslims te bespioneren zou een zwager zijn van Nadir, voormalig Pasadena, nu terreurverdachte.

In het *Utrechts Nieuwsblad* had Bilal al gelezen dat vrienden van Rachid en Abdelaziz beweerden dat die twee broeders ergens aan het eind van de zomer ineens ongevraagd post kregen bezorgd. In de enveloppen (op eentje stond mukhābarāt, het Arabische woord voor 'veiligheidsdienst') vonden ze A4'tjes waarin viel te lezen wat zij en hun vrienden die zomer hadden uitgevroten. Bezoekjes die ze brachten aan vrienden en familie. Boodschappen die ze deden. Een pakketje dat een van hen bij een ander bezorgde. Ze lazen over oude vrienden uit de tijd van The Pasadenas, die inmiddels buiten Nederland een bestaan op probeerden te bouwen, maar daar blijkbaar nog steeds onderwerp van onderzoek waren. En ze verwonderden zich over noties van AIVD-agenten die gefrustreerd raakten van het volgen van de vriendengroep. Want was het vernederend, of hilarisch dat een van hen doodleuk in zijn observaties tikte dat 'al die mannen met baarden ook zo op elkaar lijken', nadat hij moest erkennen dat hij de man die hij volgde was kwijtgeraakt?

Het poststempel op al die ongevraagde brieven was van Nieuwegein. Daar kende de vriendengroep helemaal niemand, benadrukten enkelen van hen in de krant. Zelf vond Bilal het een opwindende gedachte dat die post juist vanuit Nieuwegein was verstuurd. Het sloeg natuurlijk nergens op, maar op de een of andere manier voelde het goed dat moslims gewaarschuwd werden vanuit dat klotegat. Kwam er tenminste nog iets goeds uit Nieuwegein.

De vrienden van de mannen die de observaties in hun brievenbussen vonden, namen het zich met terugwerkende kracht kwalijk dat ze niet met z'n allen naar de politie waren gestapt om de AIVD-rapportages te overhandigen. Hadden ze dat gedaan, dan zat nu niemand vast, want het leek erop dat justitie het hun vooral kwalijk nam dat ze die zogenaamde 'staatsgeheimen' in hun bezit hadden.

In het interview verklaarden de leden van de vriendengroep die nog gewoon op vrije voeten waren, dat ze bij het lezen van de AIVD-stukken het idee kregen dat de geheime dienst ze wilde testen. Zouden ze vluchten, gekke dingen gaan doen?

Alles viel op zijn plek toen hij, voor het gebed, ineens hoorde dat die opgepakte AIVD'er familie van Nadir was. Natuurlijk, die man had zijn zwager en vrienden willen waarschuwen, uiteindelijk was hij – mashallah – toch loyaal aan de ummah!

Na het gebed besprak Bilal de kwestie met de oudere bekeerling. Hij was nieuwsgierig wat de broeder zou vinden van de tot inkeer gekomen Marokkaanse AIVD'er die geloofsgenoten had gewaarschuwd.

'Wie zegt dat hij tot inkeer is gekomen?'

'Nou, hij heeft die observaties toch gestuurd naar vrienden van zijn zwager?'

'Dat zegt justitie.'

Dat was natuurlijk waar, maar het was irritant hoe zijn broeder het zei: alsof hij tegen een klein kind sprak. 'Oké. Maar stel dat het waar is. Dan heeft hij in principe toch het goede gedaan?'

'Het goede? Deed hij het goede toen hij voor de mukhābarāt ging werken?'

Weer dat toontje.

'Dat zeg ik toch niet? Dat is juist mijn punt: hij heeft iets zondigs gedaan. Door voor de mukhābarāt te gaan werken...'

'Je weet wat de straf is voor het bespioneren van moslims?'

Geen idee wat er met zijn broeder aan de hand was vanavond. Hij liet hem niet eens meer uitpraten.

'Onthoofding. Spionnen dienen onthoofd te worden.'

Schichtig keek Bilal om zich heen, zijn nek knakte. Hadden

andere moskeegangers het ook gehoord? Onthoofding als straf voor spioneren... Heel even overwoog hij fijntjes te vragen in welke soera of overlevering die strafmaat precies was vastgelegd, maar hij kon zich beheersen. Vijanden maken was niet handig in tijden van razzia's.

Zwijgend zaten ze tegenover elkaar. Zelf had hij geen zin meer om iets te zeggen. Het viel vanavond toch allemaal verkeerd.

'Weet je, misschien is er een excuus te bedenken,' zei zijn oudere broeder ineens.

'Hoe bedoel je?'

'Een excuus om voor de mukhābarāt te werken...'

Zijn oudere broeder maakte zijn gedachte niet af. Blijkbaar moest hij nieuwsgierig gaan vragen wat dat excuus dan zou moeten zijn. Geen zin in.

Toen hij bleef zwijgen, kreeg hij eindelijk uitleg.

'Als je voor de mukhābarāt gaat werken om daar moedwillig te infiltreren, om zo moslims te beschermen tegen het kwaad, ja, dán is het volgens mij toegestaan. Dan valt het gewoon onder jihad.'

Buiten besloot hij een stukje te gaan wandelen voor hij naar huis zou gaan. In het donker liep hij langs het kanaal. De maan weerspiegelde in het zacht kabbelende water.

Uiteindelijk had hij toch weer een interessant gesprek gehad. Hoe pijnlijk ook, die arrestaties zorgden er wel voor dat je positie moest innemen. Het betekende ook dat je soms nog niet zo goed wist hoe je ergens over dacht. Klopte het bijvoorbeeld dat je bij de AIVD kon gaan werken als het je opzet was de moslims daarmee te beschermen?

Belangrijk was om altijd in het vizier te houden dat je geen fouten kon maken als je je maar aan de wetten en regels van de islam hield. Dat je het juiste pad bewandelde als je zo goed mogelijk in het voetspoor van de profeet Mohammed liep, en dat je als moslim in de eerste volgelingen van de profeet de beste voorbeeldfiguren had die je jezelf kon wensen.

Wat dat betreft was de islam een heel eenvoudige religie. In verschillende soera's had Allah duidelijk gemaakt dat Hij het de moslims met de islam niet moeilijk wilde maken. Hij probeerde soera Al Hajj voor de geest te halen, waarin dat zo prachtig werd verwoord, maar werd afgeleid door een auto die abrupt stopte aan de overkant van het grasveld dat het pad langs het kanaal en de Rooseveltlaan scheidde. De lichten van de auto dempten, en meteen stapte er iemand uit.

Fatima!

Even overwoog hij achter haar aan te lopen, maar hij bedacht zich. Hij staarde naar de auto, die met hoge snelheid de wijk uit reed. Fatima was al uit het zicht verdwenen toen hij weer haar kant opkeek.

Hij vroeg zich af waar ze was geweest, en wie haar afzette – en kreeg daar meteen een rotgevoel van. Want waar ze ook had uit-gehangen, en met wie ze ook was: het zou goed zijn, daar was hij van overtuigd, want Fatima hield afstand van het slechte, en ze hield slechts van het goede, zoals het een waar moslim betaamt.

Hij draaide zich om en staarde in het zwarte water. Waarom zou hij nog langer wachten? Morgen, 2 november, zou hij het cadeau aan haar overhandigen.

Het zou een mooie dag worden. Een perfecte dag.

2015

Bilal

Telkens weer bekijkt hij de beelden. Ze staan op *repeat*, hij kan er geen genoeg van krijgen. Hoe broeder Amedy Coulibaly (ook een terugkeerling als hij de media voor één keer kan geloven) zonder enige vrees die joodse zionistensupermarkt uit komt rennen: prachtig gewoon. Geen enkele angst lijkt hij te hebben, want hij weet wat hem wacht: *Djenna*, het paradijs. O, dat Allah hem rijkelijk moge belonen!

Bilal tikt op de spatiebalk van de MacBook Pro. Tevreden wrijft hij over zijn buik, die met Samirs hulp de afgelopen maanden flink in omvang is geslonken, en vraagt zich af of Bouchra al slaapt. Even overweegt hij de slaapkamer in te lopen om het te checken, maar voor hij er erg in heeft, drukt hij op de *play*-knop en begint het YouTubefilmpje voor de zoveelste keer te spelen.

Hij vergroot het scherm en probeert de gezichtsuitdrukking van Amedy te lezen. Op internet kwam hij eerder vandaag kwetsende opmerkingen tegen over zijn broeder. Zogenaamde grappen, zoals die fundamentalisten van Charlie Hebdo zogenaamd satire bedreven. Broeder Amedy was nog niet afgeslacht of de islamofobe ratten kwamen al uit de riolen van Twitter en Facebook gekropen om kwetsende opmerkingen te maken over de tweeënzeventig maagden die de heldhaftige broeder zouden verwelkomen in het paradijs.

Venijnig tikt hij opnieuw op de spatiebalk van de laptop. Trekt de oortjes uit zijn oren. Ze weten niet wat ze te wachten staat, die lui met die grote bekken. Ze komen allemaal aan de beurt, is het niet hier en nu, dan wel in *jahannam*, waar ze eeuwig zullen branden als straf voor het beschimpen en belachelijk maken van moedige broeders als Amedy Coulibaly.

Hij staat op uit zijn bureaustoel, loopt naar de keuken, en opent de voorraadkast. Bouchra heeft de zak Doritos blijkbaar eerder vanavond geopend. De afspraak is dat ze samen één zak chips per week delen. Niet dat zij het niet kan hebben. Ze doet mee uit respect voor hem, voor zijn strijd tegen de kilo's. Geïrriteerd dat ze hem niet heeft verteld dat ze vanavond zin in chips had opent hij de zak. Graait, maar bedenkt zich. Hij wil sterk zijn. Bovendien, als hij niet toegeeft, kan hij morgen Bouchra voorstellen samen chips te eten. Benieuwd hoe ze dan reageert. Hopelijk beseft ze dat ze een fout heeft begaan door niet met hem te overleggen.

Bilal gaat weer zitten. Het beeld van de computer is op zwart gegaan sinds hij even wegliep. Tevreden kijkt hij naar de weerspiegeling in het beeldscherm. Hij ziet er goed uit. Mannelijker, zonder al dat vet. Hij is ook sterker geworden, letterlijk en figuurlijk. Spieren heeft hij gekweekt, maar vooral ook wilskracht. Het is goed dat hij die Doritos heeft weerstaan. Dat had hij in het verleden niet gekund.

Misschien moet hij het Bouchra niet al te zeer kwalijk nemen. Eerder vanavond kwam ze even de studeerkamer binnen. Ook zij was gefascineerd door de prachtige gebeurtenissen in Parijs. Haar belangstelling ging niet zozeer uit naar Amedy Coulibaly en de broers Kouachi. Gelukkig niet, het is ongezond als een vrouw bijzondere belangstelling zou opvatten voor de mannelijke helden van Parijs. Tuurlijk, vrouwen dienen de heldhaftige martelaars te prijzen, en het kan ook geen kwaad om *dua* te doen en Allah te vragen de mannen het hoogste te schenken in het paradijs, maar verder moet het allemaal niet gaan. Het zijn geen filmsterren, hoewel de Franse broeders zich de afgelopen drie dagen hadden gedragen alsof ze in een actiefilm meespeelden.

Maar Bouchra was dus vooral gefascineerd door Hayat Boumeddiene, de enige vrouwelijke Parijse verdachte. Ze vroeg hem zo veel mogelijk informatie op Google over de echtgenote van Amedy Coulibaly op te zoeken. Samen lazen ze op Nederlandse, Engelse en Franse websites alles wat ze konden vinden over de zesentwintigjarige vrouw. Informatie over haar was schaars. Het was ook niet honderd procent zeker dat ze had meegewerkt aan de gijzeling in die zionistensupermarkt. Ze was in ieder geval niet gearresteerd of doodgeschoten – alhamdoelillah.

Toen ze alles wat ze konden vinden over zuster Hayat hadden gelezen, keken ze samen langdurig naar de ongesluierde foto van haar die de politie verspreidde, zodat iedere kuffar haar schoonheid kon zien. Ze keek een beetje loom in de camera, haar haren leken niet goed gekamd; misschien kwam ze net uit bed.

Bouchra vroeg zich af wie de foto had genomen. Was het een politiefoto? Of had broeder Amedy de foto gemaakt? Hoe kwam-ie dan zo snel in handen van de politie? En als de broeder de foto maakte, wat was dan daarvan het doel geweest, waarom was ze ongesluierd?

'Vind je het een mooie vrouw?' vroeg ze zoetjes, toen hij geen antwoord gaf op haar vragen.

Hij bleef staren naar de foto van de zuster. Fatima had dezelfde oogopslag. Zelfs de lippen van de vrouw van broeder Amedy deden hem aan de zus van Jamal denken – hoewel háár lippen minder rossig waren. En Fatima had natuurlijk een enorme bos krullen, terwijl zuster Hayat…

Bouchra keek hem vragend aan. Toen hij bleef zwijgen, gaf ze zelf maar antwoord.

'Ik vind het een mooie vrouw.'

Hij keek haar aan, zonder te weten wat te zeggen. Het was alsof Bouchra het over Fatima had, dat ze Fatima prees.

Snel daarna verliet Bouchra zijn studeerkamer; ze moet hebben gemerkt dat hij in gedachten verzonken was.

Nu ze weg is, kan hij naar de foto op zijn scherm kijken zonder aan Fatima te denken. Hij beseft dat zijn vrouw slechts Hayat Boumeddiene prees. Dat ze met die opmerking over haar schoonheid, duidelijk wilde maken dat het een prachtige zuster is, iemand die navolging verdient vanwege haar onverschrokkenheid. Straks gaat hij het goedmaken met Bouchra, neemt hij zich voor. Ja, hij gaat het goedmaken.

Op Google News tikt hij de namen in van Chérif en Saïd Kouachi. Het aantal nieuwsberichten is inmiddels ontelbaar. Willekeurig klikt hij artikelen aan, maar veel meer komt hij niet te weten: alle nieuwssites putten uit dezelfde islamofobe vaatjes. De media doen er alles aan om de moedige broeders te demoniseren. Want natuurlijk wordt breed uitgemeten dat ze crimineel zouden zijn geweest, dat ze drugs zouden hebben gebruikt en verhandeld, en diefstallen zouden hebben gepleegd.

Hoe cliché! Elke keer als een broeder, waar ook ter wereld, werd opgepakt braakten journalisten dat soort verhalen uit. Nadat sjeik Osama bin Laden – moge Allah hem geven wat hij verdient – genadeloos werd geliquideerd, logen ze zelfs dat hij in zijn Pakistaanse onderkomen een omvangrijke collectie porno had liggen. Porno! Echt verbazingwekkend is het niet eens, want in de aanloop naar het proces tegen broeder Mohammed Bouyeri werden ook al leugens verspreid – ook hij zou porno hebben gedownload.

Hoe verzinnen die journalisten het? Kennen ze geen schaamte? Denken ze overal mee weg te komen? Kennelijk wel, want onlangs nog was een journalist van *Trouw* ontslagen nadat uitkwam dat hij jarenlang onzinverhalen uit zijn dikke Hindoestaanse duim had gezogen. Goed natuurlijk, dat die gast die het leven van Haagse broeders zo zuur maakte uiteindelijk was ontslagen, maar die Hindoe had ondertussen wel jaren lang zijn gang kunnen gaan. Met dank aan de islamofobie, die in Nederland voortwoekert als kanker in een kinderlichaam.

De namen van Chérif en Saïd Kouachi staan nog steeds boven aan in het zoekscherm. Hij klikt op 'Afbeeldingen' en scrolt langs tientallen, grotendeels dezelfde, foto's. Wat een helden! Twee broers – zíjn broeders – hielden samen achtentachtigduizend politiemensen en militairen bezig, een paar dagen lang. Het is precies zoals al in de Koran beschreven staat: een minderheid van moslims kan een enorme meerderheid van kuffar bestrijden, en ja, zelfs overwinnen. Dát is wat de aanslag op Charlie Hebdo aantoonde: als Allah subḥānahu wa ta'ala plannen met je heeft, dan ben je tot alles in staat.

23:45, leest hij in de rechterbovenhoek van de laptop. Vrijdagavond 9 januari: een gedenkwaardige dag, een dag waarop drie martelaren hun verdiende loon krijgen in het paradijs. 'Moge Allah hen rijkelijk belonen,' zegt hij plechtig, voordat hij de laptop dicht klapt.

Hij staat op, en trekt zijn dishdasha uit. Op zijn wollen sokken betreedt hij zachtjes de slaapkamer, waar hij zijn boxer van zijn lichaam stroopt. Hij slaat het dekbed open, en knielt neer op het matras op de vloer. Even aarzelt hij, maar dan trekt hij het dekbed over zich heen. Hij voelt meteen de warmte die Bouchra verspreidt.

Op zijn rug overdenkt hij de afgelopen dagen. Veel aandacht heeft hij zijn vrouw niet gegeven. Dat is begrijpelijk. Maar juist is het niet. Hij heeft ook iets goed te maken voor eerder vanavond.

Zonder erbij na te denken, begint hij zachtjes zijn penis te masseren. Het duurt niet lang voor hij hard is. Hij draait zich op zijn zij, en legt zijn rechterhand op de linkerborst van Bouchra. Voorzichtig wrijft hij over haar tepel, die al snel stijf wordt. Ze gromt iets, het klinkt dierachtig, een aanmoediging waarschijnlijk. Hij wrijft nu ook over haar andere tepel, ze ligt op haar rug.

'Ik ben moe, Bilal,' zegt ze ineens kraakhelder, voordat ze zich op haar zij werpt, haar billen naar hem gekeerd.

Hij strijkt met zijn linkerhand vanaf zijn slapen tot zijn kin door zijn volle baard. Zijn andere arm slaat hij om Bouchra heen. Voorzichtig wringt hij haar nachtjapon omhoog voordat hij – ruw nu – haar zijden slipje naar beneden trekt.

'Bilal,' sist ze. 'Wat zég ik nou?'

Maar hij luistert niet, duikt onder het dekbed, en trekt het slipje verder naar beneden. Nadat hij hem over haar tenen heeft gewurmd, gooit hij hem in de hoek van de slaapkamer.

Met zijn hoofd weer op het kussen steekt hij zijn middelvinger in zijn mond, en bevochtigt hem. Hij draait zich om, en zonder iets te zeggen duwt hij zijn natgesabbelde vinger tussen de benen van Bouchra.

Ze kreunt. 'Bilal...'

Als hij meteen daarna op haar kruipt, zegt hij, haar recht in de ogen kijkend: 'Jullie vrouwen zijn als akkers voor jullie, komt dan tot jullie akkers zoals jullie wensen. Soera 2:223.'

Mo

Op weg naar het toilet ziet hij ineens iemand voor zijn voordeur staan. Nee, hij is niet gek: in de rechthoekige ruit van zijn deur ziet hij overduidelijk de contouren van een – wat is het? Een man? Een vrouw?

Hij knielt neer, en zet zijn bijna lege *pint*-glas op de houten vloer in de gang. Spiedend naar het silhouet in de ruit van de voordeur overweegt hij naar het toilet te kruipen, te tijgeren, want zijn blaas staat op springen, en hij is bang dat hij zichzelf zal bevlekken als hij nog langer wacht. Maar hij vreest dat de koude vloer de aandrang alleen maar zal versterken.

Dan heeft hij een beter plan. Hij sjort zijn lul uit zijn Denham en pist zijn glas vol. Net op het moment dat hij vreest dat het glas niet groot genoeg is om al het vocht uit zijn blaas te herbergen, voelt hij ineens de opluchting, het gevoel dat hij uitgepist is, dat er niets meer komt. Het is een wonder.

Maar er staat nog steeds iemand voor de deur. Wie is dat verdomme? Het is niet dat hij de afgelopen maanden bezoek heeft gehad. Wanneer heeft hij hier voor het laatst iemand over de vloer gehad?

Hij propt zijn lul in zijn boxer, knoopt zijn spijkerbroek dicht, en staat behoedzaam op.

Met een hand al op de deurklink beseft hij plotseling dat de muziek nogal hard staat. Hij loopt de woonkamer in en draait de volumeknop van zijn Tivoli Audio-set driftig naar nul.

Als hij de deur uiteindelijk open doet ziet hij dat het Jorinde is, van beneden. Kroezend krulhaar, boven haar witte gezicht.

Ze staat al op de trap, op weg naar haar eigen verdieping, als hij zijn voordeur opentrekt.

'Jorinde,' zegt hij. 'Wat is er?'

Ze draait zich om. Schudt bozig haar hoofd, en daalt de trap verder af, haar rug naar hem toe.

Hij loopt achter haar aan. Ziet dat ze geen schoenen aan heeft. 'Jorinde?'

Ze draait zich nogmaals om. Haar zijden kamerjas valt een beetje open. 'Jezus, Mo. Kun je niet een béétje rekening houden met anderen?'

Hij haalt zijn schouders op. Geen idee waar ze het over heeft. Zijn geheugen is een zeef.

'Die muziek. Kan dat niet wat zachter?'

'Ja, ja, sorry,' zegt hij, en hij meent het, hij wil geen overlast veroorzaken, echt niet.

Ze trekt haar mondhoeken naar beneden, en daalt verder af.

Hij loopt in de richting van het trapportaal, maar weet niet wat hij moet zeggen. Shit nee, hij weet niet wat hij zeggen moet om het goed te maken.

Als hij naar zijn voordeur loopt hoort hij weer haar stem. 'Echt Mo, ik begrijp heus wel dat het kut is om ineens werkloos te zijn, maar ík moet verdomme morgen wél gewoon werken, ja?'

Weer binnen schopt hij het vol gezeken glas om. Zijn pis trekt niet het hout in, zoals hij verwacht, maar blijft, hoe zeg je dat, netjes liggen, in een plasje. Hij pakt een pleerol uit het toilet, en gaat op zijn knieën met grote plukken papier de plas te lijf. Als hij klaar is moet hij alweer pissen.

Het pint-glas zet hij in de afwasmachine, waar hij een wijnglas uitpakt. Hij houdt het tegen het licht, en loopt ermee naar de koelkast.

'Wijn na bier geeft plezier,' mompelt hij voordat hij gaat zitten in zijn Eames. Fles op het tafeltje naast hem, poten op het voetenbankje: hij zit weer. Als je doorzitplekken kunt krijgen, dan heeft hij een probleem, want de afgelopen maanden hangt hij hele dagen in deze stoel. Hij staat alleen maar op om drank te halen, af en toe de deur te openen voor de voedselkoerier, en om te pissen. Slapen doet hij nauwelijks, af en toe een tukje in de stoel. Het lukt hem niet om zichzelf naar zijn bed te slepen. Te moe, te dronken, te bang voor wat hij zal dromen als hij slaapt.

Het is een teringzooi in zijn woonkamer, dat ziet hij zelf ook wel. Leeg gevreten pizzadozen, styrofoam* bakjes met snippers shoarma en kebab, kapot geknepen pakjes Marlboro, opgezopen flessen wijn en halve liter blikken bier: als je niet beter wist zou je kunnen denken dat het de overblijfselen zijn van een groot feest.

Verdomme, waarom heeft hij zich zó misdragen op dat door Van Gierst georganiseerde feestje? Het eerste weekend na 2 november was het. Een week lang liep zijn chef al glimmend rond alsof hij een of andere heldendaad had verricht. Tijdens de vergadering op donderdag kwam hij er ineens mee.

'Mannen, wat ik nu ga vertellen moet binnenskamers blijven,' zei hij samenzweerderig.

Niet begrijpend keken ze Van Gierst aan. Was het succes van 2 november 2014 – géén aanslag tien jaar na dato, *joehoe!* – hem naar het hoofd gestegen? Wat hij ging vertellen moest 'binnenskamers blijven'? Alles wat in Zoetermeer werd gezegd, was toch niet voor de buitenwereld bestemd? Waar hád die gek het in hemelsnaam over?

Onverstoorbaar ging Van Gierst verder, op hetzelfde kleutertoontje. 'Dit mag absoluut niet uitlekken, ook niet naar andere afdelingen. Het is, zeg maar, top secret. We gaan er vreselijk gezeik mee krijgen als dit bekend wordt. Vooral ik natuurlijk, maar het zal ook jullie niet in dank afgenomen worden.'

'Waar heb je het over? Kom ter zake, man,' bromde Barry, die steeds minder geduld kon opbrengen voor zijn chef.

'Oké, oké, zolang maar duidelijk is dat wat ik ga vertellen alleen voor de oren in deze ruimte is bestemd.'

Het hoge woord kwam er eindelijk uit. Van Gierst bleek een

kroegje te hebben afgehuurd om te vieren dat er tien jaar na de slachtpartij in de Linaeusstraat geen nieuwe aanslag was gepleegd. En de *sick fuck* dacht blijkbaar dat het smaakvol was om dat nota bene in diezelfde Linnaeusstraat te doen – of had hij die kroeg daar, zoals hijzelf beweerde, écht afgehuurd 'omdat het zo lekker dicht bij hem in de buurt was en hij voor het eerst in jaren zin had om weer eens stomdronken te worden'?

Nog tijdens de vergadering had hij het besluit genomen: hij zou lekker thuis blijven. Een feestje bouwen omdat er géén aanslag was gepleegd? Dat Van Gierst wilde dat het niet uit zou lekken begreep hij wel, want het was volslagen ongepast, misschien wel net zo smakeloos als die feestjes die een paar doorgedraaide Bouyeri-groupies jaarlijks op 2 november hielden om te vieren dat Van Gogh, *hiephoi*, alweer een jaartje langer dood was.

Maar hij had nog een betere reden om thuis te blijven. Na het ontslag van Johan kon hij het niet maken om feest te gaan vieren. Ja, natuurlijk voelde hij zich schuldig. Hij wás schuldig, verdomme. En niet alleen aan moord. Als hij die Abou Issa niet dood had getrapt, had niemand ooit gemerkt dat Johan in bed lag te meuren op het moment dat hij geacht werd die gast te observeren.

En natuurlijk voelde hij zich extra schuldig omdat hij Johan na zijn ontslag nooit had gebeld, niet een keertje was langs gegaan. Hij had zijn vriend in de steek gelaten. Te bang dat Johan iets aan hem zou zien, dat hij het op zou biechten, en daarmee een vriend zou verliezen. Maar ook zonder langs te gaan had hij een vriend verloren. Voor zijn gedrag bestond maar één woord: laf.

Met dat klotegevoel in zijn lijf ging hij uiteindelijk toch naar Café Ruk en Pluk. Om zich af te reageren? Om – gratis – nóg zatter te worden? Hoe dan ook: het liep daar al snel uit de hand.

Bij binnenkomst botste hij meteen tegen El Kaddouri op. Dat Youssef er was, was vreemd, want hij maakte al enige tijd geen deel meer uit van het clubje van Van Gierst. Maanden geleden was hij onverwachts overgeplaatst naar een ander team, of hij gaf zelf leiding aan dat team, het was allemaal nogal vaag. Het interesseerde Mo ook niet echt, hij was vooral blij dat hij dat gladgestreken bruidspak in vergaderingen niet meer onder ogen hoefde te komen.

Wat hij wel begreep: dat er geen onmin heerste tussen Van Gierst en zijn *star pupil*, want ze zaten nog vaker dan voorheen samen te smoezen achter de gesloten deur van de man die dacht dat Mohammed Bouyeri fatwa's gaf door een paar keer zijn bebaarde bakkes op en neer te bewegen.

'Wat de fuck doe jij hier?' vroeg hij El Kaddouri. Hij was al niet geheel nuchter meer. Ingedronken, thuis. Urenlang. Had hij misschien niet moeten doen, nee.

'Chill, Mohammed, chill,' zei de slijmbal. 'Ik was toch ook lange tijd lid van het team?'

Het had op dat moment al kunnen gebeuren, vanwege dat 'Mohammed'. Maar op de een of andere manier kon hij zich nog inhouden – was het omdat hij nog niet kneiterlam was, of hield iets anders hem tegen? Hoe dan ook: hij liep weg. Maar hij hoorde, ondanks de luide muziek in het volkscafé, nog wel hoe El Kaddouri hem milder probeerde te stemmen.

'Laten we vanavond niet kinderachtig doen, en met z'n allen genieten van het succes.'

Missie mislukt. Want natuurlijk stemde hem dat niet milder.

Succes?

Johan.

Ontslagen.

Zijn schuld.

Vanaf dat moment ging het snel. Hij praatte even met Barry en Nick, maar het gesprek kon hem niet echt boeien, en zijn ogen bleven zoeken naar Van Gierst. Normaal bleef hij zoveel mogelijk uit zijn buurt, maar op het door hem georganiseerde fuifje had Mo een ongelofelijke aandrang om met hem te spreken.

Of beter: om hem te schofferen.

Heel precies kan hij het zich niet meer herinneren, maar heel chique was het allemaal niet wat hij zijn chef toeblafte toen hij met een gin-tonic in de hand (de baas betaalde!) naast hem aan de bar ging staan. De sarcastische opmerkingen die hij maakte trok Van Gierst nog wel. Hij reageerde zoals hij altijd reageerde op sarcasme. Nou, nou, tut tut, mag het misschien iets minder scherp, Mohammed?

Maar daar had Mohammed die avond dus weinig zin in, daar had Mohammed helemaal geen zin in, néé, Mohammed had eventjes he-le-maal geen zin om tien jaar en een paar dagen na de moord op Van Gogh, een halve straat verderop, zijn mond te laten snoeren, zei hij tegen de man die hem jaren eerder binnenhaalde als de heilige graal. Dat was inmiddels allemaal veranderd. Hij werd tegenwoordig gezien als een lastpak, erger nog: een cynicus. Van Gierst had een nieuw liefje, El Kaddouri, die op het rumoer aan de bar was afgekomen. Had-ie beter niet kunnen doen.

'Hoe is het eigenlijk met Yasmina?'

Argwaan in de ogen van El Kaddouri.

'Is ze in bed net zo ambitieus als daarbuiten?'

El Kaddouri bleef verrassend kalm. 'Je bent dronken. Ga naar huis, man.'

'Klopt. Dat ik dronken ben. Maar nee, ik ga nog niet naar huis, man.' Hij stak beide armen juichend in de lucht, het restje gin-tonic over hen drieën heen strooiend. 'Het is feest,' riep hij. 'En, *hell no, I'm no partypooper!*'

'Youssef heeft gelijk, Mohammed. Het is misschien beter als je naar huis gaat.'

'Stuur je me nou echt weg van je eigen feestje? Het is toch niet omdat ik te dure drankjes drink, ouwe knieperd?' Bij die laatste woorden nam hij de rechterwang van zijn chef tussen zijn duim en wijsvinger, waarna het echt uit de hand was gelopen.

Eerst nog verbaal. Geen idee waarom hij het daarbij vooral

voorzien had op de vrouw van Van Gierst. Hij had dat hele wijf nog nooit gezien, en ze had hem dus niets misdaan. Hoe dan ook: ze kreeg de volle laag. El Kaddouri meende het voor de vrouw van de baas op te moeten nemen. Heel nobel, natuurlijk, maar zoveel opportunisme was zó om te kotsen dat hij het niet langer kon opbrengen om bij hem in de buurt te zijn.

Hij liep weg, op zoek naar Nick en Barry. Die waren inmiddels verkast naar de zijkant van de bar. Om daar te komen, moest hij weer terug, langs El Kaddouri en Van Gierst.

Bij het passeren van het hielenlikkertje gebeurde het. Hij hoorde hoe zijn achternaam werd gefluisterd. Hij was dronken, maar niet doof, nee, overduidelijk zei El Kaddouri het, voor één keer had hij zijn bombastische gebral ingeruild voor gesmiespel. 'El Amrani' klonk het zachtjes, hij mocht het natuurlijk niet horen. En het leek wel alsof er door het uitspreken van zijn naam een ontsteking werd geactiveerd, want zonder na te denken draaide hij zich om, pakte hij El Kaddouri bij zijn schouders, keek hem een paar seconden diep in zijn gluipogen, registreerde tevreden de verbazing, en knalde vervolgens zijn voorhoofd zo hard als hij kon tegen de hersenpan van het weekdier.

Hij schenkt zichzelf nog eens bij, de bodem van de fles is al weer bijna bereikt. Zijn blik blijft hangen op het groene lichtje van zijn audiosysteem. Even overweegt hij zijn cd-speler uit te zetten, maar hij heeft er de kracht niet voor.

Dat die Jorinde denkt dat hij werkloos is, kan hij haar niet kwalijk nemen. Hij zit al maanden thuis. Maar werkloos is hij niet. Johan wel. Van Gierst kon Mo er niet uittrappen, bang als hij was dat dan uit zou komen dat hij zonder zijn leidinggevenden op de hoogte te stellen een feestje organiseerde om te vieren dat er op 2 november 2014 helemaal niks nada niente was gebeurd. Johan kon hij na al die jaren zonder probleem afdanken, omdat hij niet op zijn post was toen een potentiële terrorist op straat werd doodgetrapt. Mo werd na die kopstoot alleen geschorst. Officiële reden: disfunctioneren vanwege drankmisbruik. Wat welbeschouwd nog klopt ook.

Hij bedenkt hoe fucked up het allemaal is. Hij trapt iemand dood. Daardoor wordt Johan ontslagen. Een kleine week na 2 november wordt een feestje gevierd omdat er géén aanslag is gepleegd, misschien wel omdat die Abou Issa dankzij hem het martelaarschap al eerder bereikte. Als dat zo is, bewees hij Van Gierst een dienst. En nu zit hij thuis omdat hij op het feestje (dat misschien, je weet het niet, nota bene aan hemzelf te danken is) zijn chef én de vrouw van zijn chef tot op het bot beledigde en een collega een kopstoot gaf. Fucked up, *indeedy*.

Enige winst: El Kaddouri en Van Gierst waren niet meer on speaking terms, als hij Nick tenminste moet geloven, die hem een paar dagen na zijn schorsing als enige van de club belde. Zelfs Barry liet niets van zich horen. Wat hij hem niet verwijt. Hij heeft zelf toch ook niet de moeite genomen Johan een keer te bellen?

'Nou, Mo, je hebt het voor elkaar. Je hebt de tortelduifjes uit elkaar gedreven,' schmierde Nick. En noem hem een kinderachtige klootzak, maar nu, alweer ruim twee maanden later geeft dat hem nog steeds een goed gevoel.

Hij steekt een nieuwe sigaret op en denkt aan de tijd dat hij begon, na zijn terugkeer uit Engeland. Hoe eager was hij toen? Fantastisch vond hij het die eerste maanden, misschien wel de eerste paar jaar. Ze vonden hém ook fantastisch bij De Dienst. En dat was hij ook, het heeft geen zin daar bescheiden over te doen. In die tijd lukte alles. Meer, meer, méér Marokkanen was destijds het adagium bij de AIVD, maar geen enkele Mocro was zo goed als hij.

Hij liet zijn baard staan, en infiltreerde netwerken die hij vleugellam maakte door iedereen met satanische plezier tegen elkaar op te zetten. Hij zorgde er eigenhandig voor dat een paar potentieel staatsgevaarlijke *lone wolves* tamme schapen werden door ze aan een gewillig chickie te koppelen. Hij deradicaliseerde een imam door hem na het vrijdaggebed zachtjes toe te fluisteren dat hij wist wat hij op zijn zondagavonden in het park uitvrat met jongetjes.

Hij was goed in die tijd. Elke missie die hij toebedeeld kreeg slaagde.

De rechtbank was een ander verhaal. Nooit was de bewijslast afdoende. Altijd hadden ze wat te zeiken, die rechters. Elke boerenlul kon zien dat iemand tot zijn nek in de radicale shit zat, dat iemand opgesloten moest worden, maar toch wisten die rechters elke keer weer iets te vinden wat in het voordeel van de verdachte pleitte. Sterker: wat hem zogenaamd onschuldig maakte. Als het aan die wereldvreemde rechters lag, was een terrorist pas schuldig als hij tijdens voorbereidingshandelingen in het bijzijn van een dozijn getuigen een contractje opstelde waarin hij onder ede verklaarde (inderdaad, meneer de rechter) een aanslag voor te bereiden. Alleen dan kon zoiets wettig en overtuigend bewezen worden.

Hij ging bewijs aandikken. Wat kon hij anders? Bij het OM geloofden ze nog steeds in de zaken die ze dankzij hem konden voorbrengen. Maar ze gingen steeds vaker nat. Dus verzon hij een tap die niet bestond, desnoods sprak hij 'm zelf in. Hij signaleerde mensen waar ze nooit waren geweest, niemand die het ooit controleerde. Hoorde allemaal niet, natuurlijk, maar was het in het belang van het land om creeps voor de rechter te krijgen, of niet? Nou dan.

Ook die strategie werkte niet. Niet echt. Een enkele keer kwam hij ermee weg, en werd iemand veroordeeld met nepbewijs. Echt lange straffen leverde het niet op, maar zo'n Abou of zo'n geradicaliseerd chickie (daar waren er steeds meer van) was even van de straat, waardoor het wat rustiger werd aan het front. Constructief was het niet echt, dat besefte hijzelf als geen ander.

De desinteresse trad in. Waarom zou hij nog zijn best doen?

Dat was wel wat Van Gierst van hen verwachtte: dat ze met z'n allen in de aanloop naar 2/11/14 hun stinkende best zouden doen. Wat dat betreft kon zijn chef niet over hem klagen. Yep, misschien had hij wel een aanslag voorkomen door die Abou Issa dood te schoppen. Maar de kans was even groot dat hij een onschuldig mens had vermoord.

Nog een sigaret. Van slapen zal vanavond weer niets komen. Onder de Eames zoekt hij naar de afstandsbediening van de televisie. Als hij 'm eenmaal gevonden heeft, zapt hij naar een herhaling van het journaal. Niet dat het nieuws hem interesseert, wat er de afgelopen maanden gebeurde, is voor hem één groot zwart gat. Maar op dit uur is het enige alternatief kijken naar nagesynchroniseerde webcammeisjes die hem halfnaakt en in quasigeile bewoordingen proberen te verleiden.

Hij ziet op het journaal een demonstratie van wereldleiders, hij herkent er een paar. Geen idee waartegen ze demonstreren. Spandoeken dragen ze niet, dat past niet bij hun status. Spandoeken zijn voor gewone mensen, voor de paar mensen die nog niet moegedemonstreerd zijn, het slinkende legertje mensen dat nog denkt dat het zin heeft, de straat opgaan om ergens je stem tegen te verheffen.

Of is het een begrafenis? Ja, dat is waarschijnlijker. Maar wie is er zo belangrijk dat al die wereldleiders daarop af komen? Om wiens dood treuren al die bobo's?

Er schiet één naam door zijn kop.

Maar dan ziet hij dat Mark Rutte niet voorop loopt. Hij is door de mensen die erover gaan op de tweede rij gezet, te midden van een aantal Arabieren, die *keffiyeh* dragen, en vreemd genoeg stelt die tweederangs rol voor Rutte hem een beetje gerust.

Bilal

Tevreden kijkt hij op zijn Nike-sporthorloge. Nooit eerder liep hij de afstand tussen de twee bruggen zó snel. Ook het aantal calorieën dat hij tot nu toe verbrandde bevalt hem. Maar hij is nog niet klaar. Na een korte cooling down gaat hij door, hij wil nóg een stuk rennen. Nooit gedacht dat hij verslaafd zou raken aan hardlopen, maar hij zal het niet ontkennen: hij kan niet meer zonder.

Toen hij vorig jaar met Samir begon, had hij nooit gedacht dat hij zonder hulp van een *personal trainer* de discipline op kon brengen om al 's ochtends vroeg in het donker aan de slag te gaan. Natuurlijk, hij wist waarvoor hij het deed. Hij had een duidelijk doel, en dat doel vereiste een fit lichaam, anders maakte hij geen schijn van kans. Zonder zijn plannen met hen te delen, zei hij herhaaldelijk tegen zijn broeders dat het een fluitje van een cent is om die geblondeerde mafkees af te maken, mits je bereid bent daarvoor te sterven, en martelaar te worden. En dat gelooft hij nog altijd. Maar je moet wel superfit zijn om het niet meteen af te leggen tegen de zwaarbewapende beveiligers van het zionistenschoothondje, anders word je omgelegd voordat je hem zijn verdiende loon kan bezorgen voor al die jaren van oorlog voeren tegen de islam.

Helemaal zeker weet hij het niet, waarschijnlijk beloont Allah subḥānahu wa taʻala je voor je intentie, maar hij was niet graag de boeken in gegaan als de moedige moslim die martelaar werd in een poging die man te vermoorden. Hardop zal hij het niet snel zeggen, maar dat zou toch een deceptie zijn. Alsof je net naast de gouden medaille grijpt in de belangrijkste wedstrijd van je leven.

Sporten heeft hem écht veranderd. Hij stopt zijn handen in de zakken van zijn nieuwe sportjack, en bevoelt zijn buik. Zijn zwaar geslonken buik. Op zijn zevenentwintigste is hij fitter dan ooit. Achttien kilo is hij al kwijt, met een beetje geluk duikt hij nog deze week onder de honderd.

Geluk? Nee, discipline. Dát heeft hem gebracht waar hij nu is. Allah beloonde hem met het mooiste geschenk dat hij tot nu toe in het wereldse heeft mogen ontvangen: Bouchra, zijn prachtige vrouw.

Welbeschouwd kent hij haar al jaren. Maar hij had natuurlijk nooit kunnen bevroeden dat hij ooit het zusje van Redouan zou huwen. Zou ook raar geweest zijn, want hoe oud was ze toen hij haar broer leerde kennen op Abstede? Iets van acht, negen misschien?

Toen hij nog met Redouan omging, kwam hij af en toe over de vloer bij de familie Talhaoui. De vader van Redouan had een theehuis, waar hij tot laat in de avond werkte. Ook de moeder van Bouchra had een baan; ze was kleuterleidster op een inmiddels opgedoekte school. Misschien dat ze door hun drukke bestaan slechts twee kinderen kregen, en misschien dat hun focus op hun carrières en wereldse zaken wel het grote leeftijdsverschil tussen Redouan en Bouchra verklaart.

Als klein meisje vond hij Bouchra grappig. Ze was enorm nieuwsgierig, en stelde hem, als hij langs kwam, de ene na de andere vraag. Ook had ze er een handje van om alles wat Redouan of hij vertelde in twijfel te trekken, ook al waren zij jaren ouder.

'Waaromwaarom?' was haar stopwoordje.

Om eerlijk te zijn herinnert hij zich dat waarschijnlijk alleen omdat hij haar, jaren nadat hij haar voor het laatst zag, ineens tegenkwam op internet. Eerst in een artikel op de site van RTV Utrecht, een paar maanden terug. Op de website van de regionale omroep las hij dat Bouchra Talhaoui 'uit Kanaleneiland' was geschorst, omdat ze aan het begin van het nieuwe schooljaar ineens in een niqab verscheen op haar middelbare school. De rector van het Stedelijk Gymnasium claimde dat 'ze het volste recht had in een thuissituatie te dragen wat ze wilde, maar dat daar op school geen sprake van kon zijn'. De islamofobe huichelaar verschool zich achter de veelgebruikte drogreden dat in een klaslokaal 'ook non-verbale communicatie essentieel is', alsof het ook maar iets uitmaakt hoe je kijkt als je het juiste antwoord geeft op een vraag van je leraar.

Nog laffer was het van die rector om de medeleerlingen van Bouchra de schuld in de schoenen te schuiven. 'Haar klasgenoten vinden haar verschijning beangstigend, en begrijpen niet waarom het bijvoorbeeld nodig is om in een klaslokaal behalve gezichtsbedekkende kleding ook nog eens zwarte handschoenen te dragen.'

Dat de man écht niet deugde, bleek wel uit het feit dat hij schijnheilig beweerde dat 'het de zwaarste beslissing in zijn werkzame leven was' om Bouchra 'nota bene in haar eindexamenjaar voor het vwo' te schorsen, zolang ze de niqab droeg.

Het nieuws werd niet opgepikt door de grote nieuwssites. Zelfs GeenStijl vond het kennelijk niet interessant genoeg, want ook op die rioolsite bleef het stil. Op Facebook en Twitter ging het wel los, er werd enorm veel over Bouchra gepost en getweet. Ze werd bewonderd én beschimpt. En als hij het voor zichzelf probeert te reconstrueren, is hij toen verliefd op haar geworden, vanwege de manier waarop ze op social media reageerde op al de haat die ze over zich uitgekotst kreeg. Ogenschijnlijk zonder enige angst ging ze de confrontatie aan met alle islamofobe gekken die haar beledigden, en die door haar te beledigen de gehele islam schoffeerden.

Na een tijdje meegelezen te hebben, wist hij dat zij de ideale vrouw voor hem was. Hij wist niet hoe ze er tegenwoordig uitzag, want op de profielfoto die ze gebruikt op Facebook en Twitter draagt ze de niqab, de gezichtssluier die haar in de problemen bracht. Maar hoe ze er ook uit zou zien: hij zou haar prachtig vinden, al was het maar omdat ze haar schoonheid niet zomaar prijs gaf. Al die ongelovige honden die haar bespotten konden het, als ze diep in hun hart keken, gewoon niet verkroppen dat een vrouw sterk genoeg is om zelf te bepalen wie haar mag aanschouwen.

Toch had hij haar nooit een Facebookbericht durven sturen als hij de maanden ervoor niet al flink was afgevallen. Met sporten kwam zelfvertrouwen. Te midden van zijn broeders twijfelt hij nooit, daar weet hij altijd wat hij moet zeggen en doen, ook omdat hij geen fouten kan maken zolang hij spreekt en handelt volgens de Koran en de soennah van de eerste metgezellen.

Maar met vrouwen is het anders, daar stap je niet zomaar op af, dat hoort niet.

Na Fatima was er geen liefde in zijn leven geweest, maar dat hij wilde trouwen stond natuurlijk buiten kijf. Allah heeft hem beproefd door hem zo lang te laten wachten, maar uiteindelijk heeft Hij hem beloond. Het toont weer eens aan dat je geduld moet hebben, dan krijg je uiteindelijk wat je toekomt.

Op het bericht dat hij Bouchra stuurde kwam geen antwoord. Natuurlijk was hij aanvankelijk teleurgesteld. Maar al snel besefte hij dat ze het goede deed door niet zomaar een bericht van een broeder te beantwoorden. Daarmee liet ze zien dat ze het waard was, dat ze niet zomaar contact aanging met iedereen die haar benaderde. Het bewees dat ze voor hem de ideale vrouw was.

Redouan bezocht elke week zijn ouderlijk huis. Op zondag, de enige dag dat hij, als hij de verhalen moest geloven, niet werkte in het internetbedrijf dat hij vlak na Abstede was begonnen. Het was niet moeilijk om dat te achterhalen in de wijk, iedereen kent Redouan nog van vroeger. 'Kanaleneiland *fo' life*,' riep hij vroeger zo'n beetje elke dag, maar hij woont tegenwoordig in kakdorp Bilthoven met een blonde journaliste die voor de televisie werkt; een soort van BN'er als Bilal het goed begrijpt.

De eerste keer dat hij bij het ouderlijk huis van Redouan postte, voelde het alsof hij iets verkeerds deed. Hij had zich voorgenomen niet meteen zijn vroegere vriend aan te spreken. Er is niets tussen hen gebeurd, ze zijn niet gebrouilleerd ofzo, ze zijn gewoon uit elkaar gegroeid. Na Abstede was Bilal tevergeefs aan het solliciteren geslagen. Redouan, eigenwijs als altijd, begon voor zichzelf. Die onderneming werd al snel een succes, er deden zelfs verhalen de ronde dat hij miljonair was geworden. Uit wat rondzong concludeerde Bilal dat hij het geloof had verlaten, en dat bleek inderdaad te kloppen. Maar – zo vond hij – als hij met Bouchra in contact wilde komen, kon hij niet zomaar om haar broer heen. Hij was immers haar voogd, want haar vader scheen inmiddels overleden te zijn, hoewel anderen beweerden dat hij niet was gestorven, maar het grootste deel van het jaar in Marokko woonde met een jongere vrouw.

Natuurlijk werd de witte Audi RS4 ook door anderen nauwlettend in de gaten gehouden toen-ie aan kwam rijden in de Stanleylaan. Zo'n dikke auto in de wijk, da's geen uitzondering. Maar iedereen is altijd weer nieuwsgierig wie de bestuurder is, al is het maar om te weten met wie extra rekening gehouden dient te worden, wie je beter te vriend houdt omdat hij je leven kon vergemakkelijken of moeilijker kan maken.

De vriendin van Redouan stapte als eerste uit, en misschien was het wel haar verschijning die ervoor zorgde dat hij die eerste keer al weg liep voor Redouan überhaupt de wagen uitkwam. De blonde journaliste droeg een strakke, zwarte leren broek, maar erger nog was het minuscule witte hemdje dat niets aan de verbeelding overliet: ze had net zo goed in haar bh op bezoek kunnen gaan bij haar schoonmoeder. Kende die vrouw geen schaamte?

Hij kon er niet naar kijken.

Een week later stond hij er weer. Na de eerdere deceptie overwoog hij om ervan af te zien, om op zoek te gaan naar een andere vrouw, uit een goede familie. Wilde hij wel een zwager die zijn eigen vrouw (is hij überhaupt getrouwd?) laat rondlopen als een hoer? Wilde hij een hoer als schoonzus? Hij kende haar niet, want naar de Nederlandse televisie kijkt hij slechts sporadisch, maar alleen al het feit dat ze voor de media werkt, maakt haar medeplichtig aan islamofobie. Want wordt die niet aangewakkerd door die zogenaamd objectieve journalisten, die in werkelijk allemaal, echt allemaal, hun eigen agenda hebben?

Ja, misschien was het makkelijk geweest als hij een andere vrouw had gezocht. Maar Bouchra weerde zich die week zó kranig tegen alle shit die ze over zich heen kreeg op Facebook en Twitter dat hij het zichzelf niet had vergeven als hij haar moed zou beantwoorden met lafheid. Ook hij moest moed tonen, en hij zag het sindsdien als een beproeving dat ze een ongelovige broer had, dat ze een schoonzus had die halfnaakt over straat ging. Samen zouden ze er alles aan doen om Redouan en die journaliste op het juiste pad te brengen, alle toegestane middelen zouden ze gebruiken, en met de wil van Allah zouden ze slagen. En mocht die missie mislukken omdat Allah andere plannen had, dan zou hij door Bouchra te huwen en haar weg te halen uit die ongelovige omgeving zijn echtgenote misschien wel behoeden voor onnoemelijk veel kwaad.

Toen de Audi aan kwam rijden zag hij tot zijn blijdschap dat Redouan dit keer alleen was. Het voelde als een teken: Allah wilde hem laten weten dat Hij het niet onnodig moeilijk maakte voor oprechte moslims.

Zijn vroegere vriend herkende hem meteen, en begroette hem enthousiast.

'Bilal! Goed je te zien, man!'

Dat viel mee. Hij was veranderd, hij bewandelde een ander pad dan hij, maar hij deed niet alsof hij hem niet kende, dat pleitte nog een beetje voor hem. Misschien was hij nog te redden.

'Hoe is het?'

'Goed, goed.'

'Tering, je bent aangekomen, zeg!'

Dat kon hij Redouan natuurlijk niet kwalijk nemen, want toen ze vrienden waren, was hij kilo's lichter, een scharminkel vergeleken met nu. Bovendien kon zijn vroegere vriend niet weten dat hij de afgelopen maanden dankzij bergen discipline en met de hulp van Allah juist flink was afgevallen.

Na wat small talk vertelde hij Redouan waarom hij hem wilde spreken. Van tevoren had hij geoefend op wat hij zou zeggen, omdat het belangrijk was dat hij goed werd begrepen – maar Redouan onderbrak hem halverwege.

'Jezus, gast, jij bent echt van 't padje geraakt,' zei hij voor hij zonder om te kijken het portiek inliep.

Een paar dagen later kwam het Facebookbericht van Bouchra:

In de Naam van Allah, de Meest Barmhartige, de Meest Genadevolle.

Beste Broeder Bilal,

Ik heb lang getwijfeld of de islam toestaat dat ik jou een bericht stuur. Zoals je weet, heb ik je eerdere bericht genegeerd, omdat ik niet in strijd met ons geloof wil handelen. Vanzelfsprekend waardeerde ik je ondersteunende woorden, maar het leek me beter om niet zomaar met een broeder te chatten. Ik hoopte, en hoop nog steeds dat je daar begrip voor hebt.
Maar sinds afgelopen zondag liggen de zaken anders. Redouan vertelde mij en mijn moeder over jouw aanzoek, en zowel hij als mijn moeder zeiden de meest kwetsende dingen. Ze lachten je ook uit, en het voelde alsof ze daarmee ons geloof uitlachten.
De afgelopen dagen heb ik geprobeerd uit te zoeken of het binnen de islam is toegestaan wat je deed. Ik heb

talloze websites geraadpleegd, Allah is mijn getuige, en om eerlijk te zijn: ik heb mijn twijfels. Maar zoals je weet ben ik nog niet heel lang praktiserend, en helaas heb ik van huis uit onvoldoende kennis meegekregen om hier een correct oordeel over te vellen.

Als ik hiermee een zonde bega, weet ik dat Allah me zal straffen. Maar ik heb het idee dat je een oprechte broeder bent, en als jij een manier weet hoe wij zonder te zondigen elkaar beter kunnen leren kennen, dan hoor ik dat graag.

Je zuster in de islam, Bouchra.

Na dat bericht wist hij het zeker: Bouchra was voorbestemd om zijn vrouw te worden. Hij las het een paar keer voor hij antwoordde, en nog diezelfde avond stuurde hij er verschillende berichten achteraan.

De volgende ochtend schreef ze eindelijk terug, en vanaf dat moment ging het snel. Het ene na het andere bericht kwam binnen via Facebook Messenger, soms hele epistels.

Bouchra bleek goed op de hoogte te zijn van zijn 'akkefietje' met die zogenaamde jongerenimam. In de moskee werd blijkbaar nog steeds schande gesproken over de manier waarop hij die islam light-prediker de mond snoerde, met dat moskeeverbod voor hem en zijn broeders als gevolg. Zelf was Bouchra ook niet te spreken over de imam, schreef ze. De opportunist stuurde een oudere zuster op haar af om haar de boodschap over te brengen dat het 'in het huidige klimaat niet handig was te doen wat ze deed'.

Niet handig. Het was 'in het huidige klimaat' volgens die knuffelimam 'niet handig' om een niqab te dragen! Zó dacht de voorganger in het gebed erover in Kanaleneiland. Dat verklaarde alles. Hij zocht niet de tevredenheid van zijn Heer, hij vertelde zijn gehoor niet dat ze moesten doen wat hun was opgedragen, néé, hij praatte liever de ongelovigen naar de mond. Hij wilde de kuffar tevredenstellen in plaats van Allah subḥānahu wa ta'ala, het was een schande.

Bouchra schreef ook dat in de moskee gezegd werd dat hij radicaal was, dat hij overdreef in zijn geloof. En natuurlijk werd daarbij meteen – hoe fantasieloos, hoe cliché – een link gelegd met het feit dat hij een 'bekeerling' was.

'Ik praktiseer verdomme langer dan heel veel Marokkanen daar,' tikte hij en hij drukte op return voor hij de krachtterm kon verwijderen.

Ze schreef terug dat ze zijn woede begreep, maar dat hij geen scheldwoorden moest gebruiken.

Met elk bericht dat hij stuurde, en met elk bericht dat hij van Bouchra ontving, raakte hij overtuigder. Ze waren voor elkaar bestemd. Alleen: hoe kon hij haar ontmoeten om haar ten huwelijk te vragen zonder te zondigen tegen zijn geloof?

Hij stopt met wandelen. Kijkt naar zijn hardloopschoenen. Haalt dan zijn neus op, en spuugt het ziltige snot dat vrijkomt in zijn mond uit met al zijn kracht. Hij wil eigenlijk niet denken aan de hectische tijd vlak voor hun huwelijksdag. Rennen wil hij, maar het is alsof hij zijn benen niet in beweging kan zetten, iets houdt hem tegen. Om warm te blijven, begint hij aan rek- en strekoefeningen.

Online deed hij onderzoek. Hoe diende hij te handelen? Een aantal broeders was de laatste jaren al getrouwd. Maar die hadden het gemakkelijk, zij hoefden slechts de regels te volgen. Zij hadden niet te maken met een agressieve oudere broer, die tot het ongeloof was vervallen. Zij hadden niet te kampen met een moeder die niet trots was op haar standvastige en moedige dochter, maar haar verweet te radicaliseren.

Een paar dagen na zijn ontmoeting met Redouan werd hij op een doordeweekse dag op straat aangesproken door zijn vroegere vriend. Hij had de witte Audi al aan zien komen, en één moment schoot de gedachte door zijn hoofd dat Redouan vrij van zijn werk had genomen om zijn excuses aan te bieden. Maar hij wist wel beter. Natuurlijk wist hij beter.

Redouan parkeerde de auto half op de stoep, en reed hem klem.

'Ik waarschuw je,' snauwde hij, nadat hij als een bezetene de auto uitvloog. Bij elk woord prikte hij in Bilals borst. Daarna zweeg hij. Uitleggen waarvoor hij waarschuwde was blijkbaar niet nodig.

Maar hij is Redouan geen verantwoording schuldig, hij is niemand verantwoording schuldig – behalve zijn Heer.

Bilals zwijgen maakte Redouan alleen maar agressiever. Hij stond te hyperventileren, tranen van woede vulden zijn ogen, en je hoefde geen deskundige in lichaamstaal te zijn om te zien dat hij enorm zijn best moest doen om niet uit te halen.

Zelf werd hij alleen maar rustiger. Vastbeslotener.

'Ik zeg het je,' zei Redouan. 'Echt, man, ik zég het je: blijf uit de buurt van mijn zusje.'

Bilal bleef zwijgen. Het had geen zin, nu. Je moest weten wanneer je je tong moest gebruiken in de dawah. Dit was niet het moment om te preken tegen zijn vroegere vriend, hij zou een andere keer moeten proberen om Redouan bij zinnen te brengen.

Zo stonden ze nog even tegenover elkaar, zwijgend. Uiteindelijk liep zijn zwager weg. Een stuk of zeven jongens hadden zich tijdens de scène rondom Redouans auto verzameld, maar hoewel het portier al die tijd openstond en de sleutels waarschijnlijk nog in het contact zaten, had niemand het lef in de Audi te klimmen.

Redouan liep recht op het groepje jongens af. Ze maakten uit zichzelf plaats. Hij stapte in, startte de auto, waarna het portier meteen weer open zwaaide. Binnen een paar stappen stond hij weer voor hem. Hij legde zijn rechterhand om Bilals achterhoofd, trok zijn hoofd naar zich toe, en fluisterde: 'En écht, als ik erachter kom dat jíj achter de radicalisering van Bouchra zit, dan heb je echt een groot probleem, Pjotr.'

De volgende dag stond de moeder van Bouchra voor de deur. Een buurvrouw had haar binnengelaten in het portiek, zei ze verontschuldigend toen hij verbaasd de voordeur opendeed. Moeder Talhaoui was een mooie vrouw, ook wanneer ze zorgelijk keek. Zelf ongesluierd, begon ze over de gezichtssluier van haar dochter; alsof hij daar iets mee te maken had.

'Bilal, ik maak me zorgen om Bouchra,' zei ze. 'Ze is nog jong, en ik ben bang dat ze verkeerde keuzes maakt.'

Hij probeerde haar uit te leggen dat haar dochter juist het goede deed, dat ze trots moest zijn op Bouchra. Maar zijn schoonmoeder was niet te overtuigen, ze beweerde zelfs dat Bouchra haar toekomst verknalde. Dat was het moment waarop hij iets wilde zeggen over haar eigen ongesluierde gezicht, maar ze snoerde hem de mond.

'Bilal,' zei ze. 'Bouchra is te jong om te trouwen.'

Hij wilde haar ongelijk aantonen, maar ze onderbrak hem voor hij haar terecht kon wijzen.

'Ik wil niet dat ze met jou trouwt, Bilal,' zei ze.

Het huwelijk was niet veel later voltrokken. Bouchra bleef standvastig, ook toen bleek dat het lastig werd om alle regels die voor een islamitisch huwelijk golden in acht te nemen. Het was in feite allemaal overmacht, een beproeving, dat ze moesten huwen zoals ze huwden.

Eenmaal bij hem ingetrokken, waren ze nog meerdere keren lastiggevallen door Redouan en Bouchra's moeder. Haar dwalende broer had haar uiteindelijk zelfs geprobeerd te ontvoeren. Hij blokkeerde haar weg zoals hij dat ook bij hem had gedaan, en trok haar vanaf straat zijn auto in. Gelukkig kwamen agenten op haar gegil af. Redouan werd meegenomen naar het politiebureau. Later vertelde de wijkagent dat ze hem hadden meegedeeld dat hij zijn zusje met rust moest laten. Bouchra was meerderjarig, ze was net achttien geworden, dus ze had recht op een eigen leven, Redouan had geen poot om op te staan.

Na die poging tot ontvoering werd het rustiger. Blijkbaar had Redouan geen zin in gedoe met de politie.

'De politie is je beste vriend,' zei Bilal na het incident tegen zijn vrouw.

Ze keek hem argwanend aan.

'Grapje,' zei hij.

Bouchra kon er niet om lachen. Ze was wat dat betreft soms net zo serieus als sommige van de broeders: die leken ook telkens weer te vergeten dat de profeet Mohammed wel degelijk gevoel voor humor had.

Hij kijkt op zijn sporthorloge. Het is nog vroeg, de hele dag ligt nog voor hem. Straks zal hij met Bouchra ontbijten. Ze blijft altijd liggen als hij 's ochtends vroeg gaat sporten, en hij gunt haar dat, zoals zij hem ook dingen gunt.

In een flits ziet hij haar naakte lichaam, haar onbehaarde geslacht, de moedervlekjes op haar borsten, haar smalle heupen.

Geen moment heeft hij spijt van het besluit haar te huwen. Ze heeft de afgelopen maanden bewezen dat ze een geschikte echtgenote is, hij had ook niet anders verwacht. Natuurlijk, ze hebben af en toe meningsverschillen, maar over essentiële zaken zijn ze het uiteindelijk altijd eens, zelfs als ze het aanvankelijk niet zijn, en hij haar met een overlevering of een vers uit de Koran moet overtuigen dat hij wel degelijk gelijk heeft.

Al vrij snel na hun huwelijk gaf hij zijn aanvankelijke plan op. De aanslag die hij gepland had, en waarvoor hij hard trainde, kwam gewoon te snel. Hij was er nog niet klaar voor. Fysiek was hij er niet klaar voor, maar ook iets anders weerhield hem: Bouchra. Hij was net met haar getrouwd, en hij kreeg in de korte aanloop naar de datum die al maanden door zijn hoofd spookte, steeds sterker het idee dat Allah andere plannen met hem had, en dat hij Bouchra nog niet in de steek mocht laten.

Hij was blij dat hij zijn broeders niet over het plan had verteld, want ze zouden het kunnen beschouwen als een teken van zwakte dat hij op het laatste moment afhaakte. Gelukkig had hij in al zijn bescheidenheid nooit verteld over zijn voornemen om tien jaar na dato in de voetsporen van Mohammed Bouyeri te treden. Ze zouden het misschien niet openlijk tegen hem durven zeggen, maar hij kon niet uitsluiten dat ze hem als een praatjesmaker zouden beschouwen. Of erger: als een lafaard.

Op de dag zelf hield hij tot na middernacht nauwlettend het nieuws in de gaten. Hij besefte dat het niet hoorde, dat het fout was, maar hij was opgelucht toen bleek dat niemand anders op het idee was gekomen om juist op die datum toe te slaan. Hij zat nog lange tijd achter de computer om er zeker van te zijn dat er niet een verlaat nieuwsbericht verscheen, en toen hij om halfdrie 's nachts eindelijk zijn bed opzocht kon hij de slaap pas vatten nadat hij eerst de liefde bedreef met Bouchra.

Weer schiet er een flits van haar naakte lichaam door zijn hoofd bij die herinnering: haar kleine billen, haar knokige schouders, de kuiltjes in haar onderrug.

Even overweegt hij om door te wandelen naar huis, maar hij moet discipline tonen. En bovendien weet hij dat Bouchra hem niet in haar buurt duldt als hij bezweet thuiskomt, ook daarin is ze koppig.

Misschien moet hij straks met zijn broeders ontbijten in plaats van met haar. Wellicht begrijpt ze na zo'n subtiel signaal dat ze niet altijd haar zin kan krijgen, dat niet alles om haar draait. Hij zal zijn broeders na thuiskomst via de groepsapp meteen laten weten dat ze allemaal worden verwacht voor een gezamenlijk ontbijt. Over het gespreksonderwerp hoeft hij niet na te denken.

Vergelding. De afgelopen maanden hebben ze het er elke keer over als ze elkaar zien, en dat is zowat elke dag. De schutter in het Joods museum in Brussel, de broeder in Ottawa: het zette alle broeders op scherp. Ook in de Skypegesprekken die ze wekelijks hebben met Abu Jihad in Syrië komt het onderwerp alsmaar vaker ter sprake – in codetaal natuurlijk, want je weet maar nooit.

Het waren heftige discussies, waarbij hij meermaals vreesde dat de vriendengroep uit elkaar zou vallen, zo groot waren de meningsverschillen soms. Wat is een legitiem doel? Waar mag je toeslaan, en waar niet? Waaromwaarom? Hoofdpijn kreeg hij van die discussies, van alle twijfel. Het leek wel alsof sommige broeders alleen maar excuses zochten om vooral níéts te doen.

Sinds de nobele actie van de broeders Kouachi en broeder Coulibaly in Parijs bespeurt hij bij iedereen ineens een grote eensgezindheid. De twijfel is verdwenen. Alle broeders beseffen: ze moeten wat doen, de tijd van aan de zijlijn blijven staan is definitief voorbij, iedereen is het daar nu wel over eens. Dat is een geweldig gevoel: hij heeft niet meer het idee dat hij alleen staat, dat hij het allemaal in zijn eentje moet opknappen. Dát is misschien wat Allah van hem verlangde: dat hij zou zorgen voor eenheid binnen de vriendengroep, dat er geen *fitna* zou heersen.

Hij knikt tevreden. Er heerst eensgezindheid bij zijn broeders. Dankzij hem. En bij die gedachte bedenkt hij dat hij zijn broeders ook later vandaag kan ontmoeten, dat Bouchra eerst wat aandacht verdient. Hij drukt op het gele knopje van zijn horloge en sprint zo hard hij kan in de richting van zijn flat.

Mo

Als hij, fitter dan hij zich in tijden heeft gevoeld, de woonkamer van zijn appartement binnenloopt en de puinhoop aanschouwt die hij er de afgelopen tijd van heeft gemaakt, begint hij meteen met opruimen. Hij plet pizzadozen, gooit een verzameling lege wijnflessen in plastic tassen, veegt met een vaatdoek het stof van de salontafel, de vensterbank en de boekenplanken. Hij ramt de stofzuiger door de kamer, slaat geen hoekje over. Met natgemaakt toiletpapier boent hij het aanrecht schoon, zo goed als dat gaat. Zelfs het toilet krijgt een beurt; hij blijkt een volle fles Glorix onder zijn wasbak te hebben staan. Voordeel van zelden schoonmaken: de schoonmaakspullen die je ooit in een propere bui aanschafte gaan lekker lang mee.

Wanneer hij na ruim twee uur klaar is, voelt hij zich nog energieker dan toen hij opstond. Hij veegt het zweet van zijn voorhoofd.

Mo weerstaat de verleiding om in zijn Eames te gaan zitten, want hij weet dat de kans dan toch weer groot is dat hij er niet meer uitkomt – behalve om drank te gaan halen. Hij zal een lange, hete douche nemen en gewoon iets van deze dag proberen te maken. Het voelt bizar, die laatste gedachte, maar het is wat hij voelt.

Onder de douche herinnert hij zich de droom van vannacht. Was het eigenlijk wel een droom? Het was meer een beeld. Eén beeld dat op pauze leek te staan, maar toch bewoog, dat leefde. Hij stond op de dansvloer te midden van zijn vrienden in Manchester. Allemaal ruim tien jaar ouder, maar nog steeds *bloody handsome.* En iedereen keek zo gelukkig, iedereen keek zo fucking gelukkig.

De afgelopen tijd voelde hij zich slechter dan ooit. Dagen na dato las hij pas over Charlie Hebdo. Hij had de laptop lang niet aan gehad, maar die middag wilde hij zijn zinnen verzetten en zich verlustigen aan porno, om nergens aan te denken, behalve aan de mannen op het scherm en de lul in zijn hand.

Hoewel het nieuws hem al geruime tijd niet meer interesseert, tikte hij zonder na te denken guardian.co.uk in plaats van gaytube.com in de zoekbalk.

En las over de aanslag op de redactie van Charlie Hebdo.

Terwijl hij las over de gruwelijkheden voelde hij haat. Maar hij ervaarde ook andere emoties: hij voelde zich angstig en wraaklustig en verdrietig en pissed en bang en agressief en hij voelde afgrijzen en schaamte.

Hij voelde zich schuldig. Toch weer, ondanks alles, en in het volle besef dat het bullshit was. Alsof hij er iets mee te maken had. Alsof hij het allemaal had kunnen voorkomen.

Hybris.

Hij ging nog meer drinken dan hij al deed. Enig pluspuntje: hij wist zich elke avond naar zijn nest te slepen. Zo ook gisteravond. Met kleren aan stomdronken in bed gekropen.

En nu loopt hij fris gedoucht door de stad, zonder sigaretten en zonder zin in sigaretten, en hij voelt zich ineens goed. Hij voelt zich lekker. Hij heeft – na die droom – na het zien van dat beeld van hem en zijn vrienden in Manchester, zin om dingen te doen. Hij heeft energie. Waar komt die ineens vandaan?

Bij Fred Perry in de Hartenstraat koopt hij een trainingsjack en een polo. Hij heeft zin om geld uit te geven, dingen te kopen, zichzelf te verwennen. Als hij richting de Paleisstraat wandelt, ziet hij hoe een mooie mollige dertiger met enorme borsten gelukzalig Exota uitloopt met meerdere King Louie-tasjes in haar handen, en meteen wordt hij geteletransporteerd naar de wachtkamer van dokter Van Buuren waarin die moeder met die bloemetjesjurk en die rode laarzen zat – maar zelfs dát beeld doet hem geen pijn, hij begrijpt er niks van.

Onderweg naar de boekwinkel waar hij al tijden niet meer is geweest, ziet hij hoe bonkige agenten in burger een Roemeen tegen de grond werken. Ze gebruiken meer geweld dan gepast en ook dat voelt goed. Alles voelt ineens goed.

Als hij de deur van boekhandel Vrolijk openduwt heeft hij een grijns op zijn bek. Bladerend door *Forever Butt*, een vuistdikke bloemlezing van zijn favoriete tijdschrift, en luisterend naar het opgewonden enthousiasme van een paar Engelse klanten, wordt zijn humeur alleen maar beter. En ineens beseft hij waarom hij zich voelt zoals hij zich voelt: hij kan vertrekken.

Natuurlijk, hij kan terugkeren naar Engeland, hij kan terug naar Manchester. De gedachte is echt wel eens eerder door zijn hoofd geschoten, maar hij heeft nooit eerder postgevat zoals nu.

Hij kan vertrekken.

Een kwartier later zit hij aan een Kilkenny in O'Reilly's. Liam en Anthony, die hij in de boekwinkel onbedoeld aan het lachen maakte, zitten tegenover hem. Hij dacht dat ze hem uitlachten. Maar door de manier waarop ze hem aankeken begreep hij meteen daarna dat ze het niet kwaadaardig meenden, dat het goed volk was. Want nadat hij met een vragend knikje om opheldering vroeg, bootsten ze in stereo het geluid na dat hij blijkbaar vlak daarvoor had gemaakt: '*Ma-ma-ma-manchesta!*'

Hij geneerde zich. Maar de twee twintigers, een scheikundestudent (Liam) en een architect (Anthony), lachten zijn gêne weg en vroegen hem – een local immers – of hij zin had om hen een beetje rond te leiden.

Tuurlijk.

Heel ver kwamen ze niet, want toen ze vlak na het verlaten van de boekwinkel de Ierse pub passeerden, hoefden ze elkaar maar aan te kijken om te weten dat ze voorlopig niet verder wilden.

Hij vertelt over zijn tijd in Manchester. Zegt, als alle anekdotes op zijn, dat hij terug gaat. Morgen nog, als het meezit. Ja, zegt hij, na een zoveelste pint, hij gaat morgen naar Schiphol, en stapt op het eerste vliegtuig dat richting Engeland vertrekt. Het enige wat hij 's ochtends nog even moet doen is een makelaar bellen om zijn appartement te koop te zetten. En weet je wat, als ze willen, kunnen ze wat hem betreft de komende dagen in zijn appartement verblijven, het geld dat ze overhouden door hun hotel te annuleren kunnen ze besteden aan uitgaan en leuke cadeautjes voor henzelf. Hij grijpt bij die laatste woorden naar het plastic tasje naast de stoel, trekt het net aangeschafte sportjack en de polo eruit, en houdt ze even boven de kroegtafel, alsof Liam en Anthony anders niet begrijpen wat het betekent om leuke dingetjes voor jezelf te kopen.

Ze lachen luid om zijn enthousiasme, zijn geestdrift en gedrevenheid. Helemaal serieus lijken ze hem niet te nemen, hij heeft ze door, en hij neemt het hun niet kwalijk, want ze kennen hem pas net.

Maar hij is fucking serieus: hij vertrekt.

Want wie gaat hem tegenhouden? Van Gierst? Zijn moeder, die hij nooit ziet? Zijn invalide broertje, van wie hij niet eens zeker weet of dat hij nog rondrijdt op deze wereld? *Hahahaha*.

Wát gaat hem tegenhouden? Z'n baan, z'n collega's? Zijn appartement? Amsterdam? Neerslachtig, ziekmakend, helemaal-klaarmee-Néderland?

Niets gaat hem tegenhouden.

Net als hij opstaat om een volgend rondje te halen merkt hij dat Liam en Anthony andere plannen hebben. Hij heeft al flink wat op, zeker één pint meer dan zijn Engelse drinkbuddy's die zijn tempo niet helemaal kunnen bijhouden, maar hij is nog scherp genoeg om aan hun afwachtende blikken te zien dat ze ergens anders heen willen.

Ook goed.

Hoewel het daar eigenlijk veel te vroeg voor is, stelt hij voor naar de Reguliersdwarsstraat te gaan, maar ze willen per se wat eten. In zijn hoofd graaft hij naar een restaurantje in de buurt, een plek waar ze zonder al te lang wachten wat naar binnen kunnen werken, zodat ze niet te veel tijd verliezen en daarna snel door kunnen. Maar het lukt hem niet om iets te bedenken, het is ook al zo lang geleden dat hij buiten de deur heeft gegeten.

'Restaurant &samhoud places? *Ever been there?*'

Hij kijkt naar Liam, die een stadsgids omhooghoudt. Aan de foto te zien een luxe tent. Opzitten, dus. Heeft hij helemaal geen zin in.

'Zit waarschijnlijk vol.'

Anthony grijpt meteen naar zijn telefoon, en belt het restaurant. Er blijkt nog één tafeltje vrij, als ze snel kunnen komen, want later op de avond is ook dat tafeltje bezet. Anthony zegt meteen toe, zonder met Liam en hem te overleggen.

In de taxi op weg naar het restaurant overweegt hij de jongens bij aankomst gedag te zeggen. Hij betaalt gewoon het ritje, dan hoeft hij zich verder ook niet schuldig te voelen dat zij de drankrekening betaalden. Maar ze zijn er voor hij er erg in heeft, en het voelt raar om nu zomaar weg te gaan.

Binnen is het fucking *posh*. Precies waar hij geen zin in heeft.

Liam en Anthony bestuderen de menukaart alsof het een heilig geschrift is. Bij het noemen van verschillende gerechten maken ze geluidjes alsof ze klaarkomen.

'*Toilet*,' zegt hij als hij opstaat. De Engelsen knikken, zonder op te kijken van hun menukaart.

In het toilet stroopt hij zijn broek omlaag en gaat zitten. Het duurt even, maar dan komt er een enorme straal, er lijkt geen einde aan te komen. Hoeveel pints heeft hij al op?

Als hij klaar is, blijft hij zitten, zijn lul bungelend in de toiletpot. Hij heeft zin om het restaurant te verlaten, om te spijbelen. Dit is niks voor hem, zo'n tent, en zeker niet nu. Waar is de ingang ook alweer? Kan hij ongezien wegsluipen?

Hij durft het niet aan, staat op van de toiletpot, dept zijn eikel droog met een prop wc-papier, en gaat zonder zijn handen te wassen – als een soort stil (en kinderachtig) verzet tegen zijn aanwezigheid in deze chique tent – weer bij Liam en Anthony zitten. Als hij zijn stoel wil aanschuiven staat er een kerel achter hem tegen zijn stoel te duwen.

Het duurde hem allemaal veel te lang en de rekening was echt schofterig hoog, maar gelukkig, ze zitten weer in de taxi, nu wel op weg naar de Reguliers. Anthony en Liam doen op de achterbank nog steeds opgewonden over het eten dat ze voorgeschoteld kregen. Nee, die jongens zijn toch niet helemaal zijn type. Geeft niet. Hij kan ze straks makkelijk lozen.

Liam zegt dat hij naar SOHO wil, en Mo maakt er bijna een opmerking over. Dat-ie zo lekker avontuurlijk is. Maar hij weet zich in te houden.

In SOHO ziet hij meteen bekende gezichten. Namen schieten hem niet te binnen; hoelang geleden is het dat hij hier voor het laatst was? Hij bestelt drie bier aan de bar, maar als hij zich omdraait om de Engelsen hun glazen te overhandigen, staan ze niet, zoals hij verwachtte, direct achter hem. Sterker: hij ziet ze helemaal niet.

Vloekend propt hij een glas tussen zijn arm en zijn ribben, en neemt de twee andere glazen in zijn handen. Hij wurmt zich door een groepje dat niet aan de kant wil gaan, waarbij het glas onder zijn arm lekt op zijn shirt. Hij vloekt, en hij vloekt nog een keer als hij door dat natte shirt beseft dat hij het tasje met z'n nieuwe kleren ergens heeft laten liggen. Hij zet een glas aan zijn mond, en giet het in één lange teug naar binnen. Meteen daarna drinkt hij ook de twee overgebleven glazen leeg.

Liam en Anthony is hij al vergeten, zoals ze hem waarschijnlijk ook proberen te vergeten.

Uren later staat hij op de dansvloer van Club NYX met een blije grijns op zijn bek te *shoegazen*. Hoe starnakel hij ook wordt vanavond, morgen zal hij de hele clique verrassen door uit het niets in Manchester op te duiken, en ook daar – op de dansvloer van Manto – zijn danskunsten te vertonen.

Schuin tegenover hem hangt een Marokkaanse jongen, een jaar of tien jonger dan hijzelf, tegen de muur. Hij staat op één been, het andere heeft hij opgetrokken en tegen de muur geplant. Opgerolde, zwarte skinny jeans, zwarte New Balance-sneakers met een rood logo, en een diepgesneden zwart v-hals-shirtje. *Not bad, not bad at all.*

Hij blijkt Karim te heten. Zei meteen ook zonder aarzelen z'n achternaam, maar die verstond Mo niet goed. Is ook niet belangrijk. Karim is voldoende, veel meer hoeft hij niet van hem te weten, want morgen vertrekt hij. 'Morgen vertrek ik,' zegt hij en hij begint voor de tweede keer vandaag te vertellen over Manchester.

Als Karim na een kwartier nog niet terug is van het toilet, beseft Mo dat hij wederom in de steek is gelaten. Hij heeft geen idee hoe laat het is, maar hij heeft zeker een uur tegen die jongen aan staan lullen, niet heel verwonderlijk dus dat-ie 'm uiteindelijk smeerde. Wat heeft hij allemaal verteld? Hij weet het nu al niet meer. Niet precies. Hij herinnert zich wel dat hij ook over Melissa sprak. Voor het eerst. Misschien omdat hij aan een nieuw begin staat?

Hij moet die Karim kapot verveeld hebben. Misschien dacht die jongen wel dat hij zo'n islamitische *closet*-homo is, die tegen beter weten in over meisjes praat in een desperate poging om zijn homoseksualiteit te halaliseren.

Hij bestelt nog een bier, en zet zijn tanden in het glas. Een moment overweegt hij door te bijten, maar hij weet zich in te houden. De euforie, die hij een groot deel van de dag voelde, heeft hem verlaten zoals Liam, Anthony en Karim hem verlieten. Hij heeft zich als een *boring cunt* gedragen.

Met het glas tussen zijn tanden geklemd, beseft hij dat hij morgen niet naar Manchester vertrekt. Teruggaan is geen optie.

Hoe heeft hij zichzelf vandaag zo voor de gek kunnen houden? Niemand zit op hem te wachten, daar. Ze zijn hem waarschijnlijk al vergeten. En mocht dat niet zo zijn, dan zullen ze zich hem alleen nog herinneren als die *Dutch geezer* – ooit grappig, ooit iemand met wie je kon lachen, ooit iemand die zijn mannetje stond als het echt nodig was – die om onverklaarbare redenen terug ging naar waar hij vandaan kwam en daar in no-time een boring cunt werd.

Als hij om zijn jas vraagt, spert de garderobejongen zijn ogen open. Zijn wenkbrauwen gaan omhoog, voor hij – om de muziek te overstemmen – schreeuwt of het gaat.

'Ja,' antwoordt Mo zachtjes, het zout van tranen proevend.

Buiten is het ijskoud. Hij loopt enkele tientallen meters naar links, keert om, en loopt richting het Rembrandtplein.

Voor de Escape is een opstootje. Even overweegt hij zich te mengen in de vechtpartij, en net zo lang om zich heen te slaan tot hijzelf wordt neergebeukt, om – als het meezit – nooit meer overeind te hoeven komen.

Maar hij loopt braaf door. Voorbeeldburger. Nette ambtenaar. Nu even geschorst, dat wel, maar straks gaat hij weer zijn beste beentje voorzetten om het land een stukje beter te maken. Even uitzieken – nou ja: opdrogen – en dan gaat hij weer achter staatsgevaarlijke subjecten aan alsof er niets is gebeurd.

Hij steekt de Blauwbrug over en gaat zitten aan de Amstel, zijn benen bungelend boven het water, waar een dun vlies op ligt. De kou stolt alle gedachten en dat is een zegen. Even helemaal niets. Alleen die kou.

Als hij bijna een uur later weer opstaat, kost het moeite om zijn benen in beweging te zetten. Ze lijken niet van hem, die poten. Het is alsof, in de tijd dat hij aan het water heeft gezeten, een overijverige, in de nacht bijklussende chirurg hem twee protheses heeft aangemeten die niet helemaal lekker passen. Zijn knieën schonken, zijn hakken klapperen, hij wiegt – zonder dat te willen – met zijn kont. Dit is toch geen lopen?

Maar na een tijdje gaat het weer. Hij loopt redelijk normaal, en nu hij redelijk normaal beweegt, kan hij net zo goed gaan rennen. Waarom niet?

Omdat hij geen conditie heeft, beseft Mo na een paar minuten. Hijgend, dubbelgeklapt, probeert hij op adem te komen. Hij voelt hoe warm bloed naar zijn hoofd stroomt, en daarmee gedachten ontstolt. Zo – voorovergebogen – blijft hij even staan voor hij de weg naar huis vervolgt.

Onderweg, in het koele besef dat hij niet meer terug kan naar Manchester, bedenkt hij dat er nog maar één ding in zijn leven is dat hij echt wil omdat al het andere kapot is: hij wil weten hoe de laatste dagen van Melissa eruit zagen. Hij wil weten hoe ze aan haar einde kwam.

Hij wil verdomme weten waarom ze deed wat ze deed, terwijl ze samen – hij blokkeert de gedachte in zijn hoofd.

Bilal

Ze zijn voorzichtiger geworden. Niet dat ze veel hebben te vrezen van die hele AIVD. Zelfs broeders die veroordeeld zijn, en broeders die in het verleden tot de Hofstadgroep behoorden, slagen er met de hulp van Allah in af te reizen naar het kalifaat. Onder de neus van die zogenaamde geheime agenten. Maar je weet het maar nooit, en ze kunnen geen risico's nemen. Daarom spreken ze de laatste tijd niet meer bij Abduljalil af. Telkens op één plek is te risicovol.

Hij roert in zijn koffie. Na een voorzichtig slokje gooit hij er wat suiker bij. Hij vouwt het suikerzakje zo klein mogelijk, en ziet hoe Badr, Mimoun en Abduljalil druk pratend het restaurant van de IKEA binnenlopen. Samir loopt naast de rolstoel van Soufiane. Ze speuren rond, op zoek naar hem. Hij geniet ervan dat zijn broeders hem niet meteen zien. Het geeft hem het gevoel onzichtbaar te zijn, en dat voelt – in deze omstandigheden – heel goed. Hij gniffelt als ze helemaal naar de andere kant van het restaurant lopen, en hij laat ze ook daar even tevergeefs rondkijken, maar staat dan op en wenkt zijn broeders.

Ze schuiven aan, waarna hij meteen de tafel verlaat.

'Koffie, iedereen?'

De broeders knikken.

'Ik betaal,' zegt hij over zijn schouder als hij richting de koffiebar loopt.

Abduljalil is aan het woord wanneer hij even later met het dienblad aan komt lopen. Hij zet de koffiemokken een voor een op tafel, steeds iets harder, tot hij als laatste Abduljalil koffie serveert. Hij zet de mok op tafel, schuift 'm naar de overkant, waarbij de mok vervaarlijk kantelt maar net overeind blijft.

'Sorry,' zegt hij terwijl Abduljalil naar het plasje koffie naast zijn mok kijkt.

'Ik haal even een servetje,' antwoordt zijn broeder, als hijzelf geen aanstalten maakt.

'Laten we rustig onze koffie opdrinken, en dan een stukje gaan wandelen,' zegt hij tegen de overgebleven broeders.

Ze knikken, en zetten simultaan hun monden aan hun mok.

Als Abduljalil met een stapel servetjes aan komt lopen, neemt Bilal snel weer het woord.

'Jammer dat Abou Ibrahim en Nourredine er niet zijn.'

Hij pauzeert even om zichzelf ervan te verzekeren dat iedereen beseft dat het vooral jammer is voor de afwezige broeders dat ze er niet zijn, en zegt dan nogmaals: 'Jammer. Erg jammer.'

Hij geniet ervan om Jamal, sinds hij een tijdje geleden vader werd van een zoon, 'Abou Ibrahim' te noemen. Die naam, Ibrahim, was zijn idee. Een prachtige naam is het. Vernoemd worden naar de kalief, kan het mooier, kan het krachtiger?

Ja, het is erg jammer dat Abou Ibrahim er niet bij is vandaag. Hij zal altijd de eerste vriend blijven die hij in Kanaleneiland maakte, maar hij stoort zich er steeds meer aan dat Jamal het werk in de supermarkt van zijn vader als het erop aan komt voorrang geeft boven hun samenkomsten. Soms denkt hij dat Jamal niet serieus genoeg is, en hij heeft al een paar keer overwogen hem uit de groep te verstoten, maar dat is lastig omdat Badr met Aïcha is getrouwd. En alle zusters houden van Aïcha, omwille van haar kennis en rechtschapenheid. Weinig zusters zijn zó toegewijd als zuster Aïcha, als hij de verhalen van Bouchra moet geloven.

Even flitst een beeld van de oude Aïcha door Bilals hoofd, de Aïcha met wie hij vakken vulde in de supermarkt van Jamals vader. Hij drukt met zijn vingertoppen tegen zijn voorhoofd, alsof hij daarmee de herinnering aan haar decolleté kan laten verdwijnen. Ze gaat – mashallah – al jaren geheel gesluierd door het leven. Dat weet hij omdat hij Badr een enkele keer samen met haar over straat heeft zien lopen. Verder ziet of spreekt hij haar nooit, want ze zorgt er altijd voor dat ze in een andere ruimte verkeert als hij Badr bezoekt: zo, door broeders en zusters te scheiden, blijft de poort naar ontucht gesloten. Ze sms't als de thee of de maaltijd klaar is, en zet het drinken of eten dan voor de deur van het mannenvertrek.

Ja, Aïcha is een goede zuster. Ze is een goede zuster geworden.

En daardoor is het lastig Jamal harder aan te pakken. Hij is haar broer. Badr is Jamals zwager. Dat maakt het allemaal complex.

Nourredine is een ander verhaal. Die is er vandaag ook niet. En wat is zijn excuus? Dat hij moet werken bij de V&D. Dat hij moet werken in een ondergrondse expeditieruimte, alsof hij een mol is. Wat voor baan is dát? Wat voor excuus is dát? Hij had zich makkelijk ziek kunnen melden, dan was hij er vandaag ook bij geweest. Hij koos anders, en dat is zijn eigen afweging, maar dat is nu juist het probleem van Nourredine: hij denkt dat het oké is om blindelings je eigen keuzes te maken.

Hij voelt de adrenaline en de boosheid door zijn aderen stromen. Snuivend drinkt hij het laatste restje van zijn koffie.

'Kom, we gaan,' zegt hij nadat hij zijn mok op tafel zet, en hij posteert zich achter de rolstoel van Soufiane. Hij zet zijn broeder ongevraagd in beweging. Soufiane slaagt er, vooroverhangend in zijn rolstoel, nog net in zijn halfvolle mok op tafel te zetten.

Onderweg naar Park Transwijk bespreken ze het nieuws van de afgelopen dagen. En dan vooral hét nieuws van de afgelopen tijd: die Jordaanse piloot die bommen dropte op het kalifaat en – mashallah – al in zijn aardse bestaan zijn bestraffing kreeg.

'Is het niet aan Allah om te straffen met vuur?' vraagt Samir. 'Mogen wij als mensen wel een voorproefje nemen op het hellevuur?'

Er ontstaat commotie. Iedereen spreekt door elkaar, midden op de weg. Hijzelf kauwt even op een uitspraak van sjeik Ibn Taymiyyah. Pas als hij er zeker van is dat hij het citaat correct in zijn hoofd heeft, en dat hij het volledig zal weten te reproduceren, maakt hij aanstalten om zich te mengen in de discussie. Maar hij krijgt niet de kans te spreken, want Soufiane snoert iedereen – ook hem – de mond.

'Ik kreeg al in het wereldse wat ik verdiende,' zegt hij verhit, en hij kijkt, ronddraaiend in zijn rolstoel, alle broeders een voor een recht in de ogen. Er valt een ongemakkelijke stilte als hij met zijn vlakke handen op zijn levenloze benen tikt, blijkbaar omdat hij vreest dat sommige broeders anders niet begrijpen wat hij met zijn woorden bedoelt. Net als het echt pijnlijk wordt omdat niemand weet wat te zeggen, neemt Soufiane opnieuw het woord.

'En híj, die Jordaanse massamoordenaar, die zich hoog in de lucht veilig waande in dat peperdure vliegtuig, kreeg op aarde al wat hij verdiende.'

'Amin,' zeggen Badr en Abduljalil gelijktijdig.

Soufiane knikt tevreden en steekt langzaam een vinger omhoog. 'Maar denk niet, beste broeders, dat hij daarmee zijn straf ná de dood ontloopt.' Hij zwaait geestdriftig met zijn opgestoken vinger. 'De pijn die hij in die kooi ervaarde, was slechts een voorproefje van wat hij zal voelen in het hellevuur!'

'Práchtig gesproken, broeder Soufiane,' zegt Bilal, en het kost hem geen enkele moeite om zijn broeder te prijzen. Het is goed dat hij de voormalige player Souf de Haas heeft toegelaten tot de vriendengroep. Anderen kunnen een voorbeeld nemen aan zijn toewijding en standvastigheid.

'Het wordt tijd om het speelveld te betreden,' zegt hij plompverloren wanneer ze de heuvel van het park hebben beklommen.

Soufiane stond erop om niet geholpen te worden en komt nu pas aanrijden. Op zijn witte dishdasha zitten moddervlekjes.

'Wat zeg je, broeder Bilal?' Hij hijgt na elk woord dat hij uitspreekt.

'Dat het tijd wordt om het veld te betreden.'

Soufiane kijkt hem niet begrijpend aan. Zijn ogen dwalen even over het modderige grasveld van het park. Maar hij herpakt zich snel. Hij spert zijn ogen open, en trekt een betekenisvolle grimas. 'Je bedoelt dat we niet langer aan de zijlijn kunnen blijven staan?'

'Precies,' antwoordt Bilal nukkig.

Het is de hoogste tijd een daad te stellen, zegt hij. Na Charlie Hebdo is het menens. Want de kuffar hebben, in de nasleep van die vergelding, laten zien dat ze niet voor rede vatbaar zijn. Hadden ze enig moreel besef, bezaten ze enige ethiek, dan zouden ze na de terechtwijzing van de broeders Kouachi het boetekleed hebben aangetrokken en excuses hebben gemaakt. Ze hádden kunnen erkennen dat ze fout zaten, dat ze iets vreselijks hebben gedaan door de profeet Mohammed – vrede zij met hem – af te beelden in een smoezelig krantje. Maar wat doen ze, die ezels? Ze stoten zich met ziekelijk enthousiasme wederom aan dezelfde steen. Ze moeten zo nodig wéér de boodschapper van Allah in dat vod afbeelden. Níéts hebben ze geleerd, die ongelovige honden!

En dat was al erg genoeg, dat was al voldoende reden voor vergelding, maar erger wordt het als je bedenkt dat die hardnekkige verslaving aan blasfemie met terugwerkende kracht de daad van broeders Saïd en Chérif Kouachi – nou ja, niet nutteloos maakte, maar wel afzwakt: hun terechtwijzing werd domweg genegeerd.

Dát maakt hem extra boos, dat maakt hem extra gemotiveerd om het speelveld te betreden, zegt hij, zijn broeders een voor een monsterend.

Soufiane zit heftig te knikken, en weer bekruipt hem het gevoel dat die broeder, ondanks zijn relatief korte tijd op het rechte pad, zoveel toegewijder is dan de rest. Misschien is hij gewoon te veeleisend, en vraagt hij te veel van zijn andere broeders, bedenkt Bilal tijdens de stilte die valt na zijn vurige betoog.

Het is Abduljalil die het eerst spreekt. Hij heeft aan één woord genoeg.

'Wilders.'

Badr valt hem bij. 'Ja, Wilders.'

'Moeilijk kan het niet zijn,' zegt Samir.

'Als je bereid bent zelf te sneuvelen, martelaar te worden, dan is het een fluitje van een cent.' Abduljalil, die zijn woorden steelt. En terwijl hij dat doet, kijkt hij hem expres aan – of is dat verbeelding?

'Wilders is te klein,' zegt hij snel.

'Te klein?' vraagt Soufiane.

Hij krijgt geen kans uitleg te verschaffen, want Abduljalil begint op opgewonden toon een heel verhaal over hoe Wilders misschien wel de grootste islamofoob ter wereld is, dat hij aangestuurd en gefinancierd wordt door Israël, dat hij overal ter wereld extremistische vriendjes heeft, en dat hij – net als de cartoonisten van Charlie Hebdo – op de dodenlijst staat van *Inspire*.

'Hirsi Ali staat ook op die lijst,' zegt hij om de woordenstroom van Abduljalil te stoppen.

'Dus?'

Doodmoe wordt Bilal van die vragen van Abduljalil. Maar nu is het moment niet om hem aan te pakken. Hij moet redelijk blijven, zodat hij de andere broeders tot inzicht kan brengen.

'Dús is hij een gelegitimeerd doelwit. Net als die Ayaan. Niets meer en niets minder. Ze verdienen het ter verantwoording te worden geroepen,' zegt hij gelaten. 'Maar ik denk dat we na de provocatie van Charlie Hebdo – nota bene ná de terechtwijzing door onze geliefde broeders Kouachi – grover geschut moeten inzetten. Wilders is te klein. Als doelwit.'

'Te kléín?'

Soufiane, wederom. Bij een ander zou hij het irritant vinden, maar bij hem heeft hij het idee dat de herhaalde vraag oprecht is – wat het makkelijker maakt zijn plannen te ontvouwen.

'Wilders is een eenling,' zegt hij. 'Weliswaar een eenling met een grote kudde volgers, maar hij blijft hoe dan ook een eenling. Een persoon. Eén persoon. En natuurlijk verdient hij het om afgeslacht te worden, om ter verantwoording te worden geroepen voor al het gif dat hij heeft verspreid, en alle zonden die hij heeft begaan. Geen ware moslim die het daarmee oneens is.'

Hij pauzeert een moment. Tot zijn grote genoegen zit niet alleen Soufiane hevig te knikken, maar hangt ook Abduljalil aan zijn lippen.

'Wilders komt wel aan de beurt. Hij krijgt wat hem toekomt. Er zál worden afgerekend met hem: hier of in het hiernamaals!'

Hij merkt tot zijn schrik dat hij gilt, en tempert zijn volume snel tot fluistertoon.

'Wilders komt aan de beurt, beste broeders. Echt, geloof mij, hij krijgt zijn verdiende loon.'

Zijn broeders knikken. Ook Abduljalil.

'Maar na Charlie Hebdo, en de koppigheid van de kuffar, is het tijd voor een serieuze daad. Serieuze vergelding. Iedereen noemde zich ineens Charlie, toch?'

Zijn broeders knikken bevestigend.

'Nou, dan nemen we ze voor deze keer eens heel serieus.'

Hij lacht hardop.

'Als ze allemaal Charlie zijn, dan zijn ze ook allemaal een legitiem doelwit!'

Hij kan het niet helpen: hij schreeuwt weer.

'Amin, broeder, Amin,' roepen Badr, Samir en Soufiane. Hij heeft zelfs het idee dat Abduljalil meeschreeuwt.

Zijn ogen spieden rond als ze tot bedaren zijn gekomen.

'Het is tijd dit verdorven land in het hart te treffen, beste broeders,' fluistert hij dan. 'Het is tijd om Utrecht op de kaart te zetten.'

Departures, arrivals (2005)

Zul je altijd zien. Moet je al uren van tevoren op zo'n vliegveld zijn voor een vlucht van een uurtje, heeft-ie ook nog eens vertraging.

'*Story of my fucking life*', zou Nasty Natasja zeggen. Staand voor het blauwe beeldscherm waarop te zien was dat vlucht KL1084 van Manchester naar Amsterdam een uur vertraagd was, prevelde Mo het hardop, in het accent van de *hardest swearing drag queen* van Canal Street: 'Storrry of moi foeking laiv.'

Nasty Natasja. Hij gaat haar missen. Zoals hij alle boys gaat missen.

Het afscheidsfeest in Manto was te gek. Natúúrlijk was het te gek, want zíj waren te gek. *Characters* waren het, allemaal. Iedereen was er, zelfs Oliver, die de scene van de ene op de andere dag verliet, en een brave huisvader was geworden. Als je dat een paar jaar geleden tegen hem gezegd zou hebben zou hij je hebben uitgelachen, of je een klap hebben verkocht, een van zijn zogenaamd vriendschappelijke klappen die venijnig hard aankwamen; zonder dat hij je echt pijn wilde doen, want uiteindelijk was hij een *soft cunt*.

Hij passeerde een paar in vale voetbalshirts gewrongen bierbuiken, en nam plaats op een bankje met uitzicht op een vliegtuig van Emirates Air, zo ver mogelijk verwijderd van andere passagiers.

Uit zijn rugzak haalde hij *Dorian* van Will Self, een boek dat al te lang ongelezen in zijn boekenkast had gestaan. Toen het een paar jaar geleden verscheen kocht hij het meteen, maar zoals dat vaker ging waren er al snel nieuwere, andere boeken die gelezen moesten worden. En anders was er wel een feestje te vieren waardoor hij niet eens aan lezen toekwam.

Sinds hij in Manchester woonde was er elke dag wel ergens een feestje. Eigenlijk was het een wonder dat hij zijn studie had afgerond in de tijd die ervoor stond, naast dat drukke sociale leven van hem. Dat zou straks anders worden. Hij zou 's avonds waarschijnlijk braaf thuis zijn en tijd hebben om al zijn ongelezen boeken alsnog te lezen. In Nederland had hij helemaal niemand, en dat was goed, dat was prima: hij had zich bij zijn afscheid voorgenomen geen moeite te doen nieuwe vrienden te maken. Ze zouden toch niet in de schaduw kunnen staan van de clique van Manto.

They were the fucking best.

Hij sloeg de roman open.

'Zit hier iemand?'

Natuurlijk. Overal stoelen vrij, maar precies naast hem willen ze zitten. Geïrriteerd keek hij op van zijn boek. Grote ogen in het gezicht van een blond meisje, niet veel ouder dan achttien. Knap, op die *heroin chic*-manier, waar hij wel van hield. Bij meisjes, dan.

'Ja, ja, natuurlijk,' stamelde hij, en hij realiseerde zich dat het meisje meteen Nederlands tegen hem sprak.

'Sorry, maar die *lagerlouds* daar zijn een beetje luidruchtig, en ik wilde net als jij wat lezen.'

'Natuurlijk. Geen probleem.'

Het meisje trok haar Afghaanse jas uit, haalde een hand door haar wat vettige haar, en pakte een boek uit haar tas. Hij herkende meteen de hardrode cover van *Porno*. Schuintjes keek hij naar de plastic opblaaspop met de wijd opengesperde mond op de kaft van het boek met die, zeker voor een opblaaspop, nogal panische gezichtsuitdrukking. Irvine Welsh. Ze had in ieder geval smaak.

'Goed boek, dat,' zei hij, terwijl hij knikte naar de roman in haar hand.

Ze keek hem vragend aan, alsof hij iets uit te leggen had.

Deed hij nog ook, misschien omdat ze anders wellicht dacht dat hij een creep was. 'Die roman gaat trouwens helemaal niet over porno, het gaat over...'

Ze lachte voor hij de zin goed en wel kon afmaken.

Werd hij nu serieus uitgelachen?

Maar kijkend naar het gezicht van het meisje besefte hij dat ze het grappig vond dat hij het nodig vond zijn opmerking toe te lichten, alsof zij dacht dat hij dacht dat zij dacht...

Hij lachte nu ook. Op weg naar Nederland meteen weer die reflex om verantwoording af te leggen, om zich in te dekken, zichzelf uit te leggen, verdedigingslinies op te trekken. Dat had hij in Engeland toch juist afgeleerd?

Hij probeerde te lezen, maar het lukte hem niet zijn gedachten erbij te houden. Aan het boek lag het niet. Het lag aan hem, en aan de reis die hij ging maken.

Het was raar om weer Nederlands te spreken, ook al waren het maar een paar nietszeggende woorden. Een paar jaar lang was Engels zijn taal geweest, de enige taal die hij sprak, en al snel ook de taal waarin hij dacht en droomde.

Het poshe BBC-accent, dat hij had opgepikt door in zijn kamertje in Kanaleneiland avond na avond Britse programma's te kijken, was er rap afgesleten. Zo sprak je niet in Manchester, kreeg hij te horen. Dat accent was iets van het zuiden, van de vijand, dus.

'*Better get rid of it, mate,*' zeiden ze, alsof ze het hadden over een geslachtsziekte.

Heel in het begin vond hij het irritant, die tweestrijd tussen *north* en *south*, tussen Manchester en Londen. Geen mogelijkheid lieten zijn nieuwe vrienden onbenut om het zuiden af te zeiken en belachelijk te maken. Kinderachtig vond hij het, misschien wel omdat het hem deed denken aan het underdogdenken van Souf en sommige klasgenoten op het Stensen.

Maar al snel begreep hij dat *Mancunians* niet de underdog

uithingen, eigenlijk was het juist andersom: ze vonden zichzelf gewoon cooler dan de rest van het land en het zuiden in het bijzonder. En daar viel echt wel wat voor te zeggen als je alleen al keek welke bandjes de afgelopen jaren vanuit *Madchester* de wereld hadden veroverd.

Mancunians waren *hard*, ze lieten zich niets wijs maken, ze straalden uit dat er met hen niet te fucken viel, ook uit een achterstandspositie knokten ze zich omhoog; toen hij dat eenmaal doorhad was hij er trots op dat hij met zijn nieuwe accent al snel voor een Mancunian kon doorgaan.

Heel af en toe viel hij door de mand met een *dutchism* dat hij nog niet had weten uit te roeien. Een daarvan was legendarisch geworden. Oliver had het hem nagezegd met een knikje van zijn hoofd in zijn richting, tijdens hun eerste gezamenlijke bezoek aan Manto; ze waren nauwelijks binnen of hij begon er al over: '*And then* he *said: "If you pull any longer, there will only come* air *out of it."*'

Het was een nogal letterlijke vertaling van wat hij Souf ooit hoorde zeggen toen hij opschepte over een meisje dat hem bleef aftrekken nadat hij al drie keer was klaargekomen. 'Als je door blijft rukken, dan komt er alleen nog maar lucht uit,' zou hij tegen het meisje gezegd hebben.

De vrienden van Oliver, die ook zijn vrienden zouden worden, gilden het uit. '*There will only come* air *out of it!*'

Toen ze eindelijk uitgelachen waren, plantte Nasty Natasja een kus op zijn wang. '*You funny, funny Dutchman*,' zei ze, en hij wist niet waar hij blijer om was: dat hij meteen werd geaccepteerd als een van hen of dat ze hem 'Dutchman' noemde.

Tijdens het sollicitatiegesprek een paar weken geleden, sprak hij voor het sinds zijn vertrek weer Nederlands. Het voelde als een vreemde taal. Het enige contact dat hij de afgelopen jaren met Nederland had, was met zijn moeder. En met haar sprak hij Berbers, de sporadische keren dat hij de walging overwon en haar belde, nooit langer dan strikt noodzakelijk, en altijd met een geblokkeerd nummer, want hij moest er niet aan denken dat ze hém zou bellen.

Drie mannen hadden er tegenover hem gezeten, ze leken het allemaal niet lichtvaardig op te vatten. Hij schaamde zich toen hij in het begin van het gesprek soms naar woorden moest zoeken, simpelweg omdat hij die woorden lange tijd niet had gebruikt. Hij was bang dat ze zouden denken dat hij, Marokkaan immers, de Nederlandse taal niet helemaal machtig zou zijn.

Maar goed, ze wilden hem natuurlijk ook niet als Nederlander. Ze wilden hem als Marokkaan. Vanwege die andere Marokkaan. Die moordenaar. En gek genoeg (hij begreep het zelf ook niet helemaal) vond hij dat nu ineens géén probleem. Hij snapte het. Hij snapte hen. Ze moesten wat. Want ze hadden gefaald. Dus hadden ze mensen als hij nodig. Tenminste, dat dáchten ze. Dat mensen als hij hun problemen zouden kunnen oplossen. En op de een of andere manier wilde hij geloven dat ze daarin gelijk hadden.

Het gesprek duurde ruim een uur. Zelf was hij niet veel aan het woord. De man in het midden praatte het uur grotendeels vol. Een hele toespraak was het, over hoe De Dienst werkte, waar ze voor stonden, dat ze opereerden in 'een politiek en maatschappelijk mijnenveld', hoe ingewikkeld hun werk vaak was, dat je 'voor schouderklopjes bij de AIVD aan het verkeerde adres was omdat de successen niet naar buiten gecommuniceerd mogen worden.' Dat laatste herhaalde hij een paar keer, in verschillende varianten: hij ging zelfs zover het 'tragisch' te noemen dat 'De Dienst' behaalde resultaten niet kon delen. Het leek wel alsof hij het nodig vond de inlichtingendienst te verdedigen, dat hij kritiek probeerde te weerleggen, kritiek die er helemaal niet was geweest, niet van Mo in ieder geval.

Voordeel daarvan was dat hijzelf niet zoveel hoefde te zeggen. Kwam goed uit: hij had niet zoveel te melden. Hij wilde, als hij het gesprek tot een goed einde wist te brengen, gewoon aan het werk.

Het meisje naast hem trok haar jas weer aan. Hij spotte een tatoeage op de binnenkant van haar pols. 'LUST 4 LIFE' stond er in courier, het meest zakelijke, minst passievolle lettertype denkbaar. Nu zag hij ook hoe ongezond dun ze was. Op haar slaap klopte een blauwe ader een onhoorbaar deuntje.

Hij wilde iets zeggen over die tattoo, maar bedacht zich. De clique in Manto vond hem *witty*, maar in het Nederlands klonk alles wat hij zei – nou ja, alsof hij met meel in zijn mond praatte als hij de taal sprak van het land waar hij was geboren.

'Ik ga wat te drinken halen. Vind je het erg om even op mijn spullen te passen?'

'Wat? Nee joh, nee, natuurlijk niet.' Meel. Mond.

Ze was al opgestaan, maar leek zich ineens te bedenken, en maakte een sierlijke pirouette. Mannenschoenen had ze aan, zag hij. Afgetrapt, en zonder veters. Ze kon het hebben.

'Wil je ook wat?'

'Als je toch gaat, ik lust wel een biertje,' zei hij, zoekend naar zijn portemonnee.

'Komt zo wel,' zei ze, en ze draaide zich soeverein om.

Vlak na de moord zat hij al te koekeloeren op de site van de AIVD, misschien zelfs dezelfde dag al, hij wist het niet meer precies. Was weer eens wat anders dan de pornosites waar hij normaal na werktijd op vertoefde, voor hij vertrok naar Manto om weer een avond aan de bar te hangen, of om op de dansvloer zijn variant van shoegazing ten beste te geven. Bizar was het hoe die toch bepaald niet sexy site van de veiligheidsdienst zo'n aantrekkingskracht op hem uitoefende.

En toen stond, ergens in februari als hij het zich goed herinnerde, ineens die vacature op de site. Vacatures, meervoud, want in de nasleep van de moord op Van Gogh bleek er ineens dringende behoefte aan 'Arabisch sprekenden'. En hoewel hij die taal óók nooit meer sprak, wist hij dat hij die niet verleerd kon hebben, daar hadden ze op de Koranschool destijds wel voor gezorgd; alle credits voor de manier waarop ze daar – weliswaar niet geheel pedagogisch verantwoord – zorgden dat je je lesjes leerde.

Hij reageerde niet meteen. Iets hield hem nog tegen. Zijn te leuke leven, waarschijnlijk. Het leuke leven dat hij nu toch vaarwel zei, malloot die hij was.

Nog geen jaar had hij zijn Bachelor of Arts op zak. Een *First Class Honours degree in English Literature*, voor alle vakken hoge *A's*, een paar *A16's* zelfs; de verstrekkers daarvan plakten hem daarmee het predikaat 'briljant' op, wat overdreven was. Iedereen moedigde hem aan door te studeren, een Master te gaan halen. Hij zou het makkelijk kunnen, daarna een PhD, gevolgd door een aanstelling aan een van de betere universiteiten van het land, het lag allemaal in de lijn der verwachting. Maar hij koos ervoor om te gaan werken, een lullig baantje bij de National Westminster Bank, niemand die het begreep. Het was niet anders: hij had na die drie te gekke jaren aan de universiteit ineens geen behoefte meer om te excelleren. Gewoon zijn, dáár had hij zin in. Niet saai, dat niet, zijn vrienden hoefden niet bang te zijn dat hij een boring cunt zou worden, zo verzekerde hij ze.

Voor zichzelf verantwoordde hij de keuze voor dat baantje bij de bank zo: hij had eindelijk een plek gevonden waar hij zich thuis voelde. Dus werd het tijd een leven te gaan leiden.

'*You've already got a life,*' wierpen zijn vrienden tegen. En natuurlijk hadden ze gelijk. Hij zou ze dan ook zo vaak mogelijk blijven zien, daar hoefden ze echt niet bang voor te zijn. Maar hij hoefde verder even niet zo heel veel. Jaren verborgen ambitie in Kanaleneiland, tot eruptie gekomen in Manchester; daarna had hij dus ineens (*it wasn't a fucking crime, was it?*) gewoon zin in een simpel leven. Een baantje bij de bank, waar hij niet eens heel slecht betaald kreeg om creditcardgegevens te checken op verdachte uitgaafpatronen en nietsvermoedende klanten belde om ze zo subtiel mogelijk uit te horen of ze inderdaad een tapijt in Dubai hadden gekocht, of een avondje naar de hoeren waren geweest in Berlijn. Om na zo'n simpele werkdag genoeg energie over te hebben om een boek te lezen, en te feesten in Manto.

Dat hij geen boring cunt was geworden bewees hij wel door daar bijna iedere avond te zijn, vaker dan toen hij nog studeerde in ieder geval. Dat was nog een voordeel van zo'n baantje bij de bank: je kon het je veroorloven om niet meteen superscherp aan je werkdag te beginnen.

Dat zou straks in Nederland wel anders zijn.

'Stella, oké, hoop ik?'

Het meisje hield in beide handen een flesje Stella Artois.

'Ja, ja, natuurlijk.'

Meel. Mond.

'Ik dacht: ik doe ook maar mee,' zei ze, haar frêle schouders iets ophalend.

Hij pakte het flesje aan, klinkte het tegen haar flesje. '*Cheers,*' zei hij.

'Ja, cheers.'

Ze ging, nadat ze haar jas uit had gedaan, weer naast hem zitten, zette haar flesje na een klein slokje op de grond, en sloeg haar boek weer open.

Dorian lag nog steeds, op een paar zinnen na, ongelezen op zijn schoot. Ze moest gemerkt hebben dat hij naar haar keek, want ze stopte met lezen, staarde even voor zich uit, om hem daarna vragend aan te kijken.

'De volgende ronde is voor mij,' zei hij.

Haar mondhoeken gingen omhoog. Gelukkig.

Het meisje vertelde dat ze Caitlin heette. Half Iers was ze. Model. Op haar veertiende gescout in de Kalverstraat door een *agent* van een Engels bureau. Meteen veel opdrachten. Ze kreeg dispensatie van school vanwege haar 'uitzondelijke talent', het meisje maakte aanhalingstekens in de lucht terwijl ze het zei. Bijna vier jaar deed ze dit werk nu al en – ze vertelde nog veel meer, een heel verhaal over haar strijd tegen anorexia; hij had moeite niet weg te *spacen*.

Eindelijk uitgepraat wilde ze weten hoe hij heette. Hij noemde zijn naam.

'Waar kom je vandaan?' vroeg ze toen haar duidelijk werd dat hij uit zichzelf niet veel meer zou gaan vertellen.

'Manchester.'

'Nee, waar kom je vandáán?'

'O, Utrecht. Ken je Kanaleneiland?'

'Nee, ik bedoel: wat is je achtergrond?'

Traag van begrip, hij. Ze bedoelde waar zijn verwekkers vandaan kwamen. Had hij kunnen weten. Willen Nederlanders altijd weten. Niet waar je bent, of waar je naartoe wilt, wat je ambities zijn, maar waar je vandaan komt.

'Marokko.'

'Cool! Daar heb ik een paar jaar geleden een fotoshoot gehad. Marrakech was echt te gek. Dat beroemde plein – hoe heet het ook alweer?'

'Djemaa el Fna,' zei hij.

Ze vertelde uitgebreid wat ze had gezien op dat plein, waarna ze opsomde wat ze verder allemaal had gedaan en gegeten tijdens haar verblijf in het land waar hij geboren was, en ze bedoelde hém.

Hij dacht aan de laatste keer dat iemand hem op zijn achtergrond had aangesproken. In Engeland leek het niemand te interesseren waar hij vandaan kwam. Marokkaanse roots hebben was er geen issue, misschien ook wel omdat er nauwelijks Marokkanen woonden. Hoogstens werd hij gecomplimenteerd met zijn *exotic looks*. En daar klaagde je niet over. Niet als het betekende dat je daarmee verzekerd was van een *lay* als je daar zin in had.

Tot die winteravond, ongeveer een jaar nadat hij in Manchester was komen wonen. Iedereen was er: Oliver, Nasty Natasja, Richard natuurlijk, Owen en Bolton Tom, Tom zelf, Davey en

Mechanic Mike, Tim, Bill William en niet te vergeten Dan, Stan en Fran, want zonder dat onafscheidelijke trio was het allemaal misschien niet gebeurd.

Niet dat ze schuld hadden aan wat gebeurde. *Fuck, no!* Maar ze hadden een scherpe tong, alle drie, en zelden zin om die te bedwingen. Ze waren als eersten weggegaan, geheel tegen de traditie. Maar Stan voelde zich niet zo lekker, iets met zijn darmen, hij wilde liever niet in detail treden, *thank you very very much*, had hij al aan het begin van de avond gezegd.

Goed. Ze waren dus vertrokken. Maar binnen no-time stond Fran weer binnen. Op de dansvloer zag Mo hoe Nasty Natasja iets in haar oor werd geschreeuwd, waarna ze meteen bukte, haar *high heels* uittrok, en in haar panty's Manto uit stormde. Mechanic Mike, Bolton Tom en Bill William renden achter haar aan. En hij dus ook, hoewel hij net lekker in zijn shoegaze zat.

Buiten vroor het. Hij ging bijna onderuit op de gladde straat. Iets verderop zag hij zijn vrienden. Stan zat gehurkt. Fran had een arm om hem heen geslagen. Toen hij dichterbij kwam, zag hij pas de groep hooligans die tegen Dan en Nasty Natasja stonden te tieren.

De laatste tijd waren er vaker, na sluitingstijd van de kroegen, groepen ruziezoekers in de late uurtjes naar Canal Street gekomen, de straat die dat soort jokers steevast Anal Street noemden. Ongetwijfeld keken ze erbij alsof ze die grap zélf ooit hadden verzonnen. Altijd knetterlazerus en *always in for a fight*. Onlangs hoorde hij nog hoe zo'n groep een wat oudere man in het water had gegooid. Ze hadden hem eerst gejonast – de klootzakken. De man was gered door een paar jonge bezoekers van Canal Street, die op zijn hulpgeroep waren afgekomen.

Toen hij zijn vrienden bereikte, zag hij tot zijn schrik hoe groot de groep hooligans was. Minstens vijftien man, misschien meer. Als de andere vrienden niet snel werden opgetrommeld, lagen Dan, Fran, Stan, Nasty Natasja, Mechanic Mike, Bolton Tom, Bill William en hijzelf met een beetje pech straks ook in het water, want ze waren *outnumbered*, zo simpel was het.

Hij keek naar Stan. Zag zijn bebloede gezicht – en voor hij het wist stond hij in de frontlinie naast Dan en Nasty Natasja. Een opgeblazen aap in een te krappe Stone Island-polo stond schreeuwend met zijn vinger naar haar te wijzen. De klootzak brulde met consumptie, maar Nasty Natasja wist zich in te houden, telkens als er weer wat spuugspetters haar kant op vlogen.

Iets in hem wilde haar die avond beschermen, hoewel zij wel de laatste was die bescherming nodig had. Hij ging tussen Nasty Natasja en de schreeuwende aap staan.

'*What the fuck do you want?*'

Voor een aap had hij een redelijk uitgebreid vocabulaire.

'*Just go away. Leave us alone.*'

'*Why don't you go away? Yeah, why don't you go to your own fucking country, you fucking muslim poof.*'

De vrienden van de aap lachten. *Cue* voor de klootzak om er nog een schepje bovenop te doen.

'*In your fucking country they throw people like you from buildings. Headfirst. So don't tell me to go away.*'

Kopstoot.

Aap die theatraal valt.

En blijft liggen.

Nasty Natasja die hem zijdelings met hysterisch knipperende wimpers aankijkt. Boos, perplex, onder de indruk: hij kon het niet inschatten; zó had ze in ieder geval nog nooit naar hem gekeken.

Toen ze weer recht vooruitkeek, had ze al een klap op haar neus te pakken. Haar pruik viel af.

Gelach van de hooligans. Behalve van de aap. Die lag nog steeds met een bebloed gezicht op straat.

Maar Nasty Natasja *took it like a man* en ramde de kerel die haar had geslagen snoeihard op zijn potenrammersmuil.

Als-ie had geweten dat de drag queen tegenover hem onder de naam 'Nasty Neal' een redelijk succesvolle, maar korte carrière als profbokser (ze wilde geen boksersneus krijgen) achter de rug had en nog steeds bijna dagelijks in de gym haar *skills* bijhield, dan had hij zich waarschijnlijk wel drie keer bedacht voor hij haar op haar neus sloeg.

De klootzak tolde op zijn benen, dreigde om te vallen, maar wist dat te voorkomen door snel neer te hurken. Hij moest zichzelf met één hand ondersteunen om niet alsnog tegen de vlakte te gaan. Zijn borstkast ging op en neer alsof hij net een orgasme had gehad.

Mechanic Mike (zijn spieren had hij te danken aan zijn werk, claimde hij, niemand die het geloofde; hij moest thuis gewoon stiekem ijzer pompen) had ondertussen een van de andere hooligans een smerige *punch* op zijn lever gegeven, waardoor er nu drie kerels op de grond lagen.

Even leek het erop dat de rest van die gasten massaal zou aanvallen. Ze schreeuwden en gromden als wilde beesten, hieven hun vuisten, spuugden, priemden hun vingers. Maar iets hield ze tegen. Eentje van hen gaf onophoudelijk klappen in het gezicht van de leider van de groep, de aap die Mo met één welgemikte kopstoot had geveld. Toen de aap bijkwam, keek hij wazig om zich heen. Hij kroop op zijn knieën, overzag het slachtveld, gromde iets, en zocht ondersteuning bij de vent die hem vlak daarvoor nog in zijn gezicht zat te meppen. De aap mompelde iets onverstaanbaars.

En de hooligans dropen af.

Ze hadden Dan, Fran en Stan naar een taxi gebracht. Bill William pakte ook een *cab*, de andere kant op. Hijzelf, Nasty Natasja, Mechanic Mike en de anderen waren teruggegaan naar Manto, waar ze de overige vrienden bijpraatten, die blijkbaar te druk met andere dingen bezig waren geweest om hen te missen. Nasty Natasja (op haar pruik zat een beetje modder) liet aan iedereen keer na keer zien hoe Mo met één welgemikte kopstoot de aap had gevloerd.

Die avond hadden ze voor de eerste en laatste keer seks.

'Maar die aapjes op dat plein... hoe zei je dat het heette?'

'Wat?'

'Dat centrale plein in Marrakech, waar ze aapjes verkopen; hoe heet dat plein ook alweer?'

'Djemaa el Fna,' zei hij nog steeds in gedachten verzonken.

'Die aapjes vond ik wel zielig, natuurlijk. Maar verder was Marokko echt tof.'

Hij zei dat hij er nog nooit was geweest. Ze geloofde hem niet. Hij was daar toch geboren?

'Waarom zou ik erover liegen?' Dat kwam er niet echt lekker uit. Verdiende ze nu ook weer niet. 'Nee, echt. Kanaleneiland, daar ben ik dus geboren. Mijn ouders in Marokko. En mijn vader wilde nooit terug. Was bang dat de familie alleen maar uit zou zijn op zijn geld. Dus bleef hij in Nederland. Ik heb 't nooit echt heel erg gevonden, hoor. Toen ik jong was, was ik wel nieuwsgierig. Maar dat is later overgegaan.'

Begreep zij niet. En dat begreep hij ook wel. Als iemand anders hem, bijvoorbeeld in Manto, zou vertellen dat zijn ouders uit Brazilië kwamen, dan zou hij het ook onbegrijpelijk vinden dat er bij zijn gesprekspartner (in Manto werden dat maar al te vaak niet veel later ook bedpartners) nooit een verlangen opborrelde om te zien waar zijn verwekkers vandaan kwamen. Maar Marokko was geen Brazilië. En sinds zijn vader in Marokko begraven lag, wist hij zeker dat hij daar nooit één voet zou zetten.

Ze vroeg hoe Manchester was. Niets had ze gezien van de stad, zei ze klagerig. 'Alleen die fotoshoot, en hup, terug naar Nederland.'

Manchester, dat was makkelijker gespreksstof. Hij hield een lange, vurige lofrede op de stad die hij de afgelopen jaren in zijn hart had gesloten. Prees de kroegen, de bittere humor van de Mancunians, de bandjes die je overal voor weinig geld kon bekijken, de boekwinkels en platenzaken, en de universiteit waar je werd aangemoedigd om te excelleren – óók door je medestudenten. En hij vertelde, ten slotte, over de vrienden die hij er maakte.

'Waarom ga je dan terug naar Nederland?' vroeg ze toen hij was uitverteld. 'Wat heb je daar te zoeken? Wat is zo belangrijk dat je dat allemaal achter je laat?'

Drie punches, *bám, bám, bám*, die hem hard troffen. Pijn in zijn buik, meteen. Geen lucht, ademnood, niet in staat te antwoorden.

'Zijn je ouders ziek, of zo? Moet je voor hen zorgen?'

Hij zei dat zijn vader al lang dood was. Ook dat kwam er niet echt lekker uit. Ze leek meteen haar excuses aan te willen bieden. Voor hem reden daar meteen overheen te praten.

'En mijn moeder spreek ik bijna nooit. Dus dat is het niet.'

'Waarom ga je dan wél terug, als je het zo naar je zin hebt in Manchester?'

Hij overwoog het gewoon te vertellen. Op de website van de AIVD stond nadrukkelijk vermeld dat sollicitanten in geen geval aan hun omgeving moesten mededelen dát ze solliciteerden. Zou de verdere procedure in gevaar brengen. Aan het eind van het sollicitatiegesprek had die vent die zoveel aan het woord was geweest hem nog even bij zijn schouder gepakt om er zeker van te zijn dat hij (Marokkaan, immers) wel begreep hoe belangrijk dat was.

'Het is in ieders belang dat je niemand op de hoogte stelt van dit gesprek, Mohammed.'

Ook een punch, dat Mohammed. In Engeland, in Manchester, was hij Mo geworden. '*Mo is for Mo*,' zei hij altijd afgemeten als er gevraagd werd of 'Mo' stond voor 'Mohammed'.

'In ieders belang,' had de man herhaald, toen hij zag dat hij, Mo dus, even uit het lood geslagen was.

Toch was het niet die waarschuwing van zijn aanstaande leidinggevende, die hem er uiteindelijk van weerhield te vertellen wat hem naar Nederland bracht, wat hem naar Nederland drééf. Ze had er gewoon niets mee te maken. Hij kende haar pas net. Beter: hij kende haar nog helemaal niet. Nog beter: hij hoefde haar niet beter te leren kennen – zoals hij straks in Nederland ook niemand beter hoefde te leren kennen.

'Ik ben gewoon benieuwd of Nederland veranderd is sinds ik er weg ben,' zei hij, waarna hij snel opstond. 'Even plassen.'

Starend naar zijn lul ('*O, I adore circumcised cocks*' – Oliver, die eerste keer) dacht hij aan het moment waarop hij het zijn vrienden vertelde. Bij de AIVD mochten ze benadrukken dat het in ieders belang was dat niemand wist wie er werkte, maar hij vond het in zijn eigen belang dat hij zijn vrienden kon vertellen waarom hij terug ging naar dat vermaledijde Nederland, waar hij altijd zo op had lopen kankeren.

Ze keken hem aan alsof hij een heel slechte grap maakte. Nasty Natasja was, zoals zo vaak, de eerste die sprak na een pijnlijk lange stilte. In zijn herinnering viel zelfs de muziek even helemaal weg, zo stil werd het.

'*For fuck's sake*, ik heb je echt betere grappen horen maken, Mo.'

Hij zei dat het geen grap was. Een keer of tien. Net zo lang tot iedereen inzag dat het wel waar móést zijn. Want waarom zou hij zo'n slechte grap keer op keer herhalen?

'Als er iemand is die níét maatschappelijk betrokken is, dan ben jij het wel, *you bloody hedonist*,' zei Fran.

'Spionnetje spelen is toch niets voor jou?' Dan.

'Jij doet niet aan politiek, toch?' Stan.

'Ben je ons zat?' Nasty Natasja. En dat was voor het eerst dat hij haar, nou ja, *nasty* vond.

'Ben je uitgehuwelijkt aan een nicht?' Wederom Nasty Natasja, direct na die eerdere vraag, waarvan ze moet hebben ingezien dat-ie onder de gordel was. 'Een nicht met een snor? Moet je daarvóór terug?'

Nadat ze waren uitgegrinnikt probeerde hij het op verschillende manieren uit te leggen. Zei dat de moord op Van Gogh hem aangreep. Maar dat wisten ze al. Daar had hij het, geheel tegen zijn hedonistische, niet-maatschappelijk betrokken, apolitieke natuur in, al veel te vaak over gehad de afgelopen maanden.

Maar die moord, hoe gruwelijk ook, was toch geen reden om zelf spionnetje te gaan spelen?

Hij probeerde ze te overtuigen dat het belangrijk werk was. Daar moesten ze om lachen. Want dat was wél een geslaagde grap. Hij, belangrijk werk willen doen? Waarom zat hij de afgelopen maanden dan als een klerk creditcards te checken? Waarom was hij niet een *master's degree* gaan halen als hij belangrijk werk wilde doen? De literatuur, dát was voor hem toch altijd belangrijk geweest?

En zo ging het door. Hij probeerde het uit te leggen, zijn motieven duidelijk te maken. Maar hij kreeg het niet goed uitgelegd. Misschien ook wel omdat hij zelf niet echt begreep waarom hij had gesolliciteerd bij de Algemene Inlichtingen- en Veiligheidsdienst. Waarom wilde hij verdomme ineens spionnetje spelen?

Mo schudde zijn lul droog, keek vlug in de spiegel, waste zijn handen, stak ze onder de droger. Hij staarde naar zijn vage reflectie in het aluminium van de droger en fluisterde: 'Waarom?'

Caitlin was alweer verzonken in *Porno*. Hij maakte aanstalten om naast haar te gaan zitten, maar bedacht zich. Ze had nog iets van hem tegoed.

'Stella?'

Ze keek op van haar boek. Hij knikte zijn hoofd naar beneden, in de richting van haar lege bierflesje.

'Ja, lekker.'

Bij de bar stond een rij. Een oudere, tanige, grijzende man bestelde een witte wijn en stond erop dat hij even het etiket van de fles mocht zien alvorens er werd ingeschonken. De lagerlouds die achter hem stonden keken elkaar aan en rolden opzichtig met hun ogen. De grijzende man keurde de wijn goed, rekende af, maar bleef aan de bar staan. Hij pakte het wijnglas aan de stam vast, rolde het glas heen en weer, nam een kleine slok, en bolde vervolgens parmantig z'n wangen.

'*For fuck's sake*, we staan hier niet op de bus te wachten, mate. *Move*, we willen bestellen!' De dikste van de twee lagerlouds.

'Het is hier geen bloody wijnproeverij!' De iets minder dikke van de twee.

De grijzende man keek ze minachtend aan. Zij *scum*, hij geciviliseerd; zelfs de lagerlouds begrepen die blik. De idioot leek de confrontatie aan te willen gaan, maar koos eieren voor zijn geld toen de mannen tegenover hem hun ruggen rechten, en hun schouders naar achteren trokken, waardoor hun bierbuiken naar voren bolden. Hij stapte opzij, en de lagerlouds konden doorgaan met wat lagerlouds doen: *lager* drinken, *loud* zijn. Nippend aan hun overvolle pint-glazen liepen ze naar het tafeltje waar al een halve afwasmachine aan glazen stond opgesteld.

Caitlin pakte de Stella aan zonder op te kijken van *Porno*. Ze mompelde een dankjewel, en bleef doorlezen. Beter. Hij had niet zo'n zin meer om te praten.

Gedachteloos pulkte hij aan het etiket op zijn Stella. Kijkend naar de lagerlouds verderop dacht hij weer aan Oliver. Meteen de eerste keer dat hij de Students' Union binnenliep, waren ze aan de praat geraakt. Oliver had hem gecomplimenteerd met zijn *dancing skills*. Hij was op hem af komen swingen en zei: '*I like the way you move, son.*'

Dat 'son' begreep Mo niet, pas later leerde hij dat het een aanspreekvorm was waar verder niets achter school. Zoals hij ook pas later in bed (diezelfde avond nog) begreep dat Oliver hem in de zeik had genomen met dat compliment over zijn dancing skills, zoals goede vrienden elkaar in de zeik nemen als blijk van vriendschap. Wat hij wel meteen begreep, wat hij voelde in zijn hele lijf, was dat hij iemand had ontmoet die misschien een heel klein beetje het schurende verdriet dat Melissa heette, kon verzachten. Verdriet dat toch nooit helemaal zou verdwijnen, dat wist hij ook zeker.

Acht jaar ouder was hij. PhD-student psychoanalyse. Kost-

schoolkop. Hugh Grant, maar dan blond. Beetje kakkineus gekleed, maar wel altijd met ergens een ontregelende vlek, meestal
inkt. Opgegroeid in een van de betere wijken van Londen, maar
gefascineerd door het donkere, het criminele, het andere. Urenlang kon hij het hebben over een of andere obscure *case history*,
met een gek als hoofdpersoon. Smullend vertelde hij dan de
meest bizarre of ranzige details, hij wentelde zich erin zoals een
varken zich in stront baadt.

Er was een moment geweest dat hij zich afvroeg of Oliver
hem ook als een freak zag. Bestudeerde hij hém, zoals hij die
case histories bestudeerde? Het lukte hem om die gedachte af
te doen als een Nederlandse gedachte, terwijl hij inmiddels in
het Engels dacht. Want hij was er van overtuigd dat Oliver echt
om hem gaf. Als eerste mens op aarde. (De tweede – wég met
die gedachte!)

Bleek niet alleen in bed, waar ze de sterren van de hemel
neukten. In Manto gierden ze het uit toen ze vertelden dat ze
door 9/11 heen geneukt hadden. De hele middag en avond lagen
ze in bed. De seks werd slechts onderbroken voor een toilet-
bezoek, of om een volgende fles wijn open te trekken. Pas de
ochtend erna lazen ze in de ochtendkrant wat er de dag ervoor
was gebeurd in Amerika.

Ze besloten *fuck buddy's* te worden. Dat idee kwam natuurlijk
van Oliver. 'Waarom zouden we elkaar genot ontzeggen?' zei hij,
zijn lul afvegend aan een lakenpunt.

En Mo snapte zelf niet dat hij het goed vond om de allereerste
mens (de twééde!) die om hem gaf te delen met anderen, maar
hij zei: 'Ja, waarom zouden we?'

Het werkte nog ook. Ollie bleef de eerste, en de meest bijzondere, maar ook andere mannen bleken zijn gezelschap te
waardeerden – al was het maar een kwartiertje. 'Vluchtige con-
tacten' noemden ze dat in Nederland, als hij zich de uitdrukking
correct herinnerde. Het mocht dan vluchtig zijn, voor hem was
het: contact.

God, wat was hij Oliver dankbaar. Dankzij hem hoefde hij niet uit de kast te komen. Hij wás uit de kast, van het ene op het andere moment, meteen nadat hij werd aangesproken. Volstrekt natuurlijk voelde het dat hij die avond met Oliver meeging naar het studentenhuis waar hij woonde, niet ver van de campus waar hijzelf een kamertje had, in de stad waar hij eindelijk zichzelf werd.

Kip of het ei? Heel in het begin tergde hij zichzelf nog met die Nederlandse gedachte. Was hij homo geworden omdat zo'n beetje heel Kanaleneiland hem homo noemde, gewoon omdat hij anders was? Of werd hij als homo geboren, was hij altijd al homo gewéést – en had men dat simpelweg doorgrond? Op een gegeven moment overwoog hij zelfs de kwestie aan Oliver voor te leggen, die had daar vast een theorie over, maar hij kon de verleiding weerstaan. Wat deed het er godverdomme toe? Hij was wie hij was. En hij was nu gelukkig.

Bijna, dan. Het verdriet om Melissa zou nooit meer weggaan. Dat wist hij zeker.

Caitlin keek hem geïrriteerd aan. Zijn hoofd omlaag bewegend, in de richting van zijn handen, besefte Mo dat hij panisch aan het etiket van zijn Stella zat te peuteren. Caitlin schonk hem een glimlach toen hij ophield, en was meteen weer verdiept in *Porno*.

Nu hij was opgehouden met pulken gleden zijn ogen onwillekeurig over het etiket van zijn Stella, en las hij: BELGIUM'S ORIGINAL BEER.

De naam van een land op een bierflesje. Meer was er niet voor nodig om de boel in gang te zetten.

Melissa, verdomme.

Hij zette het bierflesje op de grond. Met gesloten ogen ging hij de confrontatie aan. Talloze malen eerder had hij dat gedaan. Hij wilde het niet, maar verzet was zinloos: de gebeurtenissen van de zomer van 2001 drongen zich eens in de zoveel tijd gedetailleerd aan hem op.

De grens, België. Frankrijk. Engeland. Hun vakantie. Nooit was hij gelukkiger dan toen.

Nooit? Met Oliver was hij gelukkig, in Manto was hij gelukkig. In Manchester was hij gelukkig. Maar zij was de eerste mens met wie hij gelukkig was, zij was de eerste die hem nam zoals hij was.

Na hun vakantie bleef het langer stil dan hij had gehoopt had. Eind juli begon het al te schrijnen. Geen kalenderkijker, telde hij de dagen. Het werd augustus. En het bleef stil.

Melissa opzoeken in haar studentenhuis in Zuilen durfde hij niet. Bellen kon hij niet, want 'aan telefoons deed ze niet', had ze meteen aan het begin van hun vriendschap gezegd. Aan het eind van elke ontmoeting maakten ze een afspraak voor de volgende keer; dat was altijd goed gegaan.

Melissa's stilte werd verbroken door zijn moeder. Hij lag te lezen op bed toen ze ineens gillend voor zijn deur stond. 'Mohammed!'

Hij verstopte de roman onder zijn kussen voor hij de deur opendeed. Zijn moeder hield een envelop tussen haar duim en wijsvinger. Ze keek erbij alsof ze hem net met zijn broek op zijn knieën aantrof. Maar het lag er te dik bovenop; die boosheid was gespeeld. Ze leek eigenlijk wel tevreden, alsof hij een belofte inloste waarvan ze nooit had durven dromen dat hij hem ooit zou inlossen. Het handschrift op de envelop was ontegenzeggelijk van een meisje. Dus hoe zat dat? Goed nieuws, *after all?*

Hij graaide de envelop uit haar vingers. Duwde de deur dicht, slot erop. Wrikte de envelop open en begon te lezen.

De brief was gedateerd op 5 augustus. Drie dagen voor de dag waarop hij 'm ontving. Voor hij begon te lezen, draaide hij het papier even om. Hij zag een PS, maar besloot gewoon bij het begin te beginnen.

Lieve, lieve Mo,

Hij wist meteen dat het fout zat, dat het he-le-maal fout zat. Dat was niet hoe ze praatte. En hij had gelijk, want de volgende woorden van haar brief waren:

Als je dit leest, ben ik dood.

Hij tikte op zijn hart, de plek waar hij zijn portemonnee opbergt. Even overwoog hij om 'm uit zijn binnenzak te halen en de stukgelezen afscheidsbrief van Melissa eruit te pulken. Als hij de confrontatie aanging, kon hij net zo goed *all the fucking way* gaan. Maar iets hield hem tegen. Caitlin hield hem tegen, ze zou nieuwsgierig worden en willen weten wat hij las.

Hij sloot zijn ogen weer, en probeerde zich precies voor de geest te halen hoe hij haar opdracht voor het eerst las: 'Jij gaat in Engeland studeren.'

Zijn eerste gedachte toen hij dat las: ja, ik zou wel willen – maar waarvan dan? Dat werd hem een paar regels onder haar opdracht duidelijk. In klinische, staccato zinnen beschreef ze waar hij een sleutel kon vinden en wat hij daarmee moest doen: de sleutel lag in een boekenkast van Hinderickx & Winderickx, verborgen achter een boek met de toepasselijke titel *De sleutel*, en daarmee moest hij naar het postkantoor op de Neude, waar in het kluisje helemaal linksonder (een nummer gaf ze niet) iets voor hem lag. Hij moest het accepteren, schreef ze; weer een opdracht.

Hij kon het allemaal niet geloven, hij wilde het allemaal niet geloven. Speelde ze een spelletje met hem? Maar dat was niets voor Melissa. Hun vriendschap was juist zo bijzonder omdat ze eerlijk waren tegen elkaar, altijd. Oké, ze speelden misschien niet altijd meteen open kaart, er waren dingen die je moeilijk tegen een ander vertelt, zeker in het begin, maar ze logen niet. Nooit.

Nadat hij de brief een paar keer had gelezen besloot hij toch naar Zuilen te gaan. Het zou nog steeds een slechte grap zijn, maar ze zou het kunnen uitleggen. Ze zou een verklaring hebben. Het in een context kunnen plaatsen.

Voor haar studentenhuis aan de Marnixlaan kreeg hij hetzelfde gevoel als toen hij maanden eerder die portemonnee van haar terug ging brengen, die eerste keer dat hij een faculteitsgebouw van binnen zag.

Dralen. Uiteindelijk aanbellen.

De deur werd opengedaan door een meisje dat hij nog niet eerder had gezien. Drie gezichten kende hij in dit huis: drie studentes, allemaal ouder dan Melissa. Veel contact met hen had ze niet. Die oudere studentes waren haar 'te studentikoos'.

Het meisje in de deuropening droeg een volumineuze badstoffen kamerjas die haar nog plomper maakte dan ze al was. Ze keek hem argwanend aan; haar linkerhand omklemde de voordeur.

'Melissa? Ik ken geen Melissa,' antwoordde ze op zijn vraag.

'Ze woont hier, eh, ze woonde hier in ieder geval tot voor kort.'

'Wacht. Ik zal het even aan de andere meiden vragen. Die wonen hier langer dan ik.'

De studente trok de deur dicht. Niet vreemd. Marokkaan aan de deur? Slecht nieuws.

Meteen daarna gemaal in zijn kop, hij weet het nog precies. *Die wonen hier langer dan ik...* Als dat zo was en niet een van die drie studentes was verhuisd...

De deur ging open. Hij herkende het gezicht van Juliëtte. Ze droeg – zoals zo'n beetje alle keren dat hij haar had gezien – een roze joggingbroek en een zwarte hoody met het logo van haar studentenvereniging.

'O, hé, Mo. Ik dacht al dat jij het was toen Megan zei dat er een Marokkaanse jongen voor de deur stond. Maar Melissa woont hier niet meer, hoor.'

Niet leuk, dit spelletje. Láát het een spelletje zijn.

'Heeft ze je dat niet laten weten? Ze zou je schrijven, zei ze, voor ze vertrok. Zodat je wist waar ze heen ging.'

Als je dit leest ben ik dood.

'Wanneer is ze vertrokken dan?'

Een zucht. Een naar achteren gekanteld hoofd. 'Poeh, al best een tijdje geleden, hoor. Ze deed een beetje vaag over waar ze naartoe zou gaan. Maar ja, we hadden ook niet zoveel contact, hè.'

Dat was geen verontschuldiging, dat was een statement. Waarmee Juliëtte zei: die Melissa was niet helemaal Ons Soort Mensen.

Toen de datum. Uit de mond van die Megan. Die zei dat ze het precies wist omdat ze introk op de dag dat de vorige huurster vertrok, en dat was dus blijkbaar 'die Melissa'.

Die fucking datum. De dag voordat ze samen op reis gingen.

Ze merkten dat hij uit het lood was geslagen. Hij mompelde wat, en zag voor hij zich omdraaide nog net het gezicht van Megan die de deur langzaam sloot.

Dat meisje, die Melissa, is waarschijnlijk op de vlucht geslagen voor die Marokkaan, zei dat gezicht.

Hij opende zijn ogen. Keek voorzichtig over zijn linkerschouder naar Caitlin. Ze had haar ogen vredig gesloten, haar handen omklemden *Porno*, maar het leek niet lang meer te duren voor het boek op de grond zou vallen.

Had hij nooit begrepen: mensen die in slaap vallen tijdens het lezen van een boek. De gedachte dat zij in slaap viel bij *Porno*: het kostte hem moeite niet te grinniken. Maar dat meisje moest blijven slapen, hij moest het hele fucking script afwerken.

Hij was van de Marnixlaan naar het centrum gelopen. De bus pakken wilde hij niet. Bang dat iedereen het gemaal in zijn kop kon horen. Kilometers lang piekeren, snelwandelend op weg naar de Oudegracht. In het antiquariaat zat Hans al achter een fles witte wijn. Toen hij de deur open duwde, zette de boekverkoper snel de fles naast zijn bureau. Het overvolle glas liet hij staan.

'Je zweet nogal. Ik ga er natuurlijk niet over, maar het lijkt me vandaag ook niet echt weer voor een leren jas,' zei hij ter begroeting.

Zelf had de antiquair het ook warm, zo te zien. Zijn gezicht was rossig. Kon ook van de wijn komen, natuurlijk.

'Nah, ik heb een end gelopen,' antwoordde Mo.

Hij liep het antiquariaat in naar achteren, waar de Engelse pockets stonden. Zijn ogen zigzagden over de planken, bleven hangen bij een boek van een zekere James Kelman dat er ongelezen uitzag, *How Late It Was, How Late*, heette het. Rare titel, en de paar alinea's die hij staand voor de boekenkast las, waren ondoorgrondelijk, maar het leek hem op de een of andere manier verstandig iets ingewikkelds te kopen. Het boek kostte ook bijna niets, dus dat kwam goed uit, want veel geld had hij niet.

Nu moest hij naar de plek waar Melissa de sleutel had verstopt. Hij keek over zijn schouder naar Hans, die wijn nipte, en liep zo zelfverzekerd mogelijk naar de kast waar hij er achter zou komen dat ze een kutgeintje met hem had uitgehaald.

Hij knielde neer. Beet meteen door de zure appel heen, plaatste een wijsvinger op de top van *De sleutel*, kantelde het en zag iets glinsteren, nog voor zijn duim en wijsvinger het boek naar achteren trokken.

Hij hield het boek (een Japans meesterwerk volgens de achterflap) vast en keek naar de sleutel.

Een paar seconden overwoog hij het boek terug te zetten, de pocket van die Kelman af te rekenen, de bus naar huis te pakken, en gewoon te wachten totdat ze bij hem zou aanbellen. Ze had zijn adres, hij zou haar gewoon een paar dagen laten hangen. Als zij kutgeintjes met hem uithaalde, kon hij dat ook.

Maar natuurlijk pakte hij de sleutel. Zoals hij eerder die portemonnee van haar ook niet had laten liggen.

De hele weg van de Oudegracht naar de Neude omklemde hij de sleutel in zijn broekzak. Voor het imposante postkantoor hield hij halt. Scande de omgeving. Zou ze hier ergens naar hem staan loeren, haar benen gekruist om niet in haar broek te plassen van het lachen? Misschien wel daar, achter De Denkende Haas, het beeld dat ze altijd een aai gaf als ze het passeerde? Misschien moest hij het spelletje meespelen.

Hij liep naar binnen. Vond het kluisje, met daarin een bruine papieren zak met een smakeloos, bizar groot geldbedrag. Verder niets. Geen briefje. (Gefopt!). Niets dan al die briefjes in die grote coupures, alleen maar die duizenden, tienduizenden guldens.

Had ze een erfenis gekregen, was die klotepa van haar dood neergevallen? Had ze de loterij gewonnen? Hoe kwam ze verdomme aan dat geld? Dat viel toch niet bij elkaar te neuken? Meteen spijt bij die gedachte. Hij wilde het beeld dat hij erbij kreeg van zijn netvlies doen verdwijnen.

Hij nam niet eens meer de moeite om te kijken of ze hem achter De Denkende Haas stond uit te lachen. Doelloos dwaalde hij door de stad. Urenlang liep hij rond, de papieren zak met dat onmogelijke geldbedrag in zijn hand geklemd.

In het Zocherplantsoen ging hij op een bankje zitten, het zweet stond op zijn voorhoofd. Hij probeerde het weg te vegen, maar dat leek hem al snel zinloos.

Alles was zinloos.

Verderop zaten een paar beroepsalcoholisten halve liters weg te werken, zuipend op weg naar hun einde.

Dan plots de gedachte: als ze dood is, wil ik ook dood. Hij kon er toch gewoon een eind aan maken?

Hij stond op, overwoog de papieren zak daar te laten liggen (vroeg of laat zouden de *alcies* 'm vinden; veel plezier ermee jongens!), maar nam 'm uiteindelijk toch mee.

Lopend door het Museumkwartier in een steeds klammer wordende leren jas hoorde hij haar stem, het was alsof ze ineens naast hem liep: 'We gaan jouw haat vieren...'

Toch een kutgeintje! Verdwaasd keek hij om zich heen. Waar was ze?

Maar de enige mensen in zijn directe omgeving waren de gekken, de gestoorden, de druggies en de alcies, die nadat ze overdag hun rondjes maakten, 's avonds netjes werden opgeborgen in het Willem Arntsz Huis. De gemankeerden leken hem, terwijl hij drijfnat van het zweet en dronken van verdriet over straat waggelde, uit te lachen; het galmde in zijn oren, blikkerig en doods en kwaadaardig.

Hahahaha!

Thuis, nuchter, sloot hij zich op in zijn kamer.

Liefdesverdriet, dacht zijn moeder, die brief was van een meisje dat het had uitgemaakt, omdat hij niet man genoeg voor haar was. Helemaal ongelijk had ze niet.

Dat ze dood was, wist hij na een paar dagen zeker. *The joke just wasn't funny anymore.*

Ontnuchterd kwam de echte, schroeiende boosheid. Waarom flikte ze dit? Waarom had ze niets gezegd? En waarom splitste ze hem dat smerige geldbedrag in de maag? De hoer! (Spijt daarvan, meteen.)

Mo overwoog om een deel van het bloedgeld te gebruiken om een geweer (nog beter: een martelwerktuig!) te kopen om die vader van haar kapot te maken, uit elkaar te trekken, te vierendelen en te *waterboarden*. Hij zou de gore kindneukende klootzak laten lijden omdat hij háár had laten lijden.

Als haar vader niet had gedaan wat hij gedaan had, dan was ze toch niet de hoer gaan spelen? Als haar vader niet had gedaan wat hij gedaan had, dan was ze er toch nog geweest?

Maar hij mocht de klootzak niet kapot maken. Hij had het haar beloofd. En die belofte mocht hij niet breken. Er was één manier om haar, *in the next life,* te laten zien dat hij haar waard was, er was één manier om haar dood enigszins zin te geven: door haar opdracht te aanvaarden.

Mo opende zijn ogen, en constateerde dat de stoel naast hem leeg was. Hij overwoog nog een Stella te halen, maar zag daar van af toen hij opmerkte dat de lagerlouds weer aan de bar stonden. Hij had geen zin in gezeik met die gasten, en sloot zijn ogen weer.

In de dagen nadat hij de afscheidsbrief van Melissa ontving, was hij daadkrachtiger dan ooit. In no-time zocht hij uit of het mogelijk was om in Engeland te studeren. Bleek mogelijk, als hij slaagde voor een *proficiency*-test, die je gewoon in Nederland kon doen, want een vwo-diploma bleek vergelijkbaar met de A-*levels* die toegang tot Engelse universiteiten verschaften. Bleek zelfs heel goed mogelijk toen hij, na te slagen voor de test, kon melden dat hij als buitenlands student een zak geld mee zou nemen.

Manchester zou het worden, de geboortestad van hun held Morrissey, dat stond voor hem vast vanaf het moment dat hij Melissa's opdracht aanvaardde.

Heimelijk kocht hij een ticket. *One way*, want hij zou nooit meer terugkeren. Het ticket en de zak geld verborg hij in het kluisje in het postkantoor aan De Neude. Met Souf en zijn moeder kon hij geen enkel risico nemen.

In nog geen twee weken had hij alles geregeld. Dat ticket, een plek op de universiteit, een kamer op de campus, een Engels mobieltje, een rugzak. Veel nam hij niet mee. Als je een enkeltje koopt, dan doe je dat ook omdat je weet dat je op de plaats van bestemming alles kunt kopen wat je vergeten bent, want dat is je nieuwe thuis.

De dag dat hij vertrok, 19 augustus 2001 (nooit zou hij die datum vergeten), stond hij om vijf uur 's ochtends op. Hij had nog uren kunnen blijven liggen, als het hem er alleen om te doen was Souf niet tegen te komen, want die lag in de vakantie tot tegen het middaguur te meuren. Maar zijn moeder was altijd vroeg op. Háár moest hij voor zijn.

Hij vertrok in de kleren die hij aanhad, de rest liet hij in de kast hangen. Ook zijn overige bezittingen liet hij achter, alleen de boeken gingen mee, veel waren het er nog niet. Pas toen hij in de kelderbox die paar boeken in zijn bagpack stopte besefte hij dat hij een veel kleinere rugzak had kunnen kopen. Hij propte zijn leren jack in de tas om het nog wat te laten lijken.

Op weg naar de tram zag hij een groepje oudere mannen aan komen lopen, ze moesten onderweg zijn naar de moskee. Hij dook een portiek in. Iedereen kende iedereen in Kanaleneiland, en als ze je niet persoonlijk kenden, was er altijd wel weer iemand die wél wist wie je was – die jongen met die rugzak? O, dat is er een van El Amrani, je weet wel, die lopende collectebus die in een doodskist voor het eerst terugkeerde naar Marokko.

Hij koos ervoor een halte later in te stappen dan hij normaal deed. Geen enkel risico, misschien had een ex-klasgenoot al wel een baan gevonden, iets waarvoor je tyfusvroeg je nest uit moest.

Eenmaal in de binnenstad nam hij de tijd om afscheid te nemen van het Museumkwartier. Toch stond hij al ruim voor openingstijd te wachten totdat iemand de zware deuren van het postkantoor aan de Neude zou openen. Eenmaal binnen, keek hij schichtig om zich heen. Hingen er hier eigenlijk camera's? Een snelle scan leerde dat dat niet het geval was, als hij tenminste niets over het hoofd zag, wat niet uit te sluiten viel, want nooit eerder had hij zich druk gemaakt om beveiligingscamera's.

Kluisje open. Papieren zak in rugzak. Wegwezen.

Hij was al op weg naar Centraal toen hij ter hoogte van Chinees restaurant Paradijs resoluut omdraaide. Hij snelwandelde terug in de richting van het postkantoor, opende daar het kluisje, keek weer of er camera's hingen, en knielde opnieuw neer. Uit zijn rugzak haalde hij het boek van James Kelman, scheurde een lege pagina achter uit het boek, en pakte een pen uit de binnenzak van zijn jack. Haastig schreef hij een paar zinnen. De pagina liet hij achter in het kluisje.

Weer buiten negeerde hij het stoplicht op de Lange Viestraat en liep rechtstreeks naar zijn doel. Voor De Denkende Haas stopte hij. Hij klom op de sokkel, makkelijk was het niet, en vond na enig zoeken een plekje waar hij de sleutel van het kluisje achterliet. Vervolgens liep hij in één keer door naar het station en pakte de trein naar de luchthaven.

Schiphol bleek een soort Hoog Catharijne, maar dan een Hoog Catharijne waar je wél wilde zijn. Waar niet iedereen er hetzelfde uitzag. Wachtend op zijn vlucht genoot hij van alle verschillende mensen die er rondliepen.

Hij zag statige Indiërs met tulbanden en imposante baarden sloompjes kuieren alsof ze een ommetje langs de Ganges maakten. Hij zag beeldschone vrouwen op heipaalhoge stiletto's die vóór ze incheckten vlug inkopen deden alsof hun creditcard alleen geldig was vóór de paspoortcontrole. Jengelende kinderen likten aan ochtendijsjes omdat het voor hen misschien geen ochtend was of omdat het gewoon mocht van hun ouders; het was immers vakantie. Hij zag homo's hand in hand lopen, er waren Amerikanen die gewoon een fucking cowboyhoed ophadden, hij zag Japanners met mondkapjes, een jonge vrouw duwde een dubbele kinderwagen met een zwart en een wit kind erin. Er was een Oost-Europees sportteam met allemaal dezelfde trainingspakken aan, een Jood met een hoed op sprak een onverstaanbare taal met twee jongetjes met pijpenkrullen. Hij zag een gigantische neger die gemakkelijk een weegschaal naar de filistijnen zou helpen als hij alleen al een van zijn olifantenpoten erop zou zetten, een dronken Engels meisje had zo weinig kleren aan dat ze net zo goed compleet naakt zou kunnen zijn, zakenmannen in kreukelige jasjes zaten gewichtig te doen achter hun laptops, en ja, hij zag zelfs een vrouw in een boerka.

Tijdens het inchecken bedacht hij dat de papieren zak met dat belachelijke geldbedrag nog in zijn rugzak zat. Waarom had hij daar verdomme niet eerder aan gedacht? Wat een amateur! Gemaal in zijn kop, terwijl de grondstewardess hem iets duidelijk probeerde te maken. Zouden ze die papieren zak kunnen zien in zo'n röntgenapparaat waar zijn tas doorheen moest? Hoe vaak openden ze rugzakken voor een routinecontrole? En was dat bij een Marokkaan niet gewoon een standaardprocedure?

Vreemd genoeg vond hij snel weer zijn *cool*. Melissa had hem een opdracht gegeven. Als ze wilde dat hij zou slagen dan zou ze zorgen dat hij straks aan de andere kant van de Noordzee al dat geld nog zou hebben. Werd het eruit gehaald, wérd hij gearresteerd ('Marokkaanse bankovervaller gepakt met buit op Schiphol' zou *De Telegraaf* in chocoladeletters koppen) dan had ze dat blijkbaar gewild, en dan was het ook goed.

Hij zuchtte. De grondstewardess keek even op van haar computer, en glimlachte geforceerd toen hij terug lachte en verontschuldigend zijn schouders ophaalde.

'Eerste keer?'

'Ja.'

'Spannend?'

'Een beetje wel, ja.'

Ze overhandigde de boardingpass. 'Er vallen meer doden in het reguliere verkeer.'

In het vliegtuig dacht hij aan het fortuin dat Melissa hem had geschonken – hoe kon hij daar níét aan denken? Als het goed was lag al dat geld nu ergens in het ruim van het vliegtuig. Of hadden ze het al opgemerkt, en lieten ze hem nog even in de waan dat hij aan de andere kant van de Noordzee een nieuw bestaan kon opbouwen? Zaten ze hem nu op Schiphol uit te lachen? Dat die Marokkaan echt dacht daarmee weg te komen! Haha, hoe naïef was die gast!

Aan de overkant stonden ze hem natuurlijk al handenwrijvend op te wachten.

Niet aan denken, niet aan denken, niet aan denken. Na een eeuwigheid telkens dezelfde drie woorden te hebben herhaald slaagde hij er eindelijk in. Hij dacht aan iets anders.

De jongen een paar stoelen voor hem was hem al opgevallen in de rij bij het inchecken. Lang (misschien wel twee meter), slank (maar niet mager), halflang, donkerbruin haar. Een stevige kaaklijn. Donkerblauwe houtje-touwtjejas, boven een strakke zwarte spijkerbroek, en flink uitgevallen bordeauxrode Doctor Martens. Dat waren de uiterlijkheden, die hem wel bevielen; zo zag niemand eruit in Kanaleneiland.

Maar hij was vooral geïntrigeerd door de serene rust die de jongen uitstraalde. Bij het inchecken liep iedereen zenuwachtig te doen. Ook later bij het boarden merkte je dat iedereen onrustig was. Behalve die ene jongen.

Hij probeerde zich voor te stellen hoe hij heette. Geen dubbele naam, daarvoor leek hij te alternatief. Maar ook niet iets excentrieks, dat paste niet bij hem. Gewoon iets als Martijn, een dertien-in-een-dozijn-naam. Deze jongen had geen bijzondere naam nodig om bijzonder te zijn.

Martijn zag er studentikoos uit, maar wel op de Engelse manier, ja, zo zouden Engelse studenten eruitzien. Martijn ging dan ook in Engeland studeren. Iets alfa-achtigs, een taal waarschijnlijk.

Zo verzon hij een compleet verhaal bij de jongen. De details stapelden zich op, Martijn kwam tot leven in zijn hoofd, hij wist min of meer alles van hem, hoe zijn stem klonk bijvoorbeeld, en hij kon, nu hij hem door en door kende, zelfs denken wat hij dacht.

Hij genoot ervan, totdat Martijn zich omdraaide. En zich om blééf draaien, zo vaak dat het geen toeval of gedachtespinsels van hemzelf konden zijn. Zat híj nu ook een verhaal om hém heen te verzinnen? En als dat zo was, wat dacht hij dan? Wat zag hij als hij naar Mohammed el Amrani keek? Zou het ook maar iets anders kunnen zijn dan 'criminele Marokkaan op de vlucht voor de politie'? Liep er op deze planeet ook maar iemand rond die in hem zag wat Melissa in hem had gezien?

Hij gebruikte de rest van de korte vlucht het boek van Kelman als een schild om Martijn niet meer te hoeven zien.

Bij de *baggage reclaim* ging hij zo ver mogelijk van de andere passagiers staan. In het vliegtuig, zijn hoofd verborgen achter

Kelman, had hij bedacht dat het verstandig was om zijn tas een keer een volle ronde te laten maken voor 'm van de bagageband te plukken. Het was onzin, stompzinnige paranoia, maar hij maakte zichzelf wijs dat alles oké zou zijn als zijn rugzak dat onnodige rondje zou maken.

Martijn stond juist dicht bij het zwarte gat dat koffers en tassen uitbraakte. Hij leek niet te kunnen wachten. Híj werd dan ook verwacht; al zijn nieuwe vrienden wachtten al op hem, zonder dat ze het zelf beseften. Martijn was het populaire type, het type dat binnen no-time de vanzelfsprekende leider is van een vriendengroep van gelijkgestemden.

Toen eindelijk Mo's zwarte rugzak werd uitgekotst, keek hij even weg. Eén rondje wachten, dan zou alles oké zijn. Maar hij kon het niet. Langer dan een paar seconden kon hij niet wegkijken van de bagageband. Hij wilde zijn tas in het zicht blijven houden. Verdomme, waar wás zijn tas? Niet op de bagageband, in ieder geval. Waar net nog zijn rugzak lag, achter een knaloranje rolkoffer, zag hij een gapend gat. Hij rende naar de bagageband, naar de papieren zak met al dat geld, en knalde onderweg tegen Martijn op. Vluchtig omdraaiend wist hij er een kortademig 'sorry' uit te persen, en rende verder.

Toen plotseling de gedachte: had die Martijn nu míjn rugzak op zijn rug?

Terugrennen! Martijn iets te hard op zijn nietsvermoedende schouder tikken, wijzen, mijn, rugzak, dát – en de gêne en de excuses toen bleek dat Martijn simpelweg dezelfde rugzak had als hij. Nog meer excuses, en de wijzende hand van de jongen: daar gaat jouw rugzak, op de bagageband, gozer.

En alles, al het geld, zat nog in de tas.

De douane liet hem zo doorlopen. Bij *De Telegraaf* zouden ze op zoek moeten naar een ander Marokkanenverhaal.

'*Welcome, sir,*' was het enige wat de *customs officers* tegen hem zeiden.

Verbouwereerd kon Mo niets anders uitbrengen dan een echo

van hun welkom voor hij – zijn rugzak stevig op zijn rug gesnoerd – Manchester Airport uitliep.

De formaliteiten bij aankomst op de campus waren in no-
time voorbij. Iedereen leek het volstrekt normaal te vinden dat
hij daar de komende tijd zou wonen en studeren, geen wenkbrauw ging omhoog, zijn paspoort werd alleen even vluchtig
ingekeken om wat gegevens over te nemen.

Hij maakte kennis met andere studenten op zijn *corridor*.
Allemaal Britten, onder wie een *nerdy* Pakistaanse Schot, een
half Nigeriaans meisje uit Wales (haar vader was blijven hangen
nadat hij de marathon van Cardiff had gewonnen) en een Indi-
ase Ier, die net als Mo al voor de start van het studiejaar waren
gearriveerd. Ze waren aardig, maar hij hield afstand. Dat was nu
eenmaal zijn tweede natuur.

Die eerste dagen nam hij zich elke ochtend weer voor 's avonds
naar de Students' Union te gaan, maar uiteindelijk duurde het
nog een week. En toen hij eindelijk ging, kwam Oliver zomaar
in zijn leven, waardoor alles veranderde *for the best*. Ollie was
zijn ticket naar Manto, naar zijn nieuwe vrienden, naar zijn
leven in Manchester.

*'Fucking told you so! I fucking told you so, mum! But you wouldn't
believe me, would you?'*

De dikste van de twee lagerlouds liep ijsberend in zijn telefoon te schreeuwen. Niet eens uit woede waarschijnlijk, de
wanker dacht gewoon dat ze hem anders niet kon verstaan. Hij
was immers helemaal op bloody Manchester Airport, op weg
naar een lang weekend Amsterdam, het paradijs waar de halve
liters bier en de hoeren al op hem wachtten.

Weken duurde het voor Mo zijn moeder belde. Uit veilig-
heidsoverwegingen maakte hij zichzelf wijs. Geen enkel risico
nemen. Maar *deep down* wist hij dondersgoed dat hij haar vooral
wilde kwellen. Wat had dat mens ooit voor hem gedaan? Ja, ze
had hem gebaard, maar daarna? Nou?

Daarna had ze hem achttien jaar lang gekleineerd. Ze had hem heel zijn leven laten weten dat ze bang was voor hem, bang voor wat hij was, of wat hij wilde worden, wat er zich in hem verschool. Geen idee wat er precies in haar kop omging, behalve dan dat ze niets van hem moest weten, en dat ze geen enkele moeite deed om dat te verbergen.

Die begrafenis van zijn pa, godverdomme, het was toch niet normaal, dat ze tegen familie zei dat hij vast zat? Wat voor moeder ben je als je zoiets doet?

Hij had het een keer opgebiecht aan Oliver. Die liet er meteen een hele analyse op los. Complex dit, complex dat. Het was de enige keer dat ze ruzie kregen.

'*Shut the fuck up,*' zei hij ijzig kalm toen Oliver bleef doordraven, elk woord uitsprekend met tussenpauzes, en hij zag angst in de ogen van zijn vriend, angst die met elk van die vier woorden groeide. Toen Ollie toch nóg een poging ondernam om het gedrag van zijn moeder te duiden, had Mo een hand voor z'n mond geduwd, en zijn vier eerdere woorden herhaald, nu fluisterend. Oliver leek het eindelijk te vatten. Hij zweeg.

Toch had hij zelf de behoefte gevoeld nog wél iets te zeggen. '*Sorry mate,* ik luister graag naar al je case histories, dat weet je. Maar na zo'n biecht over mijn moeder kun je echt niet aankomen met psychoanalytisch geleuter. Dan kun je maar één ding zeggen: dat ze een *evil bitch* is.'

Ze klonk niet eens heel ongerust toen hij haar eindelijk belde. Waar hij uithing kon haar aanvankelijk niets schelen. Ze begon meteen over geld. Hij zou toch na het behalen van zijn diploma geld gaan verdienen, hij kon haar toch niet zomaar in de steek laten?

Zoals zijn vader munten uit andermans zakken lulde, zo deed zijn moeder alsof hij een *bloody* ATM was in plaats van haar zoon. Toen ze ten slotte lusteloos vroeg waar hij was, zei hij dat hij een studiebeurs had gewonnen en 'ergens in Nederland' studeerde. Ze accepteerde het zonder verdere vragen: jammer dat ze niet van hem kon profiteren, maar opgeruimd staat netjes; hij hoorde het haar denken.

De volgende telefoontjes ging het wederom alleen om geld, en hij nam zich voor om nooit meer te bellen als ze daar in een volgend telefoongesprek (eenrichtingsgesprek) wéér over begon te zeiken.

Deed ze niet, want Souf bleek gepromoveerd tot kostwinnaar. Hij hoefde niet heel lang na te denken waarmee z'n broertje hun moeder onderhield, maar hij vond het best. Al beroofde Souf demente bejaarde vrouwtjes; zolang hij dat oeverloze gezeik over geld maar niet meer aan hoefde te horen vond Mo het prima.

Op zijn telefoon bleef het stil. In de week voor hij naar Manchester vertrok, had hij online het Engelse mobieltje geregeld. Bleek een fluitje van een cent. Hij kreeg meteen een telefoonnummer, het toestel werd verzonden naar zijn nieuwe adres op de campus. Het was dát nummer dat hij op de dag van zijn vertrek neerkrabbelde op die lege pagina uit James Kelman's *How Late It Was, How Late,* de uit de roman gescheurde bladzijde die hij achterliet in het kluisje van het postkantoor aan de Neude. Een bericht voor Melissa: als het allemaal tóch een kutgeintje was, dan zou zij weten dat hij de sleutel verstopt had bij haar favoriete standbeeld. Ze zou 'm vinden, en de kluis kunnen openen. Aan telefoons deed ze niet, maar ze zou hem kunnen bereiken.

In Engeland nam hij een nieuw abonnement en kocht een tweede telefoon toen er – na zijn introductie door Oliver in Manto – opeens mensen bleken te bestaan die hem wilden bellen, die hem wilden spreken, zijn stem wilden horen, zelfs lachten om de grappen die hij maakte. Het nummer van het eerste mobieltje was alleen voor Melissa bestemd. Nog steeds betaalde hij trouw zijn abonnementskosten, en nog elke dag zorgde hij dat de batterij werd opgeladen, zonder dat hij er ooit mee belde. Hij zette er in zijn eerste Engelse week een ringtone op. Hun favoriete liedje, wanhoopspoging nummer zoveel.

Want het bleef al die jaren doodstil.

Hij voelde instinctief in de binnenzak van zijn leren jack. Hij droeg het telefoontje tegen zijn hart, samen met zijn portemonnee. Sentimenteel, ja, mag hij? Als het om Melissa ging was hij sentimenteel. Nog altijd. Als zij er niet was geweest, was Manchester er niet geweest. Niet voor hem.

Hij stak zijn hand in zijn broekzak, duwde zijn lul in een comfortabeler positie, en wreef met zijn vingers even over de gestanste letters op zijn creditcard. Tien letters, zijn naam. Hij had erom moeten zeuren, en zijn chef vond het overduidelijk een vreemd verzoek, zeker in zijn eerste week als medewerker van de National Westminster Bank, maar hij had het voor elkaar gekregen. Hij was nu ook officieel – een creditcard is uiteindelijk belangrijker dan een paspoort – wie hij was geworden in Manchester: Mo el Amrani.

De National Westminster Bank. Zijn dagen saai, en heerlijk rustig, zodat hij 's avonds in Manto op zijn best was.

Tot die fucking dag.

'*Hey*, Mo, jij bent toch *Moroccan?*' Zijn collega Ian, vroeg in de ochtend, hij was nog bij aan het komen van Manto, wol in zijn kop. De kater werd meteen een graadje erger. Het was nooit eerder ter sprake gekomen dat hij Marokkaans was.

'*Well, Dutch, actually.* Maar als je bedoelt dat mijn ouders in Marokko werden geboren: ja.'

Meteen omslachtige excuses van Ian. Dat hij er niks mee bedoelde. Was natuurlijk ook zo. Ian was te saai om vilein te zijn, hij ontbeerde het talent.

'Er is iets in het nieuws. Er schijnt een beroemde Nederlandse regisseur neergeschoten te zijn. De dader is een Marokkaan.'

Daarna de eerste niet-saaie dag bij de bank. Nederlandse internetsites checken, de hele werkdag lang. 's Avonds meldde hij zich ziek voor Manto. Ook die avond scrolde en klikte hij van de ene Nederlandse site naar de andere. Hij las stukken op blogs die hij eerder nooit bezocht, en voor hij er erg in had, belandde hij op de website van de Algemene Inlichtingen- en Veiligheidsdienst. Om er telkens naar terug te keren.

In Manto verveelde hij iedereen met verhalen over die Van Gogh. Zelf begreep hij ook niet helemaal waarom juist de dood van die man, van wie hij vóór Manchester eerlijk gezegd nooit gehoord had, hem zo aangreep.

Misschien had Oliver het hem kunnen vertellen, er een analyse op los kunnen laten, maar *good old* Ollie sprak hij nauwelijks meer sinds die van de ene op de andere dag de scene verliet. Mo begreep er niets van, toen Oliver het opbiechtte. Verliefd geworden op een meisje. Meteen trouwplannen zelfs. Hoe was het in godsnaam mogelijk?

Ze zouden elkaar blijven zien, zei Oliver. En dat geloofde hij. Maar voor het huwelijksfeest werd hij niet eens uitgenodigd. Toch nam hij Oliver niets kwalijk. Niet echt. Ja, hij verliet van de ene op de andere dag de scene waar hij jarenlang deel van uitmaakte, waar hij thuis hoorde. Maar deed hij dat nu zelf ook niet? En waarom? Om in Nederland spionnetje te gaan spelen.

'Ben je er klaar voor?'

Jezus, hoorde hij nu ook al stemmen?

Hij opende zijn ogen. Natuurlijk, Caitlin. Naast haar een ander meisje, iets ouder, misschien nog wel dunner dan Caitlin. Felrood gestifte mond in een bleek gezicht; het gaf haar iets clownesk.

Caitlin zei iets over het oudere meisje, dat ze een collega was, zoiets. Niets van wat ze zei, drong echt tot hem door. Midden in een zin duwde ze haar boardingcard onder Mo's neus. 'Nummers uitwisselen?'

Het klonk meer als een bevel dan een vraag, en zonder verder na te denken pakte hij haar boardingcard aan. Ze diepte een scherp gepunt oogpotlood uit haar Afghaanse jas, haalde er een plastic dopje vanaf, en overhandigde hem het potlood alsof hij er om gevraagd had.

Vorige week had hij online een Nederlands mobiel nummer geregeld. De afgelopen dagen leerde hij het uit zijn hoofd, een stompzinnig spelletje met zichzelf om maar niet te veel aan andere dingen te hoeven denken. Hij schreef het nieuwe nummer op, maar bedacht zich halverwege en veranderde de laatste twee cijfers.

'Dank je,' zei ze, en ze liep weg. Over haar schouder riep ze dat ze hem een sms zou sturen zodat hij ook haar nummer zou hebben.

Vervolgens riep ze nóg iets, maar het kwam niet aan, hij was alweer in gedachten verzonken.

Manto. Wat gaat hij de *lads* missen. Ze boden aan om hem uit te zwaaien vandaag. Oliver wilde hem zelfs een lift geven. Maar het leek Mo beter het afscheid te koesteren dat ze al hadden gehad. Hij wilde ook geen scène. Geen tranen.

Maar, hey, hij zou ze snel weer zien. Dat hadden de lads op zijn afscheidsfeestje niet alleen geëist, daar hadden ze meteen ook voor gezorgd. Twaalf enveloppen kreeg hij. Daarin: twaalf weekendretours Amsterdam-Manchester, voor elke komende maand één. Bovendien eisten ze nog iets: hij moest de hele Manto-clique nog dit jaar, als hij eenmaal een beetje gesetteld was in Amsterdam, meenemen naar de beste plekken van de stad. Minimaal dertien keer zouden ze elkaar zien de komende twaalf maanden.

'... *are delaying the flight. Mister Muhammed el Amrani, travelling to Amsterdam, please proceed immediately to Gate 5, you are delaying the flight...*'

Het duurde even voordat de boodschap tot hem doordrong. En toen hij eenmaal besefte dat het over hém ging, overwoog hij gewoon te blijven zitten. Niemand kon hem dwingen in te stappen. Ze zouden zijn bagage uit het vliegtuig halen, hij zou zijn spullen later vanmiddag na wat bureaucratisch gedoe mee kunnen nemen naar zijn oude adres (hij had tot het eind van de maand betaald), en vanavond zou hij de lads kunnen verrassen door gewoon op te komen dagen: '*Surprise!* Dachten jullie nou echt...'

Hij pakte zijn spullen en snelwandelde naar de gate. Ineens, voor hij de slurf naar het vliegtuig in liep, de gedachte (het was alsof hij tegen een muur aanliep): zei die Caitlin nu echt 'haasje' voor ze wegliep?

Fuck no, natuurlijk niet. 'Haast je,' had ze gezegd.

Hij haastte zich, en kreeg toen hij het vliegtuig instapte een chagrijnig welkom van een stewardess met dikke, Hollandse kuiten onder een driekwart rok.

2015

Mo

Drie keer heeft hij de Europalaan al bezocht, de afgelopen dagen. En nu rijdt hij er weer zijn rondje. Hij is vastbesloten. Vanavond zal hij iets dichter bij Melissa komen.

Toen ze nog leefde nam hij zich verschillende keren voor om haar te observeren terwijl ze aan het werk was. Stiekem. En juist daarom deed hij het uiteindelijk niet. Omdat het achterbaks was, ratachtig, en ze met hem zou breken als ze erachter kwam.

Wat hoopte hij toen te zien? Hij wist het zelf niet. Was het gewoon botte nieuwsgierigheid? Haar aan het werk zien zou hem kwellen, dat wist hij zeker. Waarom speelde die creepy, obsessieve gedachte destijds dan met enige regelmaat door zijn hoofd? Waarom wilde hij haar de hoer zien spelen?

Uiteindelijk durfde hij het risico niet te nemen.

Ook vlak na haar dood overwoog hij de tippelzone op te gaan. Om daar vragen te stellen aan haar collega's. Maar ook dat durfde hij niet. Want ze zagen hem al aankomen: een Marokkaan die kwam informeren naar een meisje dat al een poosje niet was gezien: als hij pech had stuurden ze meteen de politie op hem af.

Of zouden ze geweten hebben dat Melissa zichzelf van het leven had beroofd? Wisten ze misschien zelfs waarom ze dat had gedaan?

Vanavond hoopt hij eindelijk antwoorden te krijgen op dat soort vragen.

Toen hij de afgelopen keren hier zijn rondjes maakte, bleef hij precies dát doen: rond cirkelen zonder ook maar één keer iemand aan te spreken. In plaats dat hij het raampje omlaag rolde, of de deur open gooide, zat hij als een verkrampte baviaan in zijn stuur te knijpen om na tig rondjes weer naar Amsterdam te karren zonder dat hij ook maar één meisje of vrouw goed had bekeken, laat staan dat hij een van die dames de vragen had gesteld die door zijn kop spookten.

Hij probeerde het goed te praten in zijn hoofd. Zei tegen zichzelf dat de meisjes en vrouwen die er rondliepen daar hoogst waarschijnlijk anderhalf decennium geleden niet werkten. Dat is ook zo. Hoogstwaarschijnlijk. Maar kan hij uitsluiten dat er een oudere temeier tippelt die zich haar nog zou kunnen herinneren? Kan hij uitsluiten dat er een *thirtysomething* rondloopt, die hier veertien jaar geleden ook al haar lijf verpatste? Nee, dat kan hij niet. Daarom rijdt hij hier nu weer. Maar het raam naar beneden rollen, of de deur openduwen, blijft lastig. Wat houdt hem toch tegen?

Dan ziet hij haar staan. Een meisje nog. Groene legerjas om haar smalle schouders. Skinny jeans met gaten ter hoogte van haar knieën, Timberlands aan haar voeten. Lang, stijl blond haar. En een stralende glimlach, alsof het leuk is om hier te staan in de druilerige februarikou.

Hij trapt op de rem en ziet dat ze schrikt. Haar mond gilt iets. Dan hoort hij de knal en voelt hij de schok. Zijn nek en rug maken een rare knik naar voren, zijn lichaam voelt als rubber, zo gemakkelijk buigt hij. Echt pijn doet het niet. Het zeurt een beetje, maar zelfs dat gevoel verdwijnt nadat hij zijn nek een paar keer heeft gedraaid.

Het meisje staat bewegingloos met haar hand voor haar mond in het lantarenlicht. Alsof zij schuld heeft aan het ongeluk. Pas ná die gedachte beseft hij dat hij een ongeluk heeft gehad.

Hij stapt uit en bedenkt tijdens dat uitstappen (alles voelt vertraagd) dat hij, net zomin als dat meisje, schuld heeft aan de botsing. Verkeer van achteren moet afstand houden.

Ook op een tippelzone?

Ook als iemand als een idioot op de rem trapt?

Hij heeft geen idee, maar dat heeft die andere bestuurder vast ook niet. De man zit ineengedoken achter het stuur. Als Mo tegen het raampje van de Volvo tikt, kijkt hij verschrikt op. Het duurt even voor het portier opengaat.

Kent hij die vent? Hij lijkt op iemand – of ís hij iemand? Shit, op wie lijkt die kerel nou toch?

'Zullen we hier maar geen aangifte van doen.' Een mededeling, geen vraag. De man spreekt kalm, met een zware bas, wat nogal detoneert met de schichtige indruk die hij verder maakt.

Hij wil er tegenin gaan, want die vent had afstand moeten houden. Het is zijn schuld, dus hij moet dokken. Maar hij aarzelt als hij bedenkt dat het lastig uit te leggen zal zijn aan Van Gierst dat hij 's nachts in een dienstwagen een deukje heeft laten rijden door een hoerenloper in een Volvo. Net als hij beseft dat het allemaal geen reet uitmaakt, dat hij toch niet meer terug gaat naar De Dienst, dat zijn 'schorsing' een ander woord is voor ontslag op termijn, dat hij bovendien…

'Wat kost het om dat deukje te laten repareren, denk je?'

Hij moet de woorden even op zich laten inwerken, maar de man trekt zijn portemonnee al.

'Tweehonderd genoeg?'

Hij pakt het geld aan zonder antwoord te geven, en ziet hoe de man in de Volvo stapt, behoedzaam achteruitrijdt, en met een bochtje om zijn Golfje heen rijdt.

Als hij zich omdraait, ziet hij het meisje in de legerjas hem aanstaren. Ze blaast een sigarettenwolkje uit voor ze – met een vet Utrechts accent – spreekt. 'Zin om die centjes goed te besteden, schatje?'

Omdat hij niet weet wat hij moet zeggen, geeft hij het stomste antwoord denkbaar.

'Ik ben homo,' zegt hij voor hij in zijn auto stapt, en wegrijdt.

Het is net voor middernacht als hij stopt bij het benzinestation. Hij speelt met de gedachte Nick te bellen. Die lijdt aan insomnia dus dat kan nog wel op dit tijdstip. Het duurt lang voor er wordt opgenomen.

'Jezus, Mo, je weet je momenten wel te kiezen, gozert,' hoort hij in zijn oor.

Hij wil al excuses maken, want blijkbaar gaat Nick tegenwoordig vroeg naar bed, maar hij krijgt de kans niet.

'Ik had het net zo naar mijn zin met Mia Khalifa. Bel jij.'

Het duurt even voor hij begrijpt wat Nick bedoelt, maar dan barst hij in lachen uit.

'Hoe is het, man?' vraagt Nick, ineens serieus.

Hij zegt dat het iets beter gaat, omdat hij denkt dat Nick dat wil horen, en ze kletsen wat. Niets van wat Nick zegt, dringt echt tot hem door. Alleen als hij hoort dat El Kaddouri steeds zenuwachtiger wordt na al dat gedoe met Charlie Hebdo, veert hij even op.

'Zijn ze weer vriendjes, hij en Van Gierst?'

'Nee, man, El Kaddouri kan het nog steeds niet verkroppen dat jij niet op staande voet bent ontslagen. Neemt-ie Van Gierst nog steeds kwalijk.'

En weer is Mo kinderlijk blij dat zijn dronken kopstoot die twee eikels uit elkaar dreef, en dat blije verbaast hem nu – want wat kan het hem schelen dat die twee geen vriendjes meer zijn? De Dienst is een afgesloten boek, de AIVD is *history*.

'Hé, Nick,' zegt hij dan. 'Kunnen we morgen ergens afspreken?'

'Tuurlijk. Zal wel 's avonds moeten, want ik neem aan dat je geen zin hebt om naar Zoetermeer te komen?'

'Wat denk je zelf? Denk ook niet dat Van Gierst 't zal waarderen als ik daar ineens rondloop. Die gast wil mij voorlopig niet zien, en El Kaddouri nog minder.'

Weer die namen, Mo voelt niets, hij maakt slechts een praatje, hij is beleefd aan het doen. Want Nick moet hem helpen.

'Uurtje of halfnegen bij mij dan?'

'Is goed,' antwoordt hij.

'Oké, tot morgen.'

'Tot morgen, Nick,' zegt hij, en hij hoopt dat zijn collega hoort hoe hij dankbaarheid probeert te leggen in het noemen van zijn naam.

Hij steekt een sigaret op, start de auto en rijdt naar de Europalaan.

Het is er minder druk dan eerder. Doordeweekse dag. Morgen wacht het kantoor, de winkel, de baan, de werkgever. Die lekkere jonge secretaresse die lust opwekt maar verder onbereikbaar blijft, dat grietje in het magazijn met de grote jopen, de stagiaire met de zaadvragende ogen – waardoor er 's avonds weer moet worden overgewerkt op de Europalaan.

Komt hem wel goed uit dat het niet langer file rijden is, kan hij rustiger op zoek naar iemand die hem meer over Melissa kan vertellen.

Het is maar een theorie, maar hij vermoedt dat de jongere prostituees het snelst verdienen, en er dus waarschijnlijk vroeger mee kappen, zeker als het zo koud is als vanavond. De oudere dames moeten dan, later op de avond, nog aan de slag om eindelijk ook wat te verdienen. Feitelijk was het dan ook dom om eerder rondjes te rijden. Dat meisje voor wie hij op de rem trapte (waarom eigenlijk?) was een peuter toen Melissa daar rondliep – dus wat zou zo'n kind hem over haar kunnen vertellen?

Hij begint aan zijn rondje. Onderweg ziet hij dat er nu, inderdaad, vooral wat oudere vrouwen rondhangen. Hij neemt zich voor de eerste de beste hoer die er ouder uitziet dan midden dertig zonder verder dralen aan te spreken.

Ze heet Jacqueline, zegt ze, als ze naast hem zit, en het briefje van vijftig in haar handtas heeft gepropt. Het kan niet haar echte naam zijn, en toch gelooft hij haar. Hij pikte juist haar op omdat ze, van het half dozijn vrouwen dat nog aan het werk is, er het meest Hollands uit ziet. Sommige van de vrouwen die hij passeerde waren misschien mooier dan Jacqueline, maar die hadden iets Oost-Europees, en hij kan het mis hebben, maar veertien jaar geleden tippelden er minder vrouwen uit het Oostblok, toch?

'Hoe oud ben je?' vraagt hij. Een normale vraag. Niet iets dat argwaan opwekt. Vraagt waarschijnlijk elke hoerenloper.

'Vierendertig,' antwoordt Jacqueline.

Hij begint driftig te rekenen, maar als hij haar over zijn rechterschouder nog eens goed aankijkt, bedenkt hij dat het geen zin heeft. Ze liegt waarschijnlijk over haar leeftijd. Maar dat geeft niet. Jonger dan vierendertig zal ze niet zijn. Hij kan zich niet voorstellen dat ze zich in een beroepsgroep waar het adagium geldt 'hoe jonger hoe beter', ouder voordoet dan ze is.

'Hoelang doe je dit werk al?'

Als Jacqueline stil blijft, probeert hij het nog een keer.

'Hoelang? Té lang.' Ze lacht, en hij lacht mee, hoewel hij het helemaal niet grappig vindt. Maar lachen is goed. Misschien dat dat het ijs een beetje breekt.

'Een jaar of vijftien, denk ik,' zegt ze zachtjes, wegkijkend, na een korte stilte.

Hij begint weer te rekenen, maar beseft dat het geen enkele zin heeft. Over alles kan ze liegen.

Vlak voor ze de afwerkplek bereiken, stopt hij zijn Golf voor een loods. Hij draait het contact uit, het is donker.

Ze kijkt hem argwanend aan. Haar geplamuurde gezicht wordt verlicht door de oranje gloed van een buitenlamp. Ze is *definitely* ouder dan vierendertig, eerder veertig, misschien wel ouder. En dat komt hem goed uit, want dan zal ze zich wellicht zelfs de dag kunnen herinneren dat een prachtig blond meisje met een spleetje tussen haar tanden de Europalaan opliep en al haar klanten wegkaapte.

De stilte bevalt haar allerminst. Ze probeert onopvallend een hand in haar tas te steken, ziet hij vanuit zijn ooghoek. Pepperspray, een mes?

'Vind je het goed als we alleen praten?' vraagt hij zo vriendelijk mogelijk.

Hij ziet hoe ze checkt of haar deur open te maken is. 'Ik betaal,' zegt hij.

'Je hebt al betaald.'

Hij graait in zijn broek. Diept de overgebleven vijftigjes die hij eerder vanavond van die vent ontving uit zijn zak, en biedt haar de briefjes aan.

Ze neemt ze niet aan, ze kijkt alleen maar argwanender. 'Wat wil je?'

'Ik wil wat vragen stellen. *That's all.*'

'Wát voor vragen?'

Hij ziet het, en begrijpt het: ze denkt dat hij een *pervert* is, een smeerlap die alleen kan komen als hij vunzige praatjes, gore verhaaltjes, ingefluisterd krijgt. Of misschien vermoedt ze juist dat hij helemaal geen vragen wil stellen, dat hij voor de betaalde tweehonderd euro de meest groteske perversiteiten van haar verwacht.

'Ik kende iemand, ooit,' zegt hij, Jacqueline recht in de ogen kijkend, in een poging haar voor zich te winnen. 'Ze tippelde. Ik hoop dat jij me wat meer over haar kan vertellen.'

'En daar heb je tweehonderd euro voor over?'

'Ja,' zegt hij. 'Ja.'

Niet veel later heeft hij zijn Golf geparkeerd onder de brug bij zwembad Den Hommel. Vroeger werden daar dealtjes gesloten. Blijkbaar nog steeds, want toen ze net aankwamen rijden, sjeesden een paar gastjes op scooters haastig weg.

Nu hebben ze het rijk alleen, met uitzicht op gilles de la tourette-achtige graffiti. De enige *piece* die er nog enigszins mee door kan, heeft 'BRO'S BEFORE HO'S' als onderschrift.

Jacqueline lijkt nog niet op haar gemak, maar het geld heeft haar murw gemaakt voor het gevaar dat hij zou kunnen vormen.

Het verhoor begint. 'Zegt de naam Melissa je iets?'

'Melissa?'

Hij knikt.

'Je weet dat wij het niet zo nauw nemen met namen?'

Hij knikt weer.

'Nou ja, eh, ik heb wel wat Melissa's voorbij zien komen de afgelopen jaren.'

Misschien wil ze hem niet meteen teleurstellen. Tweehonderd euro is tweehonderd euro: veel geld. Voor een hoer.

'Kun je je een Melissa herinneren die hier in 2001 rondliep?'

Jacqueline trekt een overgeacteerd nadenkgezicht.

'Nou... Wanneer in 2001?'

'Voorjaar, zomer, maar ook daarvoor al, volgens mij.'

Ze zuigt op haar onderlip, en legt haar linkerwijsvinger op haar neus.

'Melissa, Melissa... Ja, wat ik zei. Ik heb er wel een paar voorbij zien komen...'

Maar het maakt 't wel een beetje lastig als ik niet weet hoe ze eruitzag, hoor.'

Het klinkt als '*whore*', misschien doet ze het expres, en hij balt zijn vuisten. Een seconde overweegt hij zijn rechterelleboog in haar gezicht te planten. Maar hij beheerst zich. Hij beheerst zich.

'Blond,' zegt hij zo kalm mogelijk. 'Ze had blond haar.' Alsof hij daarmee antwoord gaat krijgen op zijn vragen.

Ze schudt haar hoofd. Lacht. 'Blond? Oké.'

Ze verlengt dat 'oké', en hij vindt het fucking irritant, dat '*oookeeeyy*' van haar.

'Dun. Slánk. Kleine borsten,' zegt hij haastig. 'Altijd een grote leren tas bij zich.'

Die hautaine glimlach plakt nog steeds om haar mond, het begint nu echt vervelend te worden, maar hij heeft haar nodig. 'Misschien noemde ze zich bij jullie Bloem?'

Een wanhoopspoging.

'Wat is het nou: Melissa of Bloem?'

'Kun je alsjeblieft uitstappen?' Zoetgevooisd klinkt het, en dat klopt gewoon niet. Ze moet oprotten, die hoer. 'Kun je alsjeblieft óprotten?'

Ze stapt al uit, begint meteen te rennen, in de richting van de moskee, de kortste weg naar nieuwe klanten ongevaarlijker dan hij; klanten die willen neuken in plaats van praten.

De volgende dag blijft hij zolang als het lukt in bed liggen. Niet echt moeilijk, want toen hij gisteravond thuiskwam zette hij het meteen op een zuipen. Hij was al te lang nuchter geweest.

Om drie uur 's middags slaat hij het dekbed open. Nadat hij even zo onbedekt heeft gelegen, gaat hij zitten op het toilet in de badkamer, en pist zijn blaas leeg. Zijn darmen spelen op, maar hij kan niet schijten, omdat hij niet eet. Het enige wat hij eruit kan persen, is een langgerekte scheet.

Hij trekt de joggingbroek waarin hij heeft geslapen omhoog, en staart in de spiegel. Als wat hij ziet hem niet bevalt, trekt hij de joggingbroek weer omlaag en kijkt naar zijn lul. Hij denkt aan Oliver, overweegt zich af te trekken boven de wasbak, maar beheerst zich en sjort de broek weer omhoog.

Terwijl hij eieren bakt in de keuken heeft hij nog steeds een *boner*. Hij wil het gas al uitdraaien en zich in de badkamer verlossen, maar beseft dat hij flink wat uren te doden heeft voor hij straks naar Nick kan.

Als hij aanbelt heeft hij alweer gezopen. Dronken is hij niet. Nuchter ook niet. Hoeft ook niet, vond hij toen hij een paar uur geleden zijn eerste biertje opentrok, want hij gaat Nick vanavond alleen maar een beetje aan het werk zetten.

Nick doet zijn best. Hij speelt de gastheer en heeft zelfs hapjes in huis gehaald. Roddelend en etend weet Mo het zo lang mogelijk uit te stellen, tot Nick eindelijk vraagt waarom hij wilde afspreken.

'Kan ik iets voor je doen?' vraagt zijn collega, en hij baalt dat het zo *obvious* is.

'Er was ooit een meisje,' zegt hij, zoekend naar de ogen van Nick. 'Ze heette Bloem van Buuren. Twintig in 2001. Alles wat je over haar vindt: ik móét het weten.'

De volgende dag belt Nick hem wakker. Voor hij opneemt, ziet hij op zijn iPhone hoe laat het is. 12:38.

'Ik heb het uitgezocht,' zegt Nick droogjes. 'Niet heel ingewikkeld, om eerlijk te zijn, want ik heb er slechts twee gevonden met die naam.'

Mo vraagt zich even af wie die andere is, maar beseft meteen dat dat volstrekt oninteressant is.

'Maar goed, die ene waar jij meer over wilde weten, die is dus dood. Wist je waarschijnlijk al, want je praatte over haar in de verleden tijd, en niet alleen omdat je haar kénde uit het verleden volgens mij – kut, je begrijpt wat ik bedoel, toch?'

'Tuurlijk,' zegt hij zo redelijk mogelijk. 'Tuurlijk.'

'Nou ja, het komt erop neer dat dat meisje, die Bloem van Buuren, degene over wie jij alles wil weten, wat probleempjes had met justitie voor ze het leven liet.'

Hij mag Nick, hij mag Nick écht, maar het toontje dat hij aanslaat, is fucking irritant.

'De politie was een flink eind op weg met bewijslast verzamelen, maar het kwam nooit tot een zaak. Omdat ze dus dood was voor het tot een zaak kon komen. Ze werd verdacht van afpersing.'

Bilal

Scrollend door *Dabiq* hoort hij hoe Bouchra luidruchtig de toiletdeur naast zijn studeerkamer dichttrekt. Hij overweegt haar tot de orde te roepen, maar kan zich er niet toe zetten om op te staan. Komt zo wel.

De afgelopen dagen heeft hij de meest recente online glossy van IS al meermalen gelezen, maar hij herleest 'm graag. Dat de broeders in het kalifaat elke keer weer zo'n interessant en actueel tijdschrift in elkaar weten te zetten: daar kunnen de kuffar-media in Nederland een puntje aan zuigen.

Hij scrollt verder tot hij het verbaasd kijkende gezicht van Theo van Gogh ziet. Holle blik, bolle kop, typisch het hoofd van een zondig mens. '*Killed After Mocking The Messenger*' luidt het onderschrift van de foto, en ernaast valt te lezen hoe Van Gogh door een mujahid werd vermoord omdat hij Allah, Zijn verzen, Zijn religie en de profeet Mohammed – vrede zij met hem – beledigde.

De naam van Mohammed Bouyeri wordt niet genoemd, en hij vraagt zich af wat *Dabiq* over hém zal schrijven als hij erin slaagt Utrecht op de kaart te zetten. Zullen ze de ummah berichten dat Bilal van Wijk het brein is achter die vergeldingsactie? Zullen ze een foto van hem publiceren? Hem roemen om zijn daadkracht?

Net als hij bedenkt dat het misschien goed is alvast een video op te nemen om zijn verhaal te vertellen, gaat de deur van zijn studeerkamer open.

'Ben heel even weg,' zegt Bouchra, waarna ze meteen de deur

weer dichttrekt. Hij krijgt niet eens de tijd haar terecht te wijzen voor het lawaai dat ze eerder zo nodig moest maken. Komt zo wel, denkt hij wederom, en hij probeert weer het goede gevoel op te wekken dat hij net had.

Pas als hij de deur van hun flat hoort dichtknallen, beseft hij dat ze naar buiten gaat. Zonder hem! Vanaf hun allereerste contact heeft hij haar duidelijk gemaakt dat hij niet wil dat ze zonder hem over straat gaat. Nooit heeft ze daar een probleem van gemaakt. Integendeel: ze wilde graag in de voetsporen van Aïcha treden, die ook nooit het huis verlaat zonder Badr. En nu, van de ene op de andere dag, denkt ze dat het oké is om zomaar zonder begeleiding naar buiten te gaan? Zónder *mahram*? Wat is er verdomme met haar aan de hand? Hij is zo boos dat hij niet doorheeft dat hij vloekt.

Hij zit nog steeds boos achter de laptop als ze thuiskomt. Haast om berouw te tonen, lijkt ze niet te hebben, want het duurt hem veel te lang voor ze excuses komt maken. Hij staat al op, maar dan gaat alsnog de deur van zijn studeerkamer open, en hij weet dat zijn vrouw als geen ander weet dat ze fout zit, dat ze heel erg fout zit.

Ze heeft zijn lievelingsjurk aan. Hij staart even naar haar borsten, maar meteen daarna worden zijn ogen naar haar handen gezogen.

In die handen een pakje – een cadeautje?

Als hij scherper naar het voorwerp in Bouchra's handen kijkt, ziet hij dat het is verpakt in Valentijnsinpakpapier. Is ze helemaal gek geworden?

'Wat is dat?' vraagt hij zo rustig mogelijk, maar hij hoort zelf dat zijn stem trilt van woede. Het kost hem moeite die paar woorden eruit te persen.

Ze kijkt hem liefdevol aan, alsof ze geen idee heeft dat ze iets fout heeft gedaan.

'Wat ís dat?'

Haar glimlach verstart. Ze kijkt naar het voorwerp in haar handen, dan naar hem, probeert weer te lachen, maar ze is verkrampt.

'Ben je gék geworden? Heeft de shaytan je dingen ingefluisterd?'

Het interesseert hem niets dat de buren dat waarschijnlijk kunnen horen. Beter weten ook zij dat hij zijn vrouw niet zomaar weg laat komen met wangedrag, met wandaden, met *zonden*, Allah behoede hem!

Bouchra trekt een grimas. 'Het is een cadeautje,' zegt ze zachtjes.

'Voor Valentijnsdag? Voor Val-en-tijns-dag? Een cadeautje vanwege een kuffar-feest?'

Dát gaan de buren zeker horen, en dat is prima. Niemand zal over hem kunnen zeggen dat hij niet meteen zijn vrouw tot de orde riep toen het misging.

Bouchra begint geluidloos te huilen. De tranen stromen over haar wangen, het is voor het eerst dat hij dat ziet, ze leek altijd zo sterk. Maar gelukkig beseft ze dat ze fout zit: die tranen zijn het bewijs, alhamdoelillah. Niet alles is verloren.

Hij wil haar al in zijn armen nemen (de bestraffing komt straks wel) als ze plots het pakje openscheurt. Ze gooit het met rode hartjes bedrukte pakpapier op de grond, en houdt een zwart stukje stof met uitgestrekte handen vlak voor zijn gezicht.

'De liefste papa is toevallig mijn papa', leest hij in witte letters op het speelpakje.

Pas als Bouchra de studeerkamer heeft verlaten om te gaan koken, pakt hij het rompertje voor het eerst in zijn handen. De witte letters op de zwarte achtergrond doen hem denken aan het is-logo. Hij grinnikt, en vraagt zich af of daar niet heel veel geld mee te verdienen valt. En hij grinnikt nogmaals als hij bedenkt hoe de kuffar zouden stikken in hun haat wanneer ze foto's zouden zien van honderden, néé, duizenden baby's in is-rompertjes.

Bouchra gaf meteen toe dat ze fout zat. Dat lawaai van de

deur had ze zelf niet door gehad, benadrukte ze. Zo zenuwachtig en in zichzelf gekeerd was ze blijkbaar toen ze naar het toilet ging om de door Aïcha aangeschafte zwangerschapstest te doen. Ze moest moeite doen om het niet uit te gillen van blijdschap, zei ze, toen de test positief bleek.

En ze wist wel degelijk dat ze daarna iets heel stoms deed door zomaar naar buiten te gaan. Maar ze wilde hem zo graag verrassen, ze wilde hem zó graag op een originele manier laten weten dat hij vader zou worden, dat ze even alles vergat en zonder na te denken naar het winkelcentrum liep.

Daar aangekomen twijfelde ze over het cadeau dat ze uiteindelijk toch kocht. Ze wist niet zeker of het toegestaan is om een rompertje met een dergelijke tekst te kopen, maar ze wilde hem niet alleen vertellen dat hij – insjallah – vader wordt; ze wilde hem ook vertellen dat hij een heel lieve papa zal zijn.

Het ontroert hem, hoewel ook hij niet weet of zo'n geschenk gepast is. Maar dat kan hij opzoeken. Hij begint te googelen, maar geen enkele zoekopdracht geeft hem antwoord. Na vele vruchteloze pogingen, gaat hij naar GeenStijl. 'De vijand in de gaten houden', noemde hij dat eens, tot hilariteit van zijn broeders, en het kostte hem moeite om ze te overtuigen dat hij bloedserieus was. Ook zij zien het weblog natuurlijk als islamofoob en racistisch, maar dat is voor hen juist reden er niet naar te surfen. Hijzelf denkt daar anders over: je kunt maar beter weten wat ze schrijven, want dan heb je later extra munitie om die rioolratten ter verantwoording te roepen.

Het bovenste topic trekt meteen zijn aandacht. 'LIVE. Cartoonist Lars Vilks beschoten in Kopenhagen' leest hij, en terwijl hij het leest prevelt hij 'Allahoe Akbar, Allahoe Akbar'. Het bericht is slechts enkele regels lang, en hij wil al naar Google News gaan, als hij zich bedenkt en in zijn favorieten alyaqeen. com aanklikt.

In het zoekloepje op de site tikt hij 'zwanger' in. Hij scrollt door de tientallen hits en vindt in de rubriek 'seksualiteit en vrouwelijk bloed' eindelijk wat hij zoekt: 'Geslachtsgemeen-schap tijdens zwangerschap'. Hij klikt op het artikel dat 16.836 keer is gelezen en 351 keer geprint, en begint koortsachtig te lezen.

'Is het voor de man toegestaan om geslachtsgemeenschap te hebben met zijn zwangere vrouw' is de vraag waar ook hij het antwoord naar zoekt. Als hij leest dat het inderdaad is toegestaan (behalve als zij er schade van ondervindt) is hij niet alleen gerust-gesteld; het is voor hem ook het bewijs dat Allah subḥānahu wa ta'ala het moslims, zoals de profeet Mohammed al openbaarde, niet onnodig moeilijk maakt.

Hij drukt de laptop uit, en citeert op weg naar de keuken uit zijn hoofd uit soera Al-Baqarah: 'Allah wenst gemak voor u en geen ongemak.'

Na het eten – hij lepelde de kip tajine met couscous zwijg-zaam naar binnen – belt hij Soufiane. Onderuitgezakt in de bureaustoel in de studeerkamer, zijn rechterhand op zijn volle buik, kousenvoeten op het bureau, wacht hij tot hij opneemt.

Drie kwartier later ontmoeten ze elkaar in een tunneltje aan het Merwedekanaal. Het is al donker, waardoor het troebe-le, groenige water van het kanaal inktzwart lijkt. Zo zwart als het zwart van de vlag die in dit ongelovige kuffar-land al de 'jihadvlag' wordt genoemd. De reflectoren van Soufiane's rol-stoel weerkaatsen het weinige licht langs het kanaal. Af en toe rijdt er een auto langs, verder is het stil.

Nog voor hij hem omhelst vertelt Bilal dat hij vader wordt. Dat hij – als Allah het wil – vader wordt.

Soufiane roept 'mashallah' – veel te hard.

'Ssshhhht,' zegt Bilal, met zijn rechterwijsvinger voor zijn lippen, en Soufiane begrijpt het meteen. 'Ik ben zó blij voor je,' fluistert zijn broeder, en hoewel hij fluistert, lijkt het alsof het tunneltje de woorden van een galm voorziet.

Ze gaan op pad. Onderweg legt hij geduldig uit wat hij tijdens het eten bedacht.

Het woord 'gunst' valt.

En na dat woord zegt Soufiane 'ja'. Hij zegt alleen maar: 'ja' – en hij vergeet zijn 'insjallah', zó eager is hij.

Mo

De dagen na het telefoontje van Nick brengt hij achter de computer door. Porno. Google. Slok. Porno. Google. Slok. Porno. Google. Slok. Porno. Google. Nieuwe fles. Porno. Google. Slok. Ad infinitum.

Tot de telefoon gaat. Onbekend nummer. Toch neemt hij op. Wéér Nick. (Waarom gebruikt hij een andere telefoon?)

Hij wil met hem afspreken. Vandaag nog.

Op weg naar de afgesproken plek – hij weet zeker dat hij voor altijd zijn rijbewijs kwijt is als hij nu wordt aangehouden – vraagt Mo zich af waarom hij de afgelopen dagen, na het eerste telefoontje van Nick, geen écht onderzoek heeft gedaan naar de afpersingszaak waarin Melissa blijkbaar was verwikkeld.

Hij googlede de afgelopen dagen wezenloos zoektermen die Melissa's geheim moesten openbaren. Net als vlak na haar dood zocht hij zelfs nog even naar een 'Charlotte' die op internet haar escortdiensten aanbood; alsof zo'n advertentie zoveel jaren na dato nog te vinden zou zijn – zoals zoveel jaar geleden hield hij er meteen mee op toen hij zag hoeveel 'Charlottes' blijkbaar in die business zaten.

Melissa chanteerde dus haar klanten. Dat interesseert hem geen moer. Als Melissa dat deed, dan verdienden ze het, voor het leed dat ze haar aandeden, na het leed dat haar als meisje al was aangedaan.

Maar wat had haar gedreven? Was het wraak op mannen, in een wraakoefening op haar vader? En wist ze dat justitie haar op het spoor was? Was dat de reden dat ze... of kón ze op een gegeven moment gewoon niet meer?

Hij begreep heus wel dat het onwaarschijnlijk was dat er online iets te vinden viel over een dossier dat nooit tot een rechtszaak leidde omdat de verdachte zelfmoord pleegde voor het tot een zaak kon komen. Maar je wist maar nooit. Daarom zat hij dagenlang achter zijn MacBook, googelde hij zoekterm naar zoekterm, googelde hij zoektermen in combinatie met andere zoektermen, zoektermen in combinatie met andere zoektermen tussen aanhalingstekens – tot hij scheel zag, en terugging naar een van de vele tabbladen waar de troost van porno op hem wachtte.

Hij had al die verspilde tijd kunnen besteden aan écht onderzoek. Op pad kunnen gaan, op zoek naar echte antwoorden. Maar hij bleef zitten waar hij zat en verroerde zich niet.

Nick is er nog niet als hij arriveert. Hij wilde per se afspreken in het Diemerbos. Mo draait zijn raampje open, en steekt een sigaret op. De bomen zijn bladerloos. Gefluit van vogels vult zijn auto, ze hebben er zin in vanavond.

Als hij de tot de filter opgerookte peuk de auto uitschiet, ziet hij hoe een eierdooiergele Renault Mégane Cabrio – de binnendienstnerds hoeven zich niet in schutkleuren te hullen – met gedoofde lichten op hem af rijdt. Dan pas beseft hij dat hij zijn lampen nog aan heeft. Hij tikt zijn lichten uit, stapt naar buiten, zijn benen loodzwaar.

Nick parkeert de Renault achter Mo's auto. Als hij behoedzaam zijn portier dichtduwt, monstert hij de achterkant van de Golf.

'Wist niet dat jij een *bottom* was,' zegt hij.

Mo glimlacht. Met moeite. Alles kost hem moeite tegenwoordig. 'Ongelukje'.

'Da's duidelijk.'

Ze lopen zwijgend het bos in. Nick blijft zwijgen, ook als ze allang de bewoonde wereld hebben verlaten. Krakende takken: het enige geluid dat de stilte doorbreekt.

'Wat is het?' vraagt Mo als hij echt niet langer kan wachten. 'Wat ben je over haar te weten gekomen?'

Nick kijkt hem aan. Stopt, en schudt zijn hoofd. Samengeperste lippen, die naar beneden krullen. Hoekige, ongeschoren kaaklijn. Licht-Aziatische ogen, in een moeilijk te omschrijven kleur. Al die jaren dat hij met hem samenwerkte, heeft hij alleen aandacht gehad voor Nicks lichaam, dat atypische, gespierde nerdenlijf. Nu pas ziet hij dat Nick ook een goeie kop heeft. In een bepaald licht, en als je het wilt zien.

'Wat heb je gevonden?' vraagt hij als Nick blijft zwijgen.

Nick loopt door, sneller dan eerst, hij moet moeite doen om hem in te halen, en als hij hem eenmaal gepasseerd is moet hij nóg meer moeite doen om hem staande te houden. Hij knijpt in de biceps van zijn collega – hij kan ze nauwelijks omvatten – en zet zijn rechterachterbeen schrap om niet om te vallen. Hij graaft de tenen van zijn All Stars in het rulle zand, want Nick lijkt niet te stoppen, hij loopt gewoon door, er is geen houden aan.

'Godverdomme, Nick! Wat is er? Wat ís het?'

Uit het niets verslappen de spieren van Nick. Zijn schouders zakken, en ineens oogt zijn hele lichaam uitgezakt.

'Laat me los,' zegt hij zachtjes. En als hij dat doet, zegt Nick dat hij iets moet vertellen over Souf.

Als hij een uur later in de avondwinkel een mandje vol laadt met verse flessen wit, ziet hij hoe een vadsige hipster met een ludieke trui hem even verderop grijnzend aanstaart. 'Negeren,' zegt zijn hoofd, maar als hij de hipster van achteren nadert – zogenaamd op zoek naar etenswaren – verzamelt hij zo veel mogelijk spuug op zijn tong, voor hij geluidloos uithaalt. Hij blijft even staan, ziet tevreden hoe de bloederige rochel langzaam wordt geabsorbeerd door de wollen trui van de jongen, en passeert hem dan met een zelfvoldane grijns.

Eenmaal thuis is de kortstondige tevredenheid verdampt. Hij gooit een paar flessen in het lege vriesvak en zoekt naar een schoon glas, dat hij niet vindt. De schroefdop van de eerste fles gooit hij in de lucht, hij ziet hoe het ding daalt, en het lukt hem zowaar om de dop net voor hij op de houten vloer valt, vol op zijn bemodderde All Stars te nemen. 'Goal,' zegt hij tegen zichzelf als hij zich in zijn Eames neervlijt en ziet hoe de dop in een vak van zijn *roomdivider* is belandt. Hij wil zijn benen al op het voetenbankje leggen, maar vindt energie om eerst zijn gympies uit te trekken.

Gulzig zet hij de fles aan zijn mond, meteen gevolgd door een oprisping van de lauwe wijn. Uit ervaring weet hij dat je juist dan moet doorzetten. 'Moedig voorwaarts,' zegt hij voor hij een volgende slok neemt. Ook deze keer werkt het. Een paar slokken daarna lukt het hem om zijn kolkende gedachten enigszins te kalmeren.

Nick is gek geworden. Nee, El Kaddouri is gek geworden. De man die is aangesteld om het onderzoek te leiden naar de zoveelste radicale pipo moet – verblind door angst, misschien wel onder invloed van Van Gierst – volstrekt waanzinnig zijn geworden de afgelopen maanden.

Want.

Souf.

Zijn broertje.

Is volgens De Dienst interessant genoeg om in de gaten te houden.

Want: potentieel gevaarlijk.

Zo zei Nick het niet. Die had meer woorden nodig. Hij sprak opeens in ambtenarentaal, alsof hij hem alleen in gortdroge bewoordingen kon vertellen wat hij hem moest vertellen.

Nick zei dat Souf zich 'recentelijk bewoog in de buitenste kringen van een mogelijk terreurnetwerk'. Hij zou 'onder invloed staan' van een radicale bekeerling, die enkele jaren geleden al de toegang tot de moskee in Kanaleneiland werd geweigerd vanwege 'openlijk bepleite jihadistische opvattingen'. Die 'deurwijzing' leverde hem 'nogal wat status op', en de bekeerling was 'nadien alleen maar doorgeradicaliseerd'. 'Uit het maatschappelijk veld' waren 'tot tevredenheid van De Dienst' verschillende tips gekomen over de man, 'onder meer van familieleden van het nauwelijks meerderjarige meisje, dat hij islamitisch huwde'.

Op dat punt in zijn ambtenarenverhandeling pauzeerde Nick. En het lukt Mo nu om óók te pauzeren, om zijn gedachten te laten stollen.

'Rookpauze,' zegt hij op weg naar de koelkast, en als hij het vriesvak opentrekt, blaast hij een wolk rook naar binnen.

Terug in de Eames probeert hij Nicks woorden zo goed mogelijk te recapituleren. Na de korte pauze die zijn collega in het bos inlaste, veranderde hij van toon. Joviaal, ineens. Ouwe-jongens-krentenbrood. Geserveerd op een bedje van ironie. Doorzichtig *as hell*.

'Je weet hoe El Kaddouri is. Meneer kon zijn geluk dus niet op. Het talentje bleef maar herhalen hoe goed het is dat er tips uit de eigen gemeenschap kwamen over die bekeerling. Toont volgens hem aan dat de islamitische gemeenschap in Nederland weerbaar is geworden, dat ook zij het spuugzat zijn, dat er sprake is van emancipatie van de community, weet je wel.'

Normaal zou hij zo'n voorzet van Nick inkoppen. Zou hij 'onderzoeksleider' El Kaddouri verbaal néérkoppen. Hem nog belachelijker maken dan hij al is. Maar in het bos had hij daar geen zin in, en niet alleen omdat daar geen publiek was.

'Wat hebben jullie?' vroeg hij om een einde te maken aan het joviale gebabbel van Nick.

'In ieder geval een pracht van een onderzoeksnaam: Rozeneiland. Was El Kaddouri nogal verguld mee, geen idee waarom eigenlijk.'

Hij snoerde Nick wederom de mond. Zei dat hij serieus moest doen. Wat Nick opvatte als een grap – tot hij merkte dat Mo het meende.

'Die gast, "Bilal" noemt hij zich, spoort echt niet. Hij is de afgelopen jaren in rap tempo van het padje af geraakt. Om eerlijk

269

te zijn: voor deze ene keer denk ik dat El Kaddouri gelijk heeft. Die gast is een creep, en dat zeg ik niet alleen op basis van zijn download- en zoekgeschiedenis…'

'Jullie hebben dus nog niets concreets.'

Nick keek hem verbaasd aan.

'Mo,' begon hij aarzelend. 'We hebben sterke…'

'Echt, het interesseert me geen flikker dat jullie denken dat die Bilal iets van plan is. Volg 'm tot-ie er gek van wordt, schop hem wat mij betreft het kanaal in…'

Een minieme verwijding van Nicks pupillen, die Mo meteen probeerde te neutraliseren door met een vlakke hand ruw tegen de borstkas van zijn collega te duwen; een opzichtige afleidings-poging was het, daarom praatte hij meteen door, om te voorkomen dat er vragen kwamen.

'… waterboard hem tot hij bekent dat hij de bastaardzoon is van Bin fucking Laden, doe met hem wat je wil. Maar mijn broertje, hij zit godverdomme in een rolstoel!'

Nick staarde hem niet-begrijpend aan, misschien nog wel meer door zijn plotselinge agressie dan vanwege zijn woorden. Keek hem aan alsof hijzelf net een eerste sessie waterboarden achter de rug had.

Die blik kalmeerde hem.

'Wat hebben jullie tegen mijn broertje?'

'Zoals ik al zei, begeeft hij zich in de buitenste kringen van…'

'Hij zit in een rol-stoel! Een stoel op wielen! Een fucking *wheelchair*!'

Hij was weggelopen zonder om te kijken, met grote stappen in het rulle zand. Pas bij zijn Golf aangekomen, draaide hij zich om.

'Hé, Mo, dit blijft wel tussen ons, hè?' riep Nick, die buiten adem kwam aanrennen.

Hij staat op uit de Eames en loopt naar de roomdivider. Hij kijkt naar het bijna vooroorlogs aandoend mobieltje dat in een van de schappen van de kast ligt. Anderhalf decennium oud, maar het lijkt wel een relikwie uit een ander tijdperk. Hij pakt het op. Wrijft over het vettige schermpje. Opladen is voorlopig niet nodig. Hij gaat op de koude planken van de woonkamer liggen, het mobieltje op zijn buik. Het beweegt mee met zijn ademhaling. Op en neer, op en neer...

Een paar jaar geleden klonk ineens de ringtone van hun favoriete liedje. Hij was verdiept in een boek. Geïrriteerd liep hij naar de Tivoli Audio-set, maar die stond uit. De kamer rondkijkend, zag hij hoe een vlak van de roomdivider werd opgelicht door het scherm van zijn eerste Engelse mobieltje.

Dichterbij gekomen durfde hij het apparaat niet aan te raken. Hij werd anoniem gebeld, zag hij op het scherm, maar wie anders dan zij had dat nummer?

Hij pakte aarzelend het telefoontje, hield het aan zijn oor, en zei: 'Melissa?'

Aan de andere kant bleef het stil.

'Melissa?' zei hij opnieuw.

'Geen idee wie die chick is, maar je klinkt alsof je niet kunt geloven dat ze je belt,' zei een mannenstem. 'Is ze zó lekker?'

Verkeerd verbonden. Of: een malloot die een willekeurig nummer had gedraaid. Hij wilde de stem al wegdrukken toen hij zijn naam hoorde.

Mohammed. Vraagteken erachter.

Het was Souf.

De eerste minuten van dat gesprek – van die monoloog, want alleen zijn broertje was aan het woord – gingen volstrekt langs hem heen. Hij had maar één vraag voor Souf, en hij stelde 'm toen er eindelijk een korte stilte viel.

'Hoe kom je aan dit nummer?'

'Ben je niet blij m'n stem te horen?'

Hij hield zijn mond.

'Ik begrijp best dat je niet blij bent dat ik bel. Maar ik ben veranderd, Mohammed. Ik ben veranderd. Echt.'

'Hoe kom je aan dit nummer?'

'Wat doet dat ertoe? Ik bel je omdat ik je wil zien. Ik wil je laten zien dat ik ben veranderd.'

'Geen behoefte aan.'

'Ma wil je ook zien.'

Ook geen behoefte aan, dacht hij. Maar hij zei: 'Vertel me hoe je aan dit nummer komt.'

'Je bent er niet minder panisch op geworden, zeg. Maar goed: ik vertel het je als je de moeite neemt om mij en ma op te komen zoeken.'

Zo kende hij Souf. Dreigen, afpersen, chanteren. Maar hij móést het weten.

'Vriendjes van vroeger' hadden hem aan het nummer geholpen, biechtte Souf op na verder aandringen, en meteen daarop noemde hij een adres, en zei hij dat 'zijn grote broer' de volgende dag voor het avondeten werd verwacht. Hij ging nog ook.

Zijn moeder en Souf woonden inmiddels in Leidsche Rijn. Rondjes rijdend in de nieuwe woonwijk – zijn TomTom herkende de straten niet – vroeg hij zich af wat erger was: deze troosteloze poging tot een nieuw begin of de wijk waar ze vandaan kwamen, de wijk aan het kanaal, waar je beter meteen maar alle hoop kon laten varen als je gedoemd was daar op te groeien. Tot hij besefte dat zijn moeder nooit een keuze had gemaakt, dat het feit dat ze tegenwoordig in Leidsche Rijn woonde met haar jongste zoon niet voortvloeiende uit een besluit om te handelen; ze was enkel weggegaan (ze had zich laten afvoeren) omdat de gemeente haar flat sloopte in een vergeefse inspanning Kanaleneiland met een miljoenen kostende herstructureringsoperatie leefbaar te maken.

Hij draaide zijn raampje open om de weg te vragen toen hij het opgegeven adres na een halfuur rondrijden nog niet had gevonden. Een zonnebloempitten kauwend joch van een jaar of elf met een bontkraagje wees hem de weg.

Voor de ramen van de bovenetage van de nieuwe woning

van zijn moeder en Souf hingen vergeelde gordijnen. Beneden zorgden zalmkleurige, plastic lamellen met een marmermotief ervoor dat niemand naar binnen kon kijken.

Hij drukte op de bel, en was verbaasd dat het ding 't deed. Er was zelfs een naambordje. 'N. el Amrani', las hij, en hij vroeg zich af waar die 'N' ook alweer voor stond, toen de deur hortend en stotend openging. Daar, in die van plavuizen voorziene hal, zag hij voor het eerst in jaren zijn broertje Souf.

Zijn stoere, nare, sterke, agressieve broertje Souf.

Hij zat in een rolstoel.

Tijd om dat gegeven op hem in te laten werken, kreeg Mo niet, want zijn moeder kwam achter zijn invalide broertje aan-snellen. Ze acteerde met wijd opengesperde armen en veel geluid vreugde om hun weerzien.

Hij voelde niets toen ze hem omhelsde, behalve de vetkwab-ben van haar lichaam.

Tijdens het eten praatte ze hem bij over alle roddels die hij al die jaren had moeten missen. Geen enkele vraag stelde ze hem. Niet eens waar hij woonde. Pas toen zijn moeder de keuken in ging om alvast wat af te wassen nam Souf het woord.

Hij begon zowaar met sorry te zeggen, zonder uit te leggen waarvoor hij zijn excuses aanbood. Was ook niet nodig. Dat wisten ze allebei.

Souf vertelde daarna hoe hij – niet lang nadat Mo ineens was verdwenen – van school werd getrapt. Ze hadden natuurlijk al een aardig dossiertje over hem opgebouwd, maar de druppel was een bedreiging van een invaldocent; die wijsneus had het over zichzelf afgeroepen, maar hij wilde het verder niet goedpraten, benadrukte hij.

Eenmaal van school begon 'zijn carrière in de misdaad'. Klein grut in het begin. Handtasje hier, laptopje uit een auto daar, een woninginbraakje, dat werk. Dealen kwam niet veel later. Weer niet veel later: meisjes. Waarmee hij waarschijnlijk bedoelde dat hij de pooier speelde, de loverboy uithing. Drank, drugs: hij gebruikte het allemaal. Steeds meer. Elke dag was het feest. Dacht hij toen tenminste. Dus was er altijd meer geld nodig.

De eerste overvallen verliepen zoals gepland. Een paar juweliers en tankstations om erin te komen. Daarna nog een paar omdat het makkelijk geld bleek. En nog een paar. Een autodealer op een zaterdagmiddag. Een Belgische horecagelegenheid diep in de nacht. Dat ze, hij en een paar matties, de eigenaar van die zaak letterlijk het licht uit zijn ogen sloegen? Hij ligt er, 'werkelijk waar', soms nog wakker van.

Maar stoppen kon hij niet. Hij had geld geproefd, en wie daar eenmaal van proefde was verslaafd. Waardoor je steeds meer nodig hebt. Maar in tegenstelling tot andere verslavende middelen ligt geld voor het oprapen. Je moet alleen het lef hebben om te bukken. En lef had hij, angst kende hij niet, dus schepte hij geld, bergen en balen heerlijk geld. Steeds meer, steeds meer...

Tot die fatale nacht 'waardoor het goed kwam', zoals Souf het pathetisch verwoordde. Ze hadden een tip gehad. Er moest ergens veel geld liggen. Echt serieus veel geld. En dat lag er ook, bleek toen ze het pand waren binnengedrongen. Maar ze hadden hun handen nog niet door het geld (hij bedoelde een enorme partij coke) laten gaan of er klonk een geweersalvo. En nog een, vanuit een andere hoek. Souf zag nog net hoe een van zijn matties in zijn arm werd geraakt, voor hij via een brandtrap het dak op vluchtte.

Daar barricadeerde hij – zo goed en zo kwaad als het ging – de branddeur met een enorme betonnen bloempot. Hij positioneerde zich achter een schoorsteen, en hield zijn *pipa* in de aanslag. Voor het eerst voelde hij zenuwen. Geen idee had hij dat het zó voelde. Het was 'zijn eerste date met angst'.

Hij wist genoeg toen de eerste kogels door de branddeur vlogen. Voor de vorm schoot hij een paar keer terug, meer om zijn belager te vertragen dan om hem uit te schakelen, want hij had dondersgoed door dat die gasten met hun automatische wapens (kalasjnikovs?) voor hem een maatje te groot waren. Een paar maatjes, als hij eerlijk was.

Hij hoopte ergens een regenpijp te vinden, en die vond hij ook. Als hij maar snel genoeg naar beneden kon klimmen, dan zou hij kunnen ontkomen, want hij kon rennen als geen ander. Hij heette niet voor niets Souf de Haas.

En hij wás snel beneden. Te snel. De regenpijp brak, hij maakte een val van tientallen meters.

Toen hij bijkwam in het ziekenhuis kreeg hij 'zijn vonnis' te horen: een dwarslaesie.

'Levenslang, dus,' had Souf gezegd, gek genoeg ineens zonder ook maar een zweem van zelfmedelijden.

Nu pas, liggend op de kille houten vloer van de woonkamer, het Melissa-mobieltje op zijn buik, vraagt hij zich af hoe het met de 'matties' van Souf is afgelopen. En hoe zijn broertje überhaupt ineens in een ziekenhuisbed ontwaakte. Of hij vast heeft gezeten. Souf vertelde, als hij het zich goed herinnert, wel iets over een rechtszaak, iets over een boete (een celstraf?) maar zeker weten doet-ie het allemaal niet, want het kostte Mo moeite naar zijn biecht te luisteren.

Eenmaal invalide zei hij 'de misdaad vaarwel'. Hij was wel zo eerlijk om toe te geven dat hij waarschijnlijk nog steeds 'hartstikke crimineel' zou zijn 'als niet was gebeurd wat er gebeurde'.

Achter die zin, een punt achter het verhaal, zei hij ineens nog iets: 'Alhamdoelillah.' Mo kon zich niet herinneren dat hij zijn broertje dat ooit had horen zeggen na de dood van hun vader.

Meteen daarna begon hij aan een nieuw verhaal. In het kort: nadat hij in een rolstoel belandde, en zijn benen en 'zijn zaakje' (hij knikte naar zijn kruis) het niet meer deden, raakte hij gevangen in een lange, verbitterde depressie. Hij zat alleen maar thuis, in zijn kamertje van een paar zwartgallige vierkante meters bij een paar uitzichtloze vierkante meters op de benedenverdieping van het huis van zijn moeder, waar hij introk omdat hij het appartement in de binnenstad niet meer kon betalen.

'Ik zag het echt niet meer zitten, Mohammed,' zei hij. 'Ik heb zelfs overwogen zelfmoord te plegen.'

Een pijnsteek, meteen nadat zijn broertje dat zei. Daarna: agressie. Het liefst had hij hem een paar flinke meppen verkocht, of beter: zijn rolstoel omgekieperd, zodat Souf *head first* met zijn kop op de plavuizen zou flikkeren.

Maar dat zou te veel eer zijn.

Om een scène te voorkomen, stond Mo op. Souf en zijn moeder waren het niet waard dat hij hier na zoveel jaar stennis schopte. Hij moest gewoon weggaan zodat ze niet meer bestonden, zoals ze de afgelopen jaren voor dit weerzien ook niet bestonden.

'Ik moet gaan,' zei hij.

'Nu al? Ik ben nog niet uitverteld. Ik ben nog lang niet...'

'Misschien een volgende keer,' zei hij omdat het makkelijker was, en omdat hij het verspilling van energie vond om zijn broertje te vertellen dat hij hier nooit van zijn leven nog één stap over de drempel zou zetten. Eén keer was genoeg. Eén keer was al te veel.

Zijn broertje reed achter hem aan naar de voordeur. In de keuken, waar zijn moeder eerder vooral lawaai leek te maken om activiteit te veinzen, werd het stil. Ze nam niet de moeite afscheid te nemen.

'Hé, Mohammed,' zei Souf toen hij de deurklink al vasthad. 'Wat ik nog wilde zeggen: ik lees tegenwoordig ook.'

Hij draaide zich om, en zag hoe zijn broertje de stukgelezen Koran van hun vader omhooghield.

De kou van de houten planken heeft hem verstijfd. Zijn schouderbladen doen pijn, maar het is een pijn die hij kan hebben. Hij legt zijn rechterhand op het mobieltje op zijn buik, en wurmt zijn linkerhand onder zijn achterhoofd, dat beurs aanvoelt.

Na het bezoek aan zijn moeder en zijn broertje ging het Melissa-mobieltje nog een paar maal over. Elke keer werd er anoniem gebeld. Hij nam niet meer de moeite om op te nemen.

Hij weet nog hoe hij die avond na het bezoek terugreed naar Amsterdam, en het verwachtingsvolle gezicht van zijn broertje in die hal niet van zijn netvlies kreeg. Het leek wel alsof het geprojecteerd stond op de voorruit van zijn Golf. Het was voor het eerst dat Souf goedkeuring zocht. Van hem.

En onderweg naar Amsterdam, in de wetenschap dat hij die avond los zou gaan en met heel veel drank en seks de sporen van het bezoek zou proberen uit te wissen, kwam er even, een moment slechts, iets milds over hem: hij leest in ieder geval. Voor het eerst van zijn leven léést hij, ging het door zijn kop.

Nu, nog steeds liggend op de kille houten vloer van de woonkamer, vraagt hij zich af of het mogelijk is dat zijn broertje sindsdien is geradicaliseerd. Of hij tot gekke dingen in staat is.

Zonder dat hij weet waar het vandaan komt ziet hij ineens het gezicht voor zich van de bebaarde jongen, die met een quasihippe zonnebril op zijn neus, in vet Amsterdamse tongval afgelopen zomer op een pleintje in Den Haag verveeld een antisemitische spreekbeurt opdreunde. De Dienst hield hem in de gaten. Maar kon niet voorkomen dat die sneue Jodenhatende jongen, een half jaar na zijn geblèr op dat troosteloze Haagse pleintje, een zelfmoordaanslag pleegde in Irak. Een zelfgekozen dood. Beloond met het paradijs, en zes keer twaalf maagden, tenminste, daar ging die jongen van uit, zo was het hem immers beloofd.

En ineens bedenkt hij dat Souf misschien wel hevig verlangt naar het paradijs, naar een plek waar 'zijn zaakje' weer werkt.

Bilal

Voorzichtig zet hij zijn linkervoet op de weegschaal. Daarna, even behoedzaam, zijn rechter. Hij inhaleert een diepe teug lucht, en blaast met alle mogelijke kracht zijn longen leeg voor hij op de display van de digitale weegschaal kijkt. De cijfers bevallen hem niet.

Naakt loopt hij naar de badkamer, waar hij het laatste vocht uit zijn blaas probeert te persen. Pas als hij de kraan laat lopen, komt er wat. Een dun straaltje pis kleurt de wasbak gelig. Hij draait de kraan dicht, en tuft een paar keer in het putje van de wastafel voor hij zijn penis aftikt. Hij aarzelt, maar graait naar een al gebruikte handdoek om zijn eikel af te drogen.

Hoopvol loopt hij terug naar de kamer die de babykamer zal worden. Maar als hij op de weegschaal gaat staan, en voor de tweede keer binnen een paar minuten de display bekijkt, weegt hij evenveel als daarnet. Hij is aangekomen, en weegt weer boven de honderd.

Natuurlijk, dat heeft alles te maken met de drukte van de afgelopen tijd. Hij is constant zaken aan het regelen. Meer dan in de afgelopen maanden zit hij achter zijn computer om alle details uit te zoeken om hun plan – nou ja, zíjn plan – straks tot een goed einde te kunnen brengen. En dan vraagt Bouchra ook nog eens extra aandacht.

Snel stapt hij van de weegschaal. Hij heeft kippenvel over zijn hele lichaam. Wrijvend over zijn buik denkt hij aan gisteravond. Toch weer een kapsalon gegeten. De tweede van deze week al. Hij neemt een vetrol tussen wijsvinger en duim en knijpt het vlees samen, zo hard mogelijk. Maar dan bedenkt hij zich, en laat de kwab los. De plannen zijn gewijzigd en hij heeft straks de rol die beter bij hem past – dus waarom zou hij zichzelf pijnigen?

In de slaapkamer kleedt hij zich aan. Joggingbroek, fleece, dishdasha eroverheen. Zijn kortstondige neerslachtigheid verdwijnt. Vandaag wordt een bijzondere dag, zoals de afgelopen tijd elke dag een bijzondere dag brengt. Omdat ze een plan hebben, een doel, een missie.

Tevreden strikt hij zijn Adidasjes. Een tikje ademloos door de inspanning, staat hij langzaam op en loopt terug naar de rommelkamer die straks een kinderkamer moet worden. Op een zoon hoopt hij, natuurlijk hoopt hij op een zoon. Over de naam van zijn eerstgeborene hoeft hij zijn hoofd niet te breken. Die staat al vast.

Hij probeert zich voor te stellen hoe de jongenskamer er straks uit zal zien. Zo sober mogelijk, besluit hij. Het liefst houdt hij de kamer zo veel mogelijk als-ie is: grijzig gevlekt linoleum op de vloer, geelgerookte lamellen voor de ramen, muren waarvan het behang maar half is verwijderd. Niet eens door hem of Bouchra; de vorige bewoner moet er halverwege mee gestopt zijn, en hij noch zijn vrouw hebben ooit de moeite genomen het karwei af te maken, ze waren te druk met belangrijker zaken.

Hij legt een hand op de klamme muur, en trekt met zijn andere een reepje behangpapier los. Nee, de kinderkamer moet vooral niet te luxe worden straks. In het kalifaat slapen kinderen ook niet in weelderige kamers.

Bouchra zit op de bank. Ze bladert door de Koran, geluidloos bewegen haar lippen. Hij is trots op zijn vrouw. Ze heeft haar studie opgegeven om de enige studie op te pakken die ertoe doet.

'Maryam,' zegt ze. 'Vind je dat een mooie naam?'

Hij kijkt haar aan, maar ze heeft haar hoofd gebogen boven het heilige boek in haar handen.

Pas als het stil blijft, kijkt ze glimlachend op. 'Ja, toch?'

Hij fronst zijn wenkbrauwen, wil haar van repliek dienen, maar wordt gestoord door een nauwelijks hoorbaar zoemgeluidje van zijn telefoon. Graaiend naar de iPhone in zijn dishdasha draait hij zich om en loopt de woonkamer uit, want hij wil Bouchra niet belasten met de gewichtige zaken waar hij mee bezig is. Laat haar maar focussen op vrouwendingen.

Op weg naar de studeerkamer ziet hij dat er een Facebook Messenger-bericht van Samir is binnengekomen.

'*Pauw* gezien gisteravond? Tsss, Fatima zat erin.'

Hij is nieuwsgierig. Natuurlijk. Op uitzendinggemist.nl zoekt hij de aflevering meteen op. Hij propt de oortjes in zijn oren, beweegt de cursor over het beeldscherm van zijn MacBook, en drukt op *play*. Al snel spoelt hij verveeld door. De eerste paar minuten zitten er alleen maar mannen aan tafel, het gesprek kan hem niet boeien.

Als Fatima voor het eerst in beeld komt, trekt hij de Mac dichter naar zich toe, en laat hij de uitzending weer lopen. Ze zit nog in het publiek, en is slechts een kort moment te zien.

Hij kan het niet ontkennen: ze is nog mooier dan vroeger.

Het duurt even voor ze aan tafel wordt uitgenodigd door Jeroen Pauw, en als ze daar eindelijk zit, gaat het meteen helemaal mis. Wat er die eerste momenten wordt gezegd, ontgaat hem volledig. Hij ziet alleen de lichaamstaal van Pauw en hoe Fatima daarop reageert. Ze zit, met die felrood gestifte lippen van haar, gewoon in het openbaar te flirten.

Als ze met een vinger rondjes begint te draaien in haar enorme bos krullen, drukt hij op stop, en duwt de Mac weg. Hij trekt zijn oortjes uit, en staat op. Voor de boekenkast blijft hij staan. Een boek pakken, gewoon een boek pakken en gaan lezen. Alles beter dan te moeten aanschouwen hoe de zus van Jamal zich belachelijk maakt, hoe ze zichzelf – en daarmee haar familie, en de gemeenschap – ten schande maakt.

Maar hij pakt geen boek. Natuurlijk niet. Hij gaat weer zitten. Hij moet het zien, al doet het pijn aan zijn ogen en in zijn hart.

Hij zet de cursor een stukje terug, en hoort hoe Pauw haar aankondigt. Volgens hem is ze 'a rising star in justitiekringen', waar ze zich 'al sinds ze cum laude afstudeerde bezighoudt met de grote dossiers'. Maar, zegt de talkshowhost, vandaag is ze uitgenodigd om te praten over 'het vlammende pamflet dat ze eerder deze week in *de Volkskrant* publiceerde'. En niet zonder gevolgen, benadrukt Pauw tamelijk bombastisch, 'want haar werkgever bleek niet gediend van de kritische noten die ze kraakte'.

Dat pamflet, daar weet Bilal natuurlijk al van. Het verscheen een paar dagen geleden. Jamal en Badr kwamen er mee aanzetten, een beetje bezwaard. Hij las het vluchtig, maar het raakte hem niet echt. Het was het soort taal dat hij gewend was van mensen die de kuffar willen behagen, types die liever vriendjes worden met ongelovigen dan te doen wat het geloof van hen vraagt.

Het was al lang bekend dat Fatima het verkeerde pad op is gegaan. Hij vindt het vooral pijnlijk voor Jamal, en ook wel voor Badr, die door met Aïcha te trouwen, opgescheept zit met een ongelovige schoonzus, een *murtad*.

Contact met haar familie heeft Fatima nauwelijks sinds ze begon te studeren. Alleen haar vader en moeder spreekt ze nog af en toe; die zijn blijkbaar niet sterk genoeg om hun afvallige dochter te dumpen. Daaruit blijkt weer eens dat de nieuwe generatie sterker en standvastiger is: Jamal en Aïcha willen al jaren niets met haar te maken hebben, en dat geldt ook voor hun jongste zussen, die dankzij het goede voorbeeld van hun broer en oudste zus afstand namen van Fatima.

Ze schijnt samen te wonen met een Nederlander, ze is niet eens getrouwd.

'In elke familie heb je een rotte appel,' zei hij tegen Jamal en Badr nadat hij het pamflet had gescand, en hij meende het, hoewel het gedrag van Fatima natuurlijk veel kwalijker is dan 'verrot'.

Zijn broeders keken hem een beetje verbaasd aan. Mildheid waren ze niet van hem gewend, dat wist hij wel, en daar streefde hij ook niet naar. Als hij eerlijk is, moet hij erkennen dat er tijdens het lezen van het pamflet een moment een gedachte door zijn hoofd speelde, maar dat hij die oprisping (is Fatima misschien een goed doelwit?) snel wist te onderdrukken. Omdat het eerdere plan beter en grootser is, ja. Maar ook omdat hij klaar *is* met Fatima. Ze bestaat niet meer voor hem.

Toch, kijkend naar haar bij *Pauw*, komt ze weer tot leven. Ze legt uit waarom ze de onzin schreef die ze schreef, en ze hangt het slachtoffertje uit wanneer ze vertelt hoe ze de afgelopen dagen 'veel over zich heen kreeg'. Ze klaagt over de stortvloed aan kritiek van zowel advocaten als rechters. Ook collega's en haar werkgever hebben haar laten vallen als een baksteen.

'Had je dan verwacht dat iedereen het wel prima zou vinden dat een officier van justitie in het openbaar felle kritiek uit op de vervolging en de bestraffing van jihadisten in Nederland?'

Ze zit al te knikken voor Pauw de vraag heeft afgemaakt. Waarschijnlijk hebben ze haar van tevoren alle vragen ingefluisterd zodat haar islamofobe borrelpraatjes zo goed mogelijk uit de verf komen.

'Ik hoopte dat we in een vrij land leven, waar je – als het écht ergens om gaat – best iets mag zeggen over uitspraken van de rechtbank, zélfs als officier van justitie.'

'Maar dat bleek dus niet zo te zijn.'

'Dat bleek inderdaad niet zo te zijn.'

Ze praat geaffecteerd – was dat toen ook al zo?

'Was dat naïef?'

'Is het naïef om het land waar je geboren en getogen bent, het land waar je alle kansen krijgt om je te ontplooien, dat je zo'n land probeert te behoeden voor explosief gevaar?'

Pauw lacht. 'Is dat een vraag aan mij?'

Ze lacht ook, en neemt – ze kent echt geen schaamte! – een forse slok rode wijn.

'Ja, Jeroen, dat is een vraag aan jou,' zegt ze, nadat ze het glas terug op tafel zet.

'Ik zou het eerder moedig noemen,' zegt Pauw, terwijl hij haar schuintjes aankijkt.

Ze neemt hem aandachtig op, lijkt iets te gaan zeggen, maar zwijgt.

'Want je wist waarschijnlijk best dat hier, nou ja, gezeik van zou komen, van zo'n pamflet waarin je niet alleen waarschuwt voor *homegrown* terroristen, maar ook je collega's de les leest. Ze durven niet door te pakken, schrijf je, uit angst om een blauwtje te lopen in de rechtbank. En rechters krijgen in je stuk al helemaal de wind van voren. De straffen die tot nu toe in jihadzaken zijn uitgedeeld, noem je bespottelijk.'

'Ik schreef iets anders, maar daar komt het wel op neer, ja.'

Pauw pakt het artikel erbij.

'Je noemt rechters "volstrekt wereldvreemd". Je schrijft dat ze "fopstraffen" uitdelen. Je stelt dat ze door fopstraffen uit te delen "bloed aan hun handen hebben", dat ze "medeplichtig" zijn.'

'Dat klopt. En daar sta ik nog steeds achter.'

'Het zijn grote woorden.'

'Het zijn grote woorden omdat het godverdomme eens gezegd moet worden! Het is niet normaal dat een redactie wordt afgeknald omdat ze tekeningen maken die humorloze zeloten niet kunnen pruimen. Het is niet normaal dat bezoekers van een Joods museum *pointblank* worden afgeslacht. Het is volstrekte waanzin dat een debat over vrijheid van meningsuiting wordt opgeluisterd door geweerschoten, zoals het jaren geleden ook niet normaal was dat een auteur moest onderduiken omdat bloeddorstige, zelfverklaarde literatuurcritici een boek wilden verbieden dat de meeste van die lui niet eens hadden gelezen.

Het is ook niet normaal dat hier niet ver vandaan een cineast met een grote bek zowat werd onthoofd. Als je wilt voorkomen dat zo'n lijstje nóg langer wordt – en het is al veel langer – dan moet je durven zeggen: genoeg is genoeg, we gaan alles in werking zetten om dit een halt toe te roepen, ook al betekent het dat er drastische maatregelen genomen moeten worden, die misschien – inderdaad, ja – bepaalde vrijheden van bepaalde mensen een beetje inperken...'

Zo gaat ze maar door, ze is niet te stoppen. Pauw zwijgt, en zit met glimoogjes te genieten van haar tirade. Je ziet hem denken: vanavond, hier aan tafel, wordt de nieuwe Ayaan Hirsi Ali geboren. Eentje die nóg radicaler is.

Bilal kan het niet langer aanzien, hij heeft genoeg gehoord, en drukt met zijn wijsvinger de laptop dood.

Nadat hij een Facebook Messenger-bericht heeft gestuurd naar Samir staat hij op uit zijn bureaustoel. Het duurt nog enkele uren voor hij zijn broeders ziet. Alle tijd dus om te gaan sporten, om de woede eruit te lopen. Hij trekt zijn dishdasha uit, en drapeert 'm over de bureaustoel. Met gebalde vuisten zakt hij een paar keer door zijn knieën, maar hij weet: deze zogenaamde warming-up is onzin. Hij rekt zich uit, tot hij een knak hoort, en laat vervolgens zijn armen lusteloos langs zijn lichaam vallen.

Met zijn rechterwijsvinger gaat hij langs de ruggen in zijn propvolle boekenkast. Hij is er trots op dat hij zoveel kennis in huis heeft. Zijn vinger blijft hangen bij de dikke pil van Karen Armstrong, die hij al jaren heeft. Ooit gekocht voor Fatima, nooit aan haar gegeven. Hij herinnert zich het moment dat hij zich voornam het boek, dat hij al enige tijd in zijn bezit had, eindelijk aan haar te geven. Het kwam er niet van, niet op de geplande dag, en niet in de hectische periode die volgde. Hij was alleen maar bezig met het nieuws in die tijd. Alles las hij. Alles bekeek hij. Alles wilde hij weten over de broeders die, daar raakte hij al snel van overtuigd, zoveel verder waren dan hij.

Die ene broeder in het bijzonder. Hij durfde tenminste de conclusies te trekken die zijn geloof hem oplegde. O, moge Allah hem even standvastig maken als Mohammed Bouyeri!

Hij pakt het boek van Armstrong uit de kast, bladert het een beetje door, maar zet het dan weer terug. Zou het hebben uitgemaakt als hij Fatima het boek wél had gegeven? Zou ze dan nog moslim zijn? Waarschijnlijk niet. Het gif moet zich al in haar hart hebben bevonden, want toen hij een paar maanden na de bestraffing van dat dikke varken opnieuw plannen maakte om haar het boek te overhandigen, kwam Jamal ineens aanzetten met het verhaal dat ze een vriend had. Een Nederlander, een flink aantal jaren ouder dan zijzelf. Haar ouders maakten volgens Jamal niet eens bezwaar, ze staken er in ieder geval geen stokje voor.

Het lezen van de biografie van Armstrong zou Fatima sowieso een vertekend beeld van de profeet hebben gegeven. Die schrijfster, een voormalige non, heeft pas weer een boek gepubliceerd, en in interviews probeerde ze de islam af te schilderen als een of andere pacifistische beweging. Ze kan beter een abonnement nemen op *Dabiq*. Daar staat het zwart-op-wit: islam is de religie van het zwaard, niet van pacifisme. En dát waardeert hij zo aan de broeders van IS: zij praten niemand naar de mond, zij smeren niet met stroop, zij zijn niet bezig met het pleasen van de kuffar. Zij zijn beter dan dat. Zij willen slechts één ding: de tevredenheid van Allah subḥānahu wa ta'ala!

En daarom is hij de afgelopen weken zo trots op Soufiane, Mimoun, Samir, Badr, Jamal, Abduljalil en Nourredine. Ook zij beseffen inmiddels wat hen te doen staat. Ook zij laten zich niet afleiden, gek maken, of van het rechte pad af lokken. Ze schikken zich allemaal in hun rol, ze zijn er van overtuigd dat wat ze met z'n allen gaan doen een groter doel dient – het grootste doel! Bang dat ze zullen verzaken is hij niet meer. Zelfs Nourredine laat zich van zijn beste kant zien, misschien ook wel omdat hij in het plan dat hij bedacht heeft (ere wie ere toekomt, zo kijkt Allah er uiteindelijk toch ook naar?) een belangrijke rol mag spelen. Komt dat baantje bij de v&d van hem toch nog van pas. Maar het meest trots is hij op Soufiane, hoewel 'trots' misschien niet de juiste emotie is. Soufiane moet vooral verguld zijn dat hij dit mág doen, dat Bilal hem heeft uitverkoren om te doen wat hij gaat doen.

Mo

Moeilijk was het niet. Onopvallend volgen verleer je niet omdat je toevallig een paar maanden verplicht thuiszit. Het is net als fietsen. Of autorijden. In een zwart Golfje, in zijn geval. Natuurlijke habitat van Marokkanen, *hahaha*.

Voor de zekerheid had hij zijn *bad hairday*-petje opgezet. Die cap, in combinatie met de zoveeldagenbaard, én de haastig in een afbraakwinkel aangeschafte gebedsketting die hij aan de autospiegel hing, moesten hem onherkenbaar maken. Voor Barry, dan. Want het was Barry die hem op het goede spoor moest zetten. Zo bedacht hij het – en het werkte.

Tuurlijk, hij had zelf op zoek kunnen gaan naar die terreurcel van El Kaddouri, waarvan zijn broertje deel zou uitmaken. Pardon, 'het mogelijke terreurnetwerk' waar zijn zich in een rolstoel verplaatsende broertje tegenaan zou schurken; want hij 'beweegt' zich volgens Nick – volgens El Kaddouri dus – immers 'in de buitenste kringen' van het groepje radicale groupies van een of andere bekeerling. *Nope*, heel ingewikkeld zou het niet zijn geweest om dat clubje zélf op te sporen. Maar waarom moeilijk doen als het makkelijk kan?

Dus stond hij gisterochtend vroeg voor de woning van Barry in Noord te posten. Koud kunstje. Auto parkeren naast een busje in de buurt van de auto van Barry, wachten tot het vogeltje verschijnt, klaar. *Been there, done that a thousand times*. De kans bestond dat Barry eerst naar Zoetermeer zou rijden, maar ook dat viel mee. Op de A2 richting het zuiden wist Mo helemaal zeker waar de reis naartoe ging. Het was ook geen gok geweest dat Barry op die zaak werd gezet. Hij is goed in wat hij doet – en bovendien is De Dienst behoorlijk ontmand nu zowel hij als Johan niet meer meedoen.

Aan het begin van de Marshalllaan zag hij Barry even kletsen met een Marokkaan die hij niet kende. Een jonkie nog. Moest een nieuwe zijn. Blijkbaar werken de ronselpraktijken van Van Gierst ook anno 2015 nog.

De Marokkaan taaide af, en het wachten begon. Hij bereidde zich al voor op een paar geestdodende uurtjes, maar het duurde gelukkig niet lang voor een dikke, roodharige clown in een maagdelijk witte dishdasha naar buiten kwam. Hij maakte er een heel spektakel van. Quasinonchalant – dat wil dus zeggen: vreselijk opvallend – stond hij buiten meteen zogenaamd op zijn telefoon te kijken, maar je hoefde geen ogen in je kop te hebben om te zien dat hij vooral rondspiedde of er iemand naar hem stond te koekeloeren. Twee man. Dus. Het kon niet op, oude tijden herleefden, tijden waarin De Dienst wél tijd en manschappen had om meerdere mensen tegelijk op potentieel gevaarlijke gekken te zetten.

De clown liep richting de Churchilllaan, maar keerde ineens om en dook een steegje in. Oud trucje. Trapten Barry en hij natuurlijk niet in. Want – surprise! – een minuutje later kwam hij het steegje weer uitlopen met een zelfvoldane grijns op zijn bek, overtuigd dat hij niet werd gevolgd.

Dat hij die trucjes toepaste betekende in ieder geval dat hij wat te verbergen had, daar was hij meteen al van overtuigd. Kon natuurlijk zijn – hield hij zich toen nog voor – dat die Bilal leed aan grootheidswaanzin, en zichzelf belangrijker maakte dan hij was, zoals zoveel van die radicale gasten. Ze dachten allemaal dat ze continue in het vizier werden gehouden, in zekere zin hoopten ze daar zelfs op, want dat gaf glans aan hun doffe aardse bestaan dat één groot toelatingsexamen was voor het heerlijke hiernamaals dat ze – insjallah – ooit mochten betreden. Maar in het winkelcentrum, waar die rooie weer verwoede pogingen ondernam om mogelijke achtervolgers af te schudden, raakte Mo ervan overtuigd dat El Kaddouri het nu eens wél bij het rechte eind had: die Bilal deugde niet. Iemand die zoveel moeite deed – winkel in, winkel uit, roltrap op, roltrap af – om er zeker van te zijn dat hij niet achtervolgd wordt? Die voert iets in zijn schild.

Barry bleef achter die gast aanlopen, en dat deed Mo, op gepaste afstand, dus ook maar. Blijkbaar wist Barry dat meneer niet zo van de auto's of het openbaar vervoer is, want als hij ineens in een Golfje, een bus of de tram gestapt zou zijn, dan waren ze hem als het tegenzat alsnog mooi kwijtgeraakt.

Maar dat gebeurde niet. Nee, lui kon je die Bilal niet noemen, want hij hield pas stil toen hij bij Park Oog in Al was aangekomen. Barry zwalkte, waarschijnlijk hijgend, bezweet en vloekend, een meter of tweehonderd achter hem. Hijzelf liep weer een paar honderd meter daarachter. Vanaf die afstand kon hij net zien hoe de bekeerling zich omdraaide, en een poosje bleef staan. Barry had geen andere optie dan hem voorbijlopen, en dat deed hij dan ook. Zelf stak hij zo nonchalant mogelijk een peuk op, voor hij op nog grotere afstand dan voorheen, de man in het wit weer achtervolgde.

Barry was nergens te bekennen toen hij het park in wandelde. De bomen waren kaal, en de knoppen in de struiken kondigden weliswaar de lente al aan, maar echt dichtbegroeid was het park nog niet. In de bosjes kon hij niet zitten. Barry was er sowieso het type niet naar om zich te verbergen: zijn postuur is zijn vermomming.

Ook de bekeerling was in geen velden of wegen te bekennen. Even dacht hij dat die er dan toch in was geslaagd om zijn achtervolgers af te schudden, maar net toen hij godverend het hele pokkenend terug wilde sjokken naar zijn Golfje, zag hij hoe een groepje in het zwart geklede mannen op hem af kwam lopen. Bizar genoeg dacht hij in eerste instantie dat er een kind tussen liep, een klein kind met een baard, jaja, hij had ze allemaal nog heel lekker op een rijtje. Want dat kind, de kleinste van die mannen in het zwart, was natuurlijk Souf. In zijn rolstoel. Zijn stoppelbaardje was sinds Mo hem voor het laatst zag tot volle wasdom gekomen, jihadi *style*.

Dat die gasten hem zonder argwaan voorbijliepen, dat hij verdomme op een halve meter afstand gewoon de banden van Soufs rolstoel in het grind hoorde knarsen, zónder dat zijn broertje hem vroeg waarom hij voorovergebogen zijn veters zat te strikken in Park Oog in Al: het verbaast hem nog steeds. Eenmaal weer opgestaan, de veters van zijn All Stars strak gestrikt, voelde hij zich volstrekt kansloos. Hoe kon hij in godsnaam in dat park blijven zonder op te vallen? Wat deed hij hier überhaupt?

Het liefst had hij het uitgeschreeuwd. Keihard iets geroepen. Iets! GA GODVERDOMME IETS ZINVOLS MET JE LEVEN DOEN, bijvoorbeeld. Waarbij hij zelf niet goed wist wie van alle mensen in dat park dat advies het meest ter harte moest nemen.

Maar hij schreeuwde niet, hij hield gewoon zijn bek, en ging op een bankje zitten. Met zijn handen in zijn jaszakken, benen gestrekt, rug als een plank, All Stars-hakken in het grind, staarde hij naar het groepje mannen dat zich had verzameld rondom een ander bankje, een paar honderd meter verderop.

Op dat bankje: die bekeerling. Hij zag hoe de man in het wit grote gebaren maakte, hoe hij zijn toehoorders toesprak, en zonder dat Mo hoorde wat er werd gezegd, was het zo klaar als een klontje dat die gast weinig goeds in de zin had; zoiets herken je als je eerder hebt gezien hoe kwaadaardige plannen worden gesmeed. En het maakte hem eigenlijk geen flikker uit, het interesseerde hem geen zak, echt waar niet. Als het bij die grote gebaren was gebleven, dan was hij waarschijnlijk ook opgestaan, maar dan om dat hele clubje, inclusief zijn broertje, de rug toe te keren en stilletjes het park uit te wandelen, weg van de weirdo's.

Maar toen hij gister opstond van dat bankje was het niet om geruisloos het park te ontvluchten. Nee, hij kwam in beweging toen die creep het gezicht van Souf in zijn handen nam. Dat was – hij begreep niet waarom – de druppel. Hij liep recht op het groepje mannen af, zonder een idee te hebben wat hij zou gaan zeggen en wat hij zou gaan doen, maar onzeker maakte hem dat niet. Integendeel, hij had zich in tijden niet zo sterk gevoeld, en hoe dichterbij hij kwam, hoe sterker dat gevoel werd: hij had een missie. De exacte aard daarvan zou hem geopenbaard worden wanneer hij het groepje bereikte.

Daar bijna aangekomen, zag hij dat alle hoofden gefocust waren op zijn broertje en op die bekeerling, die het hoofd van Souf nog steeds tussen zijn vadsige handen geklemd hield en hem toesprak. Iedereen was gefixeerd op dat tafereel. Al die mannen aanschouwden het alsof ze getuige waren van een wereldwonder. Ze stonden zalvend te knikken, hun blik gericht op Souf, en dan weer op de bekeerling. Voor hun omgeving hadden ze geen enkele aandacht.

Niemand keek op toen hij het groepje bijna had bereikt. Niemand, behalve die ene. Een mooie jongen was het, en die mooie jongen zei vriendelijk 'As Salaam Aleikoem' tegen hem, en hij zei verbaasd 'Wa Aleikoem Salaam' terug, het was een reflex, en hij hoorde een rijm opstijgen uit het groepje, iets als 'vroem vroem', en liep door tot hij het park uit was, hij kon zijn benen niet stilhouden, iets duwde hem voort, en hij hoopte dat Barry nog ergens was, dat Barry zijn werk zou doen, dat Barry ervoor zou zorgen dat het niet doorging, dat het allemaal mislukte, wat het ook was dat moest mislukken, maar hij zag Barry niet, hij was verdomme nergens te bekennen, misschien had hij honger gekregen en was hij een broodje halen, typisch Barry – maar nee, dat was helemaal niet waar, want zo was Barry helemaal niet, Barry kon je om een boodschap sturen, hij was goed in wat hij deed; was, verleden tijd, verdomd, want waar wás Barry?

Zo, zichzelf gek makend, misschien al gek geworden, liep hij naar zijn auto, en in het Golfje reed hij naar het winkelcentrum om bij de Gall & Gall aan het Van Starkenborghhof een verse voorraad verlossing in te slaan.

En nu is hij – nog steeds katterig – voor de tweede keer van zijn leven op weg naar Leidsche Rijn, zonder dat hij precies weet wat hij daar moet. Alles wat hij de laatste tijd onderneemt, is vaag en gedoemd te mislukken.

Hij heeft de route onthouden, en rijdt zonder de weg te hoeven vragen naar het huis van de vrouw die hem baarde en haar zoon die zich, toen ze nog saampjes onder één dak woonden, schaamde voor *hem*, zijn oudere broer, voor Mohammed.

Het duurde lang voor er werd opgenomen toen hij gisteravond laat – al aardig onderweg naar het grote niets waar hij wezen wilde – met zijn dronken vingers het telefoonnummer van zijn moeder had ingetoetst. Uiteindelijk was het Souf die opnam. Verbaasd hoorde hij hem aan – je kon het horen; zijn broertje zei niets.

'Is goed,' antwoordde Souf afgemeten toen hij zei dat hij kwam eten, en het klonk niet heel enthousiast. Maar wat had hij dán verwacht?

Hij parkeert de auto precies voor de deur, blijft even zitten, maar stapt dan zo resoluut mogelijk uit. Zijn moeder wacht hem al op in de open deuropening. 'Mohammed,' zegt ze, en hij kan haar slappe armen niet ontwijken, ze slaat ze om hem heen, ze is heel even een octopus. Ze zegt iets over zijn baard, het klinkt als een compliment. Als hij de omhelzing verbreekt, waggelt zijn moeder meteen door naar de keuken.

Souf zit met een laptop op schoot in de woonkamer, waar de televisie een Marokkaanse soap uitbraakt. Uit de laptop komt ook geluid, minder luid en ondefinieerbaar, het klinkt alsof iemand gorgelt.

'Hé,' zegt hij tegen zijn broertje.

'Wa Aleikoem Salaam,' antwoordt Souf, maar het klinkt alsof hij hem net als vroeger de tering wenst – of beeldt hij zich dat in?

'Wat kijk je?'

'Niets.'

Souf klapt de laptop dicht, en houdt minutenlang zijn kaken op elkaar.

'Kom je doen,' zegt hij uiteindelijk als hijzelf ook geen aanstalten maakt om iets te zeggen.

Van het enthousiasme, de vriendelijkheid, of wat het ook was de vorige keer, is niets meer over. Hij is weer de indringer in het leven van zijn broertje. Niet gewenst, toch gekregen, hoewel hij er eerder was, als eerstgeborene.

Hij haalt zijn schouders op, en zegt dat hij dacht dat hij hun moeder misschien een plezier zou doen door weer eens langs te komen. Zijn broertje knikt, zwijgt weer.

Als hij op de bank gaat zitten, voelt hij iets hards. Hij licht een bil op, en trekt een vuistdik boek onder zijn kont vandaan.

'Kijkuitmangeefhier!' roept zijn broertje, en hij volgt het bevel nog op ook, en overhandigt de stukgelezen Koran van hun beider vader aan Souf.

Tijdens het eten strooit zijn moeder weer met namen. Die heeft dit, en die is dat, en daar hebben ze zus, en weer ergens anders hebben ze zo, en iedereen heeft wat, en overal is iets – is het niet vreselijk?

Souf probeert er een paar keer tussen te komen, en hoewel Mo zich heeft voorgenomen om het gesprek aan te gaan, om zijn broertje een beetje subtiel uit te horen, slash te waarschuwen, is hem inmiddels alle lust vergaan om Souf het gesprek in te wringen, om hem ook maar één vraag te stellen. In plaats daarvan moedigt hij zijn moeder aan: doe nóg maar een roddel, ma. Hij zegt het woordeloos, door te doen alsof al dat gezeik over Zakaria en Ashraf en Abdul en Fadila en Ikram hem ook maar ene zak interesseert.

Hij staat meteen op om naar het toilet te gaan als zijn moeder, met de half leeg gevreten schalen, naar de keuken verdwijnt. Geen zin om alleen met Souf achter te blijven.

Zittend op de wc vraagt hij zich af wat hij hier eigenlijk nog doet, waarom hij niet gewoon tegen zijn broertje zegt dat hij in de gaten loopt, en vertrekt.

Na het pissen blijft hij nog even zitten. Buikkramp. Al die alcohol maakt hem rufterig, en af en toe weet hij niet of hij een scheet moet laten of dat hij moet schijten. Hij staat op als hij zeker weet dat het loos alarm is, wast zijn handen, en veegt ze af aan zijn spijkerbroek.

In het halletje ziet hij een dichtgefrommelde plastic tas van de Media Markt. Hij bukt, kijkt in de tas, en propt 'm weer in elkaar nadat hij even vluchtig aan de Philips-baardtrimmer heeft geroken.

Tijdens het dessert dient zijn moeder een nieuwe portie roddels op. Ze is een niet te stelpen bron; blijkbaar heeft ze hier vanuit Leidsche Rijn een lijntje naar de rest van de Marokkaanse gemeenschap in Utrecht. Voor haar moet het een levensader zijn.

Souf is van tafel gegaan. Hij zit weer met de laptop op schoot. Opnieuw hoort hij dat gorgelende geluid. Wat is dat toch?

Aan tafel, tegenover zijn moeder, knikt hij op strategische momenten om te camoufleren dat hij allang niet meer luistert naar haar verhalen. Uitgegeten vraagt hij of hij mag roken, en Souf wil al iets zeggen, waarschijnlijk dat roken haram is, maar hun moeder is hem voor en zegt: 'Buiten.'

Om warm te blijven, loopt hij gedachteloos op en neer door de tuin, en hij heeft al een tweede sigaret opgestoken als hij ineens nieuwsgierig wordt naar het ding in de tuin, dat is afgedekt met een modderig zeil, ooit moet het groen zijn geweest. Hij checkt of de lamellen van de woonkamer dichtzitten, wat natuurlijk het geval is, en trekt het zeil iets omhoog.

Meteen daarna gaat hij naar binnen, waar hij iets onverstaanbaars mompelt (het is tenminste onverstaanbaar bedoeld) en door de gang naar de voordeur loopt en weer naar buiten gaat. Hij knipt het Golfje open, trekt met een knie op de bestuurdersstoel het handschoenenkastje open, vindt tussen alle rotzooi wat hij zoekt, en propt het in zijn broekzak. Hij aarzelt even en pakt dan ook de Manchester City-cap van de passagiersstoel, die daar nog ligt van gisteren.

Weer binnen overhandigt hij het petje aan Souf, die een bek trekt alsof hem ongevraagd een cartoon van zijn profeet in de maag wordt gesplitst.

Hij geeft zijn moeder een knuffel, zegt dat hij moet gaan en dat hij achterom gaat, en trekt meteen de deur achter zich dicht.

Resoluut beent hij door de achtertuin, op weg naar het tuinhek. Hij trekt het zo luid mogelijk open, en duwt het daarna hard dicht. De lamellen blijven gesloten, en hij overweegt een sigaret op te steken, maar hij bedenkt zich en sluipt richting het object onder het zeil. Hij gaat op zijn linkerschouder liggen, trekt het zeil met zijn rechterhand iets omhoog tot het blijft hangen, graait in zijn broekszak, en plakt vervolgens de GPS-tracker onder de vuurrode Canta. Het zeil trekt hij terug naar beneden, en met beide armen gespreid, blijft hij even liggen. De kou van de grijze stoeptegels trekt meteen in zijn lijf.

Dan staat hij op, en loopt vermoeid naar het tuinhek, dat hij zo stil mogelijk opent.

Bilal

Een week later grist Bilal een envelop van Soufiane's schoot. Het adres is neergepend in hoekige, zwarte letters, de agressie spat ervanaf. Drie dikke strepen staan er onder de naam van zijn broeder, maar de laatste letters van zijn voornaam ontbreken. Net als de postcode, wat gek is, want die moet makkelijk te vinden zijn als je iemands naam en adres kent.

Op de achterkant van de envelop leest hij wat Soufiane hem al telefonisch vertelde, waarna hij hem meteen de mond snoerde. Was hij helemaal gek geworden? Snapte hij verdomme niet dat hij niet telefonisch...

Soufiane had nog het lef ook om hem abrupt te onderbreken en hem te veroordelen voor zijn vloek. Maar in de stilte die daarna viel, leek hij plots te beseffen hoe onzorgvuldig hij handelde; blijkbaar realiseerde hij zich toen pas dat zijn onbesuisde actie alles in gevaar kon brengen.

Uiteindelijk fluisterde hij, nog steeds boos op zijn broeder, 'eekaa achtentachtig', de door Samir bedachte onzincode, die zover gezocht is dat alleen de broeders weten wat het betekent.

Aan de achterkant van Sportpark Marco van Basten, leunend tegen een boom, gaan Bilals ogen nogmaals over het woord dat Soufiane – het maakt hem weer woedend nu hij eraan denkt! – eerder vanmiddag zo ondoordacht uitsprak, zonder er rekening mee te houden dat ze mogelijk worden afgeluisterd.

'Mukhābarāt', leest hij, in een handschrift dat in niets lijkt op het hoekige spijkerschrift waarin Soufianes naam en adres zijn neergepend. Drie keer scant hij het A4'tje met observaties. Het verbaast hem zelf hoe zenuwachtig hij daarvan wordt. Zo zeker van zijn zaak was hij de afgelopen tijd, alles had hij onder controle, zijn emoties in het bijzonder – en nu? Nu lijkt het alsof alles zomaar kan mislukken.

Soufiane zit hem vanuit zijn rolstoel aangeslagen aan te kijken. Gelukkig beseft hij dat dit slecht nieuws is, dat dit echt héél slecht nieuws is, misschien nog wel het meest voor hem, omdat hij, Soufiane, de kans kreeg om...

Heeft een spion hun groep geïnfiltreerd? Die gedachte komt voor het eerst boven drijven, terwijl het natuurlijk een heel logische is. Maar wie is de *snitch*? Bilal gaat in zijn hoofd de namen af van alle broeders. Telkens stelt hij zichzelf de vraag: heeft hij gelekt? Is hij tot zoiets in staat? Eén keer aarzelt hij, maar hij verwerpt de gedachte, want als Abduljalil hier achter zit, dan zegt dat uiteindelijk ook iets over hemzelf, als leider. Als iemand uit zijn groep dit op zijn geweten heeft, dan heeft hij gefaald als *emir*, dan heeft hij een fatale inschattingsfout gemaakt.

Nee, er kan geen spion zitten in zijn groep. Dat kán gewoon niet! Het moet van buiten komen. Vanuit de AIVD. Waarom niet? Ze houden er natuurlijk rekening mee dat ze in de gaten worden gehouden. Daarom handelen ze ook zo voorzichtig. Daarom spreken ze af in parken, en niet meer bij Abduljalil thuis. Maar blijkbaar zijn ze ook in die parken niet veilig.

Alleen: waarom zijn die observaties naar Soufiane gestuurd, en niet naar hem? Ze moeten toch beseffen dat hij...

'Wie ken jij in Zutphen?'

'Niemand. Echt niet. Ik zag ook dat poststempel, maar ik ken daar echt niemand.'

'Je móet daar iemand kennen. Anders sturen ze jou die post toch niet?'

'Ik zeg het je: ik ken daar niemand. Ik weet niet eens waar het ligt, man.'

Hij gelooft hem. Waarom zou hij liegen met het vooruitzicht

dat hij heeft? (Dat hij hád? O, moge dit plan – insjallah – door-gaan!)

'Ik geloof je,' zegt hij, en hij verwacht dat Soufiane iets van dankbaarheid laat blijken, maar die vraagt alleen maar wat ze nu gaan doen.

'We gaan gewoon door, alleen sneller dan gepland,' antwoordt hij, en nu ziet hij het gelukkig wel: hij ziet dankbaarheid in het gezicht van zijn broeder.

'We gaan boem doen,' zegt Soufiane, zoals hij het eerder in het park ook zei, en dat vond Bilal kinderachtig, maar waar hij toen zweeg, zegt hij nu: 'Ja, we gaan boem doen, broeder.'

Hij zet Soufiane af bij de bushalte, en wacht niet tot de bus arriveert. Onderweg hebben ze hun plan gemaakt, en later van-daag zullen ze de andere broeders op de hoogte stellen. Hij zal ze bij elkaar roepen, al heeft hij vooralsnog geen idee waar. Niet in een park in ieder geval, of misschien juist wel, want wie dat observatierapportje ook aan Soufiane stuurde: uit niets bleek dat de AIVD op de hoogte is van hun plan. Natuurlijk, denkt hij onderweg naar huis, waarschijnlijk bluft de AIVD! Ze weten niets, maar door zo'n brief te sturen hopen ze dat ze in paniek raken en als lafaards terugdeinzen voor wat ze voor ogen hebben. Voor wat híj bedacht heeft. Maar dat gaat mooi niet gebeuren. Gelukkig denkt Soufiane er ook zo over.

In de keuken snaait hij staand een paar dadels voor hij zich te-rugtrekt in zijn studeerkamer. Bouchra heeft bezoek van Aïcha, dat hoorde hij meteen toen hij de voordeur opendeed, dus mis-schien kan hij straks Badr – als die zijn vrouw komt ophalen – vragen de andere broeders te informeren over de bijeenkomst waarin hij de gewijzigde plannen zal openbaren. Leiding geven is delegeren, sjiek Osama bin Laden deed toch ook niet alles zelf?

Nadat hij een paar minuten achter zijn dichtgeklapte laptop heeft gezeten, staat hij op en klimt op de bank die hij kocht toen hij in Kanaleneiland kwam wonen. De leren kussens worden geplet door zijn gewicht, en echt stabiel staat hij niet, maar zonder al te veel moeite lukt het hem het systeemplafond omhoog te drukken, opzij te schuiven, en de iPad te pakken die daar verborgen ligt. Hij neemt niet de moeite aan zijn bureau te gaan zitten, maar klapt de beschermhoes van de tablet zittend op de bank al open.

Sommige broeders, vooral Abduljalil eigenlijk, vonden het onverstandig om de speciaal aangeschafte iPad (Soufiane kende iemand die er eentje kon leveren die niet te herleiden zou zijn) thuis te bewaren. Het zou beter zijn om dat ding ergens te verstoppen, zodat nooit bewezen kon worden dat zij daarmee bestellingen hadden gepleegd. Niet alles natuurlijk, ze hadden vooral grondstoffen verzameld door in korte tijd het hele land en later zelfs België, Duitsland en Frankrijk, af te reizen en telkens kleine hoeveelheden aan te schaffen die geen argwaan wekten. Samir en Mimoun hadden het meeste inkoopwerk gedaan; om hun taak zo onopvallend mogelijk uit te voeren, hadden ze zonder morren hun baarden afgeschoren. De iPad werd ondertussen vooral gebruikt om zogenaamd onschuldige dingen te bestellen, zoals de Canta van Soufiane.

Onverwachts, hij schrikt er zelf van, schieten de tranen in zijn ogen. Wat heeft Allah subḥānahu wa taʾala hem begunstigd met moedige broeders! Je kunt zoiets niet alleen, en wat is het dan mooi om te zien dat er broeders als Soufiane op deze aardbol rondlopen. Broeders die beseffen dat dit wereldse bestaan níéts is, dat heel dit aardse leven één groot examen is voor het hiernamaals. En Soufiane zal – insjallah – glansrijk slagen voor die test.

Ze zullen allemaal slagen. Hij – Bilal van Wijk –, Samir en Mimoun, Badr, Abou Ibrahim en Abduljalil. Nourredine's afwezigheid tijdens veel voorbereidingsvergaderingen kan hij goedmaken met dank aan dat klotebaantje van hem in het expeditiecentrum. En Soufiane? Hij heeft de eer om Utrecht op de kaart te zetten, en al die zogenaamde Charlies hun verdiende loon te geven. Allahoe akbar!

Dan doet hij waar hij lang over heeft getwijfeld. Met één vinger tikt Bilal langzaam de letters: c h e a p t i c k e t s . n l. Hij voert de datum in, kiest de bestemming en vinkt aarzelend '2' aan bij het aantal personen dat de enkele reis zal maken.

De relatief lage prijzen beschouwt hij als een teken dat het juist is wat hij doet, want door te doen wat hij op het punt staat te doen, zal hij de hele wereld kunnen berichten over het plan dat Soufiane ten uitvoer bracht, maar dat hij, Bilal van Wijk, met de hulp van Allah bedacht. En ja, hij zal de ummah kunnen aansporen een voorbeeld te nemen aan Soufiane!

Lichtvaardig is het besluit niet genomen. Hij wil eigenlijk niet vluchten, hij wil erbij zijn. Maar de kans is aanwezig dat hij wordt opgepakt als hij in Utrecht blijft. Dan wordt hem de mond gesnoerd. O, Allah is zijn getuige dat hij er alles aan heeft gedaan om de explosie zo indrukwekkend mogelijk te maken, en als het meezit, wordt misschien wel half Utrecht weggeblazen – maar dat zou dus ook betekenen dat hijzelf zou kunnen sterven.

En wie moet dan het verhaal vertellen?

Mo

De croissant smaakt hem niet. Hij legt hem terug op zijn bord en loopt naar het koffieapparaat in de lege ontbijtzaal, de andere hotelgasten hebben blijkbaar al ontbeten. Met een volle mok loopt hij richting de lift. Het meisje achter de balie kijkt hem onderzoekend aan.

'Goedemorgen,' zegt hij met een allochtonenaccent, net als die eerste keer in Zutphen, in de wachtkamer van dokter Van Buuren.

Het meisje groet hem met een zuinig mondje terug. Ze slaat haar ogen neer, en bladert vervolgens druk door de stapel papperassen voor haar neus.

Wachtend op de lift ziet hij in de weerspiegeling van het liftraampje hoe het meisje hem nastaart nu ze denkt dat hij haar niet ziet. Hij moet het haar maar vergeven, waarschijnlijk is ze het niet gewend: een Marokkaan die om onduidelijke redenen al dagenlang in het hotel verblijft.

In de hotelkamer pakt hij zijn iPhone, ziet dat Barry alwéér heeft gebeld, elke dag is het raak, soms meerdere keren per dag – wat moet die gast toch ineens van hem? Mo overweegt het nummer van zijn collega uit de contactenlijst te verwijderen, alsof dat ervoor kan zorgen dat hij niet meer belt, maar hij bedenkt zich: hij kan hem blijven negeren, zoals Barry hém *the cold shoulder* gaf toen hij werd geschorst. Hij wist het gemiste gesprek en legt het mobieltje op het nachtkastje, boven op het schrijfblok en de enveloppen die hij een paar dagen geleden kocht.

Met zijn handen onder zijn hoofd, zijn ogen geopend, gaat

hij op bed liggen. Hij denkt, *once again*, aan Manchester. Al
die eerste maand dat hij weer in Nederland woonde, verzuimde
hij gebruik te maken van het ticket dat zijn vrienden voor hem
kochten; hoe harteloos wat dat? Hij draaide het nummer van
Fran omdat hij Nasty Natasja niet durfde te bellen, en loog dat
het hem echt speet, dat hij bij zijn baas had gesméékt om niet
ingeroosterd te worden, maar dat hij helaas – ja, écht balen, en
súperzonde van dat op datum gestelde ticket – niet naar Manchester kon komen. In werkelijkheid had hij helemaal geen zin
om te gaan, en had hij Van Gierst nota bene gevráágd om ook
dat weekend aan de slag te mogen: niets verschafte hem op dat
moment meer plezier dan zijn werk, daar kon zelfs geen avondje
stappen met zijn mates tegenop.

Van het volgende ticket maakte hij wel gebruik. Hij deed twee
dagen enorm zijn best om het naar zijn zin te hebben, maar dat
hele weekend was hij met zijn kop in Nederland. Specifieker: in
Oss, waar hij een jonge extremist in de gaten hield met een iets te
grote belangstelling voor de legerbasis in Oirschot, en het daarbij
horende oefenterrein op de nabijgelegen heide. Hij baalde dat
hij een paar dagen lang niet precies wist wat die gozer uitvrat;
retezenuwachtig werd-ie ervan. Nasty Natasja nam hem op een
gegeven moment apart. Ze zei dat hij afwezig deed, vroeg wat er
aan de hand was. Toen hij niet meteen antwoordde, concludeerde ze dat hij het pijnlijk vond om terug te zijn. Dat liet hij maar
zo. Hij kon moeilijk opbiechten dat hij die avond – hoe bizar
ook – liever in Nederland een radicalo met quasimilitaristische
ambities in de gaten had gehouden.

Van de overige tien tickets die hij van zijn vrienden kreeg,
gebruikte hij er maar een paar. Vier? Zes? Hij weet het echt niet
meer. Wat hij wel weet: het was geen enkele keer een succes.
Telkens voelde het alsof hij spijbelde wanneer hij in Manto op
de dansvloer stond. Hij was in die tijd zó eager om De Dienst
te laten zien dat ze aan hem een goeie hadden, dat hij de beste
was. Gênant om te bedenken dat hij zelfs jaloezie voelde als er

een belangrijke arrestatie werd gedaan waarbij hij níét betrokken was, waarvoor hij níét de munitie had geleverd.

Op een avond hoorde hij de telefoon overgaan. Op het scherm las hij een nummer, voorafgegaan door 0044. Hij nam niet op. Daarna beantwoordde hij steeds vaker zijn telefoon niet als er een Engels nummer in de display verscheen. De enkele keer dat hij wel opnam, verzon hij na een paar minuten een excuus om op te hangen.

Hij was in korte tijd veranderd, het werk voor De Dienst had hem in een paar maanden geradicaliseerd: hij was in Nederland in no-time getransformeerd van *funny geezer* tot *boring cunt*. En dat was niet de schuld van De Dienst. Het lag aan hem, het lag helemaal aan hem: hij was een zelfontbrander. Hij wilde het beste jongetje van de klas zijn, omdat hij het in zijn arrogante, slash domme kop had gehaald dat hij iets goed kon maken. Dat hij, namens de anderen, iets goed te maken hád. Dat hij de plicht had de klootzakken aan te pakken omdat een kunstenaar was afgeslacht door een barbaar, wiens vader en moeder toevallig uit hetzelfde land kwamen als zijn verwekkers.

Hij stortte zich als een bezetene op zijn werk, ook om niet te veel met Melissa bezig te zijn, en liet zijn vrienden in de steek. Met dat monomane werken maakte hij, eenmaal teruggekeerd in Nederland, al snel kapot wat Melissa hem had geschonken: Engeland.

Waarom heeft hij alles zo verkloot?

Het duurt even voor hij beseft dat het zoemende geluid in de hotelkamer de hoteltelefoon is die overgaat. Lusteloos neemt hij op.

'Meneer el Amrani? U spreekt met de receptie. Kunt u aangeven of u nog langer wil blijven?'

Hij wil al 'ja' zeggen, maar bedenkt zich en zegt dat hij vandaag uitcheckt. Het heeft allemaal al lang genoeg geduurd.

Onder de douche overdenkt hij de afgelopen dagen. Na het bezoek aan zijn moeder en Souf reed hij naar de Marnixlaan.

Het voormalige studentenhuis van Melissa zag er nog precies zo uit als de laatste keer dat hij er langsging. Hij parkeerde de auto aan de overkant, zonder te weten waar hij op wachtte. Toen de lichten in het huis doofden, startte hij de auto en toetste 'Zutphen' in op de TomTom.

Hij checkte in bij het Hampshire Hotel in het centrum van de stad, plunderde de minibar, maar lag de hele nacht wakker omdat hij niet genoeg had gedronken. De volgende ochtend reed hij naar de Jacob Damsingel, waar hij de Golf voor de dokterswoning parkeerde.

De dagen erna volgden hetzelfde patroon. Hij stond op, ontbeet, douchte, en zat vervolgens urenlang in het Golfje naar het ouderlijk huis van Melissa te staren – totdat hij het niet meer hield en naar de kroeg ging, waar hij net zo lang zoop totdat hij wist dat hij zou kunnen slapen.

Gekkenwerk was het. Waarom was hij weer spionnetje aan het spelen? Wat verwachtte hij eigenlijk te zien tijdens zijn observaties?

Hij zag mannen naar binnen gaan. Vrouwen en kinderen. Patiënten. Mensen die iets onder de leden hadden, of dachten iets onder de leden te hebben.

En ja, hij zag de man zelf. Twee keer per dag. In de ochtend, in de avond. En altijd met zijn hond. Hoe meer hij naar hem keek, hoe meer hij hem haatte. Maar hij deed niets.

Daar moet vandaag maar eens verandering in komen.

Tijdens het uitchecken vraagt het receptiemeisje of hij 'iets uit de minibar heeft genuttigd'. Hij weet het echt niet, maar hij heeft meteen dorst.

Als hij even later in de kroeg zit, probeert hij het zo rustig mogelijk aan te doen. Zijn handen mogen straks niet te veel trillen. Ondanks dat goede voornemen giet hij de ene na de andere Leffe naar binnen.

Mo wil opstaan voor een volgende ronde als het scherm van

zijn iPhone oplicht. Wéér Barry. Hoe vaak moet hij hem godverdomme nog negeren voor hij doorheeft dat ze elkaar niets meer
te zeggen hebben? Nu ineens interesse tonen? *Well, fuck him.*

Hij staat op, bestelt nog een bier, en loopt terug naar zijn
tafeltje in de hoek van de kroeg. Eén gemiste oproep, meldt de
telefoon. Barry heeft geen bericht ingesproken.

Een paar Leffe's later licht het scherm van de telefoon wéér op.
Hij overweegt 'm uit te zetten. Neemt dan toch op. Misschien
is dit wel het moment om Barry te vertellen dat hij een laffe
klootzak is.

'Barry,' zegt hij, en het klinkt alsof hij tegen Van Gierst
spreekt.

'Mo,' antwoordt zijn collega, die ver weg klinkt.

Barry produceert iets onverstaanbaars. Hij wil er iets van zeggen, maar dan is de ruis op de lijn ineens verdwenen.

'Wat was je in godsnaam aan het doen, man?'

'Wat bedoel je? Wanneer?'

'In dat park, natuurlijk. Wat dééd je daar?'

Even vraagt hij zich af waar Barry het over heeft. De afgelopen
dagen, hij, hier in Zutphen, in een park? Nee, toch? En wat had
Barry daar dan te zoeken?

Dan komt het besef. 'Je bedoelt in Utrecht.'

'Ja, man.'

Weer die ruis. En de stem van Barry – alsof hij aan het andere
eind van de wereld zit.

'... als een gek in de gaten...'

'... uit de buurt...'

'Je bent niet te verstaan, man.'

'... klus... buitenland...'

Hij haalt de iPhone van zijn oor, kijkt naar het scherm, en
probeert Barry weg te drukken, maar zijn vinger raakt het luid-
sprekersymbooltje, en plots is de stem van zijn collega loepzuiver
in het hele café te horen.

'Echt Mo, ik waarschuw je: blijf verdomme met je dronken

kop uit de buurt van je broertje, anders moet ik het aan El Kaddouri...'

Hij drukt Barry weg, zet z'n telefoon uit, en propt 'm in zijn jaszak. Als hij de telefoon loslaat, voelt hij de ijzeren kolf van het wapen dat hij jaren geleden kocht in een shishalounge, omdat hij geen zin had onnodig gevaar te lopen bij een undercoverklusje.

'Pang,' zegt hij zachtjes als hij zijn wijsvinger krult in de trekker van het pistool.

Op weg naar de bar bedenkt hij zich, en zonder af te rekenen, loopt hij naar buiten. Hij rilt, en trekt zijn capuchon over zijn hoofd.

Instinctief begint hij te rennen wanneer hij een meisjesstem iets hoort gillen, en het verbaast hem hoe makkelijk het hem opeens afgaat, dat rennen: hij maakt echt snelheid, en hij vertraagt niet voor hij de Jacob Damsingel heeft bereikt. Wanneer hij stopt, staat hij te trillen op zijn benen. Hij klapt voorover, grijpt zijn knieën vast, en zo, voorovergebogen, zijn hoofd half verborgen in zijn capuchon, ziet hij de dokter en zijn hond aan komen lopen.

De afgelopen dagen zijn er tientallen scenario's door Mo's kop geschoten; de enige constante was geweld, grof geweld. De dokter pijn doen, voor hij er eindelijk een einde aan zou maken met een nekschot. Maar nu hij, hijgend, Melissa's vader aan ziet komen lopen, op een paar meter gevolgd door zijn hond, voelt hij zich alleen maar futloos en moe en slap.

De dokter passeert hem.

Nu moet hij wel, als hij nu niet...

Hij rukt met alle kracht die hij nog in zich heeft de capuchon van zijn hoofd, strekt zijn lijf, en draait zich om.

'Dokter!' roept hij.

Melissa's vader draait zich om, en komt zelfs een paar stappen zijn kant op lopen. Geen enkele blijk van herkenning. Misschien is hij de afgelopen maanden ook wel veranderd – is dat het?

Hij duwt zijn hand in zijn jaszak, en denkt: dit is het moment.

Maar hij doet niets.

De vader van Melissa kijkt hem vragend aan.

'Ik wil met u praten over Melissa,' zegt hij, en dat wíl hij ineens ook echt. Nu hij hier is, nu het zover is, heeft hij eerst nog een paar vragen, een paar dingen die hij wil weten. Die hij móét weten.

'Melissa?'

'Bloem, bedoel ik. Ik wil met u praten over Bloem.'

In de woonkamer draait de dokter de muziek zachter.

'Kan ik u iets inschenken?' Hij neemt zelf rode wijn, zegt hij meteen daarna.

'Doe mij ook maar,' antwoordt Mo, alsof het volstrekt normaal is dat hij een wijntje drinkt met Melissa's vader. De dokter loopt al weg, maar bedenkt zich.

'U heeft er geen bezwaar tegen dat ik even mijn echtgenote roep, neem ik aan?'

'Nee,' zegt hij afwezig, want hoe bizar is het dat hij hier zomaar zit, dat hij zomaar binnen werd gelaten toen hij zei dat hij een vriend van vroeger was, uit Utrecht. En dat is natuurlijk wáár, dat is geen leugen, maar – had de vader van Melissa het nu over een echtgenote?

De dokter komt met een dienblad de kamer binnen, zet twee glazen rood en een glas wit op tafel, en loopt weer weg. Mo neemt meteen een slok, en kalmeert, want hij realiseert zich dat het niet vreemd is dat de dokter het heeft over een echtgenote. Hij is waarschijnlijk hertrouwd, die dingen gebeuren. Zeker als je er, zoals Melissa's vader, puik uitziet; hij kan het wel gaan zitten ontkennen, maar de waarheid is dat haar vader geen creep is, niet qua uiterlijk. Is dat niet altijd het geval: zien moordenaars en kinderverkrachters er niet altijd uit als gewone, brave burgers? Het kwaad vermomt zich verdomme toch altijd in de kleren van de buurman waarover geen kwaad woord gesproken kan worden?

307

Dan staat ze voor hem. Een vijftiger om te zien. Ingewikkelde sieraden om haar nek. Hennahaar. De ogen van Melissa.

Ze zegt: 'Dag. Ik ben Margot, de moeder van Bloem.'

Dan: 'Ik begrijp van mijn echtgenoot dat u Bloem kent uit Utrecht. Ik ben zó blij dat u er bent. Al die jaren hebben we de hoop gehad dat iemand iets meer wist. Echt, ik hoop zo dat u ons iets meer kunt vertellen over de laatste maanden van onze dochter.'

En het begint te tollen, het is niet alleen de drank, en ze zegt: 'Maar doe eerst uw jas uit, u moet het warm hebben, u zwéét helemaal.'

Ze spreken af elkaar te tutoyeren. In de uren daarna geeft hij antwoorden, want ze stellen vragen, ze willen dingen van hem weten. En hij vindt het fijn om over haar te vertellen. Niet alleen omdat hij nooit over haar heeft kunnen vertellen. Het zit anders: hij vindt het fijn om over haar te vertellen omdat ze ineens na zoveel jaren weer dichtbij voelt. Hij is eerlijk tegen die mensen, tegen de vader van Melissa, en tegen haar moeder – is het écht haar moeder?

Dus als ze vragen hoe hij hun dochter heeft ontmoet, vertelt hij hoe hij haar portemonnee vond en die terugbracht waarna Bloem en hij – en hij merkt heus wel hoe die man en die vrouw tegenover hem elkaars blik proberen te vinden. Of is dat ver-beelding? Het is allemaal zo verwarrend, hij weet niet meer wat hij moet denken en het komt echt niet alleen door alle drank.

Omdat hij dingen vertelt, beginnen zij hem ook dingen te vertellen. Onschuldige dingen, over hoe ze was als meisje, en waar ze van hield, en hoe ze toen iets grappigs en toen iets stouts deed, en ja, je zou het roddelen kunnen noemen, maar het is anders dan hoe zijn moeder vertelt, misschien omdat die over levende mensen praat, mensen die waarschijnlijk best iets terug zouden willen zeggen als ze maar wisten dat er over hen geouwe-hoerd werd, terwijl Melissa al...

'Heb je ooit iets gemerkt van de ziekte van Bloem?'

Het is haar moeder die het vraagt, ze heeft dezelfde ogen; het is haar móéder. Hij kijkt naar haar vader, en ziet weer dat spleetje tussen zijn tanden. En hij wil het niet denken, want daarmee denkt hij kwaad over Melissa, maar die man kan toch niet... Als die vrouw leeft, met diezelfde ogen, dan heeft Melissa... Of ziet hij iets over het hoofd?

Ze kijken hem allebei vragend aan en hij kijkt vragend terug, en pas dan realiseert hij zich dat er een antwoord van hem wordt verwacht.

'Haar ziekte?' De man en de vrouw tegenover hem kijken elkaar weer aan. Ze delen iets. Is dat het, heet zoiets 'een blik van verstandhouding'?

'Het is niet vreemd dat je er niets van gemerkt hebt,' zegt haar vader, en heel even heeft hij dat paternalistische van Steenmeijer, zijn leraar Frans, waardoor hij zich ineens wél kan voorstellen dat die man...

'Het ging de laatste maanden van haar leven ook zó goed met haar. Ze had weer zin in het leven, ze was weer enthousiast als ze zondags langskwam. Niet vreemd dus, dat je niets van haar ziekte hebt meegekregen.'

'Heeft ze ook tegen jou gezegd dat ik dood zou zijn?'

Hij kijkt haar aan, en hij wil niet antwoorden, maar hij ziet aan haar blik dat hij al geantwoord heeft.

'Eind juli was het weer helemaal mis,' zegt haar vader. 'Ze vroeg of ze thuis mocht komen wonen. We hadden geen idee wat er speelde.'

'Daar kwamen we pas achter na haar dood.'

En ze beginnen te vertellen over 'het dossier'. Het dossier dat ze ter inzage kregen na haar zelfmoord. Het dossier waarin stond dat ze werd verdacht van het afpersen van bezoekers van de Europalaan, zoals ze zelf al uitvoerig had beschreven in de lange afscheidsbrief aan haar ouders.

'Het begon volgens haar allemaal per ongeluk,' zegt haar moeder. 'Ze bezocht de Europalaan uit nieuwsgierigheid. Ze vond het spannend om daar 's avonds rond te hangen.'

Ze neemt een kleine slok van haar wijn. Trekt een zuur gezicht. 'Om als "brave studente" – zo noemde ze dat zelf in haar afscheidsbrief – tussen die prostituees te lopen en te observeren hoe die mannen daar aan hun trekken proberen te komen.'

Ze slikt. 'Pas na een paar keer zou ze een fototoestel hebben meegenomen, en volgens Bloem had ze daarmee aanvankelijk geen verkeerde intenties'.

'Ze zag het aanvankelijk als een soort, nou ja, een kunstproject,' zegt haar vader. 'Ze maakte schimmige foto's, gewild rauw en vaag.'

'Heeft ze jou ooit die foto's laten zien?'

Een oprechte vraag, geen verwijt – toch? Dus hij wil haar antwoorden, maar haar vader wacht zijn antwoord niet af.

'Op een gegeven moment, ze is er in haar brief nogal vaag over, is het begonnen.'

'Het afpersen.'

En zo kortaf als haar moeder dat zegt, zo intens is haar blik als ze het zegt, ze kijkt hem intens aan, en dat kan hij haar niet kwalijk nemen. Hij zou waarschijnlijk hetzelfde vermoeden. Of denkt ze dat helemaal niet?

In zijn hoofd probeert hij dingen op een rijtje te zetten, maar haar vader begint weer te praten, hij noemt bedragen, en hij heeft het over slachtoffers, hoerenlopers die pas durfden te praten toen een van hen, haar vader noemt een naam, en hij heeft het idee dat hij die naam eerder heeft gehoord, dat het een bekende naam is, ja, het is een naam van een bekend iemand, al weet hij zo snel niet waarom-ie ook alweer bekend is, en als hij het goed begrijpt (maar alles tolt in hem) had de politie Bloem al langere tijd in 'de smiezen' (zo zegt haar vader het, en dat klinkt op de een of andere manier een beetje ranzig), maar waren ze nog bezig het dossier sluitend te krijgen toen...

'Toen we haar vonden...' zegt haar moeder, en ze trekt een

rauwe grimas, en aarzelt voor ze doorpraat. 'We zijn met haar afscheidsbrief naar de politie gegaan.'

Ze begint geluidloos te huilen. Haar man legt een hand op haar knie.

'Eerlijk gezegd geloofden we niet wat ze schreef,' zegt hij. 'Zeker niet omdat ze in haar laatste weken weer over van alles en nog wat loog.'

Haar moeder veegt haar gezicht droog. Pakt de hand van haar man, en legt die op zijn eigen knie.

'Maar volgens de rechercheurs die we spraken, kwam veel van wat ze schreef overeen met de verklaringen van die mannen. Ze kregen foto's toegestuurd, er werd geld geëist, want anders...'

'De politie heeft nog onderzoek gedaan naar al het geld dat ze van die hoerenlopers...'

'In haar afscheidsbrief heeft ze het er niet over, maar als de verhalen van die mannen kloppen, zou het alles bij elkaar om een aanzienlijk bedrag gaan.'

'Na enige tijd sloot de politie het dossier. Die hoerenlopers baalden natuurlijk dat ze hun geld kwijt waren, daar hadden die klootzakken liever nog wat van rondgeneukt, maar waarschijnlijk waren ze tevreden dat de zaak zo afliep, zonder publicitair gedoe. Kan ik me, als man, nog voorstellen ook.'

'Alphons,' zegt haar moeder.

En dan zegt ze: 'We, nou ja, vooral ik, heb me altijd afgevraagd wat ze in hemelsnaam met al dat geld heeft gedaan.'

Hij kan ze niet aankijken. Hij knikt zijn kin op zijn borst, en neemt aan dat ze nu de politie bellen – maar ze doen helemaal niets.

Haar vader staat uiteindelijk op en verlaat de kamer, en Mo verwacht dat hij alsnog de politie belt, en misschien is dat ook wel zo. Als hij de woonkamer weer binnenloopt, heeft hij een nieuwe fles wijn meegenomen en waarschijnlijk is dat om tijd te winnen totdat de politie arriveert. Mo houdt een hand boven zijn glas, en zegt dat hij genoeg heeft gehad. Dat is ook zo. Hij heeft genoeg gehad.

Ze laten hem gaan wanneer hij zegt dat hij gaat. Haar vader begeleidt hem naar de voordeur, en vraagt hem of hij zijn nummer mag noteren – 'mocht ik of mijn echtgenote nog een keer met je willen spreken' –, en hij geeft het nummer van het Melissa-mobieltje omdat dat het enige nummer is dat hij zich herinnert. Hij wil al naar buiten stappen, maar krijgt ineens een vreselijke aandrang, en hij vraagt of hij nog even, en daarbij wrijft hij met zijn hand over zijn buik.

Op weg naar het toilet ziet hij de foto van het graf.

De wandeling naar zijn auto ontnuchtert hem. Niet dat hij nuchter wordt van dat stukje lopen, dat kan niet, natuurlijk. Nee, hij is niet nuchter. 'Gefocust' is een beter woord.

Haar graf zien. Hij wil haar graf zien.

In de auto googelt hij op zijn telefoon naar begraafplaatsen in Zutphen. Hij vindt er twee, dus hij heeft vijftig procent kans. Hij tikt 'Warnsveldseweg 105' in op de TomTom en onderweg naar de Algemene Begraafplaats zet hij de radio zo hard mogelijk aan om het gemaal in zijn kop te overstemmen. Hij knijpt in het stuur, tuurt naar het schermpje van de TomTom, vergeet te roken, en hij haat haar en hij houdt nog steeds van haar, al begrijpt hij steeds minder van haar: het gemaal is niet te stoppen, ook niet door het oeverloze gelul van een hysterische praatzender.

Als hij op zijn bestemming aankomt, belet een hekwerk hem de begraafplaats te betreden. GESLOTEN VAN ZONSONDERGANG TOT ZONSOPGANG meldt een groen bord. Daaronder leest hij een 06-nummer, en hij heeft het nummer al ingetoetst, maar beseft dat het gekkenwerk is. Hij zal moeten wachten tot na zonsopgang – als de politie hem niet eerder heeft gevonden, want de ouders van Melissa zullen inmiddels toch wel...

Hij ontwaakt met een gortdroge strot. Iemand heeft hem vannacht de keel dichtgewrongen. Hij moet geslapen hebben, want hoewel de zon zich niet laat zien, is het hek van de begraafplaats open, het is dus na zonsopgang. Als hij op zijn iPhone kijkt, ziet hij dat het al halfelf is.

Hij start de auto en laat de ruitenwissers de regen van zijn voorruit vegen. Geen idee waarom, maar hij stelt het uitstappen uit.

Van zijn angst voor de politie is niets over. Het was sowieso nooit echt angst, natuurlijk, het was meer dat hij niet wilde dat de ouders van Melissa denken dat hij – ah, fuck it, het maakt allemaal niets meer uit. Hij opent het portier, trekt zijn capuchon over zijn hoofd, en loopt naar de begraafplaats, de laatste rustplaats van Bloem – ja, natúúrlijk kost het hem moeite om haar in zijn hoofd niet Melissa maar Bloem te noemen. En zoekend naar het graf van het meisje dat zijn leven veranderde, het zieke meisje dat hem een leven schonk totdat hij het allemaal zelf verklootte omdat hij zo nodig terug moest keren, jankt de smerige gedachte door zijn kop: dat er nooit een Melissa is geweest en dat hij daar niet achter was gekomen als hij gewoon zijn belofte had gehouden en was weggebleven uit Zutphen. En hij probeert die gedachte weg te duwen door er tegenin te denken. Hij zegt het hardop tegen zichzelf: 'Er was wél een Bloem,' en dan ziet hij – alles komt altijd ineens – een graf met de naam van 'Bloem van Buuren' en een datum en die datum is 21 augustus 2001 en dat is twee dagen nadat hij godverdomme naar Engeland... En hij haat haar en hij houdt van haar, misschien wel meer dan ooit.

Hij knielt neer op haar graf, en heel even overweegt hij zich daar en dan door zijn kop te knallen. Maar hij beseft dat zelfmoord op die locatie een pathetisch einde zou zijn. Dus staat hij op, drukt zijn lippen tegen zijn wijs- en middelvinger, en veegt met die twee vingers zachtjes over haar naam voor hij resoluut richting zijn auto loopt.

Nog voor hij het Golfje heeft bereikt, voelt hij zijn iPhone trillen. Hij graait naar z'n telefoon, en ziet dat het symbooltje van de GPS-tracker oplicht.

Op weg naar Utrecht overweegt hij tientallen keren zijn wagen tegen een boom, vangrail of viaduct te parkeren. Laat Souf doen wat Souf wil doen, zegt hij tegen zichzelf, maar tegelijkertijd probeert hij het gaspedaal nog dieper in te drukken – wat niet kan, want hij rijdt al plankgas.

Als hij de A12 oprijdt, toont de telefoon hoe de Canta van Souf langzaam richting Kanaleneiland rijdt.

Wanneer hij Bunnik passeert, ziet hij dat Souf niet Kanaleneiland in rijdt, zoals hij verwachtte, maar zigzaggend door de stad richting het centrum manoeuvreert.

En als hij zelf het centrum van de stad bereikt, en over de Catharijnesingel rijdt, ziet hij hoe verderop een vuurrode Canta hortend en stotend tussen de chaotische verbouwingswerkzaamheden en het hectische verkeer bij Hoog Catharijne door probeert te manoeuvreren.

Bij de Mariaplaats slaat hij af. Geen parkeerplek te bekennen, dus drukt hij zijn alarmlichten in en laat het Golfje midden op straat achter. Hij rent terug, richting de Rijnkade, en ziet hoe de Canta verderop voor een rolluik staat te wachten.

Hijgend omklemt hij met zijn linkerhand de paal van een verkeersbord.

Het rolluik gaat langzaam omhoog. Haperend verdwijnt een complete wand van beneden naar boven. Hij loopt achter wat voorbijgangers die kant op, en ziet hoe een bebaarde jongen met een soort afstandsbediening aan een snoer belangrijk staat te doen. Op zijn borst prijkt het logo van V&D.

De Canta rijdt naar binnen, en de jongen met de baard trekt meteen agressief het portier open, en terwijl hij een ongemakkelijk uitziende knuffel probeert te geven aan de bestuurder van de Canta, sneakt Mo naar binnen.

Het ruikt er morsig, naar champignons.

Mo verschuilt zich achter een verzameling pallets en dozen. Hij kan niet goed verstaan wat er wordt gezegd, het lijkt alsof er afwisselend Arabisch en Nederlands wordt gesproken. Slechts één zin verstaat hij luid en duidelijk.

'Het leek me toch niet nodig mijn baard af te scheren,' hoort hij Souf zeggen.

Na flink wat getreuzel, eigenlijk duurt het eindeloos, gaat de jongen weg. Kost hem moeite, want hij keert een paar keer terug om Souf nog eens te omhelzen.

Dan is Souf eindelijk alleen, nog steeds in de vuurrode Canta, de deur van het ding nog steeds wijd open. Zijn broertje lijkt in trance. Haast heeft hij niet, dat is meteen duidelijk, waarschijnlijk wil hij wachten tot de jongen met dat v&d-logo op zijn borst genoeg afstand heeft genomen, tot hij ver genoeg uit de buurt is.

Hij kan nu ingrijpen, maar iets houdt hem tegen.

Komt zo wel.

Zo meteen zal hij zachtjes in de richting van zijn broertje sluipen. Misschien zal hij, om zijn actie net even meer cachet te geven, wel die kant op tijgeren, dat maakt het extra – nou ja – filmisch.

Dan roept hij zijn naam. Of misschien ziet Souf hem al voordat hij die kans krijgt. In ieder geval maakt hij, net als in films, krachtig en luid duidelijk dat Souf zijn handen op het stuur moet leggen, dat hij zijn fokking handen op het stuur moet leggen.

Souf roept dat hij moet oprotten, want dat roept hij altijd; het is alsof de almachtige scriptschrijver waarin hij gelooft het niet nodig vond hem een heel uitgebreid vocabulaire te schenken.

Waarschijnlijk herhaalt hij dat 'oprotten' een paar keer, want hij vindt het – ondanks alles – niet nodig om ook zijn oudere broer mee te nemen naar waar hij heen denkt te gaan. Misschien maakt hij zich wel zorgen om de verdeling van die maagden. Of werkt dat niet zo, en worden die alleen ter beschikking gesteld aan de uitvoerder van zo'n aanslag? Zijn broertje hoeft zich sowieso geen zorgen te maken over die maagden: Mo zal er met zijn tengels van afblijven.

Goed. Zijn broertje (die nog steeds tamelijk roerloos in het wagentje zit, het lijkt erop dat hij zit te bidden) weigert natuurlijk zijn handen op het stuur te leggen. Hij moet het een paar keer herhalen, leg je fokking handen op het stuur!

Zijn broertje roept dan iets in de trant van: het ligt hier helemaal vol explosieven, maak dat je wegkomt! Of nee, dat laatste roept hij niet, zo praat hij niet. Oprotten, jij!, schreeuwt hij.

Omdat het dus niet een echt gesprek wordt – ze herhalen slechts hun standpunten, ja, ze praten langs elkaar heen – móét hij wel zijn pistool gebruiken. Hij kan niet anders, tenzij hij zijn broertje een succesje gunt, maar dat is niet het geval, daarvoor is er te veel gebeurd.

Het eerste schot is mis, waarschijnlijk boort die eerste kogel zich diep in een pallet, twee meter (of meer) verwijderd van zijn broertje. Zo vaak heeft hij niet geschoten, en bovendien trillen zijn handen nu al.

Zijn broertje lacht hem uit. Hautain en waanzinnig klinkt het. *Hahahahaha*, terwijl zijn broertje daar verderop nog steeds roerloos in de Canta zit. Alleen zijn lippen bewegen, een beetje.

Hij schiet nog een keer, en dat schot is raak. Het hoofd van Souf kantelt, klapt neer op zijn schouder, en het wit van zijn dishdasha kleurt meteen rood.

Ja, dat tweede schot maakt hem kapot.

Zijn dode broertje kijkt hem voldaan aan. Mond in een selfiegrijns, zijn verbazingwekkend witte tanden goed zichtbaar: ja, Souf is overduidelijk dood, maar hij ziet er niet uit als een ontevreden dode. Hij kan het niet helpen, ondanks alles stelt dat hem gerust.

Hij loopt naar de Canta, geeft er een trap tegen. Meteen spijt, omdat hij zijn tenen bezeert.

Om er zeker van te zijn dat Souf echt dood is (je weet maar nooit, zoiets kun je ook *faken*) duwt hij tegen het lijf van zijn broertje, en het is alsof hij tegen een pop duwt.

Een marionet! Zijn broertje voelt aan als een marionet –

hoewel hij eigenlijk geen idee heeft hoe dat aanvoelt, zo'n marionet. Levenloos, waarschijnlijk.

Anyway, overtuigd van de dood van zijn broertje, de aanslag verijdeld, fluistert hij iets als: 'Het is de tragiek van de AIVD dat ze haar succesjes niet kan delen.'

En dan?

Dan ruikt hij waarschijnlijk die geur. Ja, het is aannemelijk dat hij diezelfde geur ruikt als toen, toen hij die Abou Issa het licht uit zijn ogen trapte.

Was het muskus? Rook hij toen muskus?

Hij kijkt naar zijn broertje, die in beweging lijkt te komen, en hij snuift, zo diep als hij kan. Voorlopig ruikt hij alleen die morsige champignonnengeur.

Verantwoording

Het motto komt uit het nummer 'Bewuste Sabotage' van De Jeugd van Tegenwoordig (Ja, natúúrlijk, 2013).

Mo citeert in '2014' een regel uit 'There is a light that never goes out' van The Smiths (*The Queen is Dead*, 1986). Op weg naar Frankrijk in 'De grens over... (2001)' blèren Mo en Melissa mee met hetzelfde meesterwerk.

Bilal citeert in '2014' een uitspraak ('Als men zegt dat iets een test en tegelijkertijd een gunst kan zijn...') van sjeik Ibn Taymiyyah. De vertaling van het oorspronkelijk Arabische citaat staat op talloze islamitische websites en Facebook-pagina's. Wie het vertaalde is onduidelijk.

Het lievelingsstandbeeld van Bloem, *Thinker on a Rock* van Barry Flanagan (in de Utrechtse volksmond steevast 'De Denkende Haas' genoemd), kijkt pas sinds 2002 uit op de Neude.

De passages over de 'Utrechtse terreurzaak' in '*Hijra* (2004)' zijn gebaseerd op artikelen in het *Utrechts Nieuwsblad*, geschreven door Dylan de Gruijl en mijzelf.

Maar bovenal heb ik me bij het schrijven laten leiden door wat Steven Patrick Morrissey ooit zei tegen scenarioschrijver Shaun Duggan over het nummer 'Shoplifters of the World Unite':

'It's more or less spiritual shoplifting, cultural shoplifting, taking things and using them to your own advantage.'

Daarom: dank aan alle werkelijk bestaande personen die in *De terugkeerling* voorkomen, met name aan Mo, Bloem en Bilal. Zonder jullie had ik dit verhaal niet kunnen vertellen.